entreNOsotras

Published by arrangement with The Bantam Dell Publishing Group, a division of Random House.

Colección: *entreNOsotras*

Título original: One summer

Primera edición: enero 2007

ISBN: 84-96517-26-8
Printed in Spain- Impreso en España
Romanyà-Valls-Capellades, Barcelona
Deposito legal: B. 54.948 - 2006

KAREN ROBARDS

UN SOLO VERANO

entreNOsotras

Dedico este libro a mi hermana Lee por proporcionarme de nuevo inspiración, y como siempre con todo mi amor, a los hombres de mi vida, mi marido, Doug, y mis hijos Peter y Chris

CAPITULO 1

Desde aquel amanecer de pesadilla, Rachel Grant no soportaba la fragancia de las cletras. Era irónico que en ese preciso momento sintiera que ese olor le sofocaba.

Esperaba frente a la estación del autobuses Greyhound, inmóvil sobre el asfalto recalentado, para dar la bienvenida a Johnny Harris, el chico malo a quien hacía años ella había intentado enseñar inglés en el instituto. Johnny Harris, el guapo inútil del pueblo. Todo el mundo esperaba que siguiera los pasos de su padre, pero en realidad se había convertido en algo mucho peor.

Johnny Harris, condenado hacía once años por asesinato, y acusado de violar a una animadora deportiva del instituto, una chica de diecisiete años.

Hoy, gracias a Rachel, Johnny Harris volvía a casa.

Oyó el ruido del motor del autobús antes de que éste apareciera. En actitud tensa, Rachel miró a su alrededor para ver si alguien observaba. Bob Gibson, en la taquilla, no era más que una mancha tras la ventanilla en la fachada de la estación de servicio que hacía las veces de terminal de autobuses en Tylerville. Jeff Skaggs, un chico que había salido del instituto el mes de mayo anterior y ahora trabajaba en el supermercado Seven-Eleven, depositaba unas monedas en la máquina de refrescos a un lado del edificio. Detrás de su camioneta estacionada, Rachel divisó la mata de cletras, tan común en el lugar, tan decorativa, con sus brillantes hojas verdes y sus espigas de flores blancas.

Al descubrir el origen del aroma, se sintió algo aliviada. Sin embargo, la coincidencia era curiosa. Hacía once años, habían hallado el cadáver ensangrentado de Marybeth Edwards junto a una mata de cletras en medio de una ola de calor muy similar a la que sufría Tylerville aquellos días. Una lluvia de capullos, aparentemente desprendidos por el forcejeo de Marybeth con su agresor, había cubierto el cuerpo de la joven. El aroma dulzón de las flores no alcanzaba a mitigar el olor más penetrante de la sangre.

Entonces, como ahora, era a finales de agosto y reinaba un calor intenso como en un horno de pizzas. Rachel, que se dirigía al instituto de Tylerville a poner en orden su aula para el año siguiente, había sido una de las primeras en llegar a la escena del crimen. No había olvidado la macabra visión.

Tampoco había renunciado a la idea de que Johnny Harris, que había estado muy prendado de la atractiva rubia, no la había matado. Johnny y Marybeth se veían a hurtadillas, desafiando la prohibición de los padres de la chica, y cuando la hallaron muerta con el semen de Johnny en su cuerpo, el caso quedó cerrado. Lo detuvieron a menos de una semana del crimen, fue procesado y condenado por asesinato, y la acusación se fundó en la teoría de que esa noche Marybeth le había dicho que quería dejar de verlo. La acusación de violación fue descartada. Eran demasiadas las personas que, como Rachel, sabían qué tipo de relación mantenía Marybeth con Johnny. Rachel tenía la certeza de que el muchacho que ella conocía no había podido cometer un crimen tan horrendo. Siempre había pensado que el único delito del que Johnny Harris era culpable era sencillamente ser Johnny Harris.

Ahora esperaba con toda el alma que se confirmara su certeza.

El autobús entró en la terminal y se detuvo con un resuello de neumáticos y un chirrido de frenos. Se abrió la puerta. Rachel se quedó mirando el espacio vacío y apretó la correa de su bolso de verano. Los tacones de sus impecables zapatos blancos se hundieron en el asfalto y todo su cuerpo se puso tenso a causa de la expectación.

Apareció Johnny Harris en el hueco de la puerta. Llevaba unas gastadas botas de vaquero color marrón, pantalones vaqueros descoloridos y camiseta blanca. Los hombros eran tan anchos que tensaban la tela de la camiseta, tenía unos bíceps enormes y la piel sorprendentemente tostada. Estaba delgado, aunque la palabra más adecuada era... enjuto. Enjuto, duro y recio como el cuero. Su pelo conservaba el mismo color negro azabache de siempre, aunque ahora lo llevaba más largo de lo habitual, ondulado y casi hasta los hombros. Su cara era la misma. Rachel lo habría reconocido en cualquier sitio con sólo mirarlo una vez, si bien una barba de varios días le desdibujaba las líneas de la mandíbula y la barbilla. El muchacho rudo y guapo que ella recordaba todavía era hosco y atractivo, pero ya no era un muchacho. Se había convertido en un hombre maduro y de aspecto peligroso.

Con cierta sorpresa, cayó en la cuenta de que Johnny Harris bordeaba los treinta años. Puede que en el pasado hubiera sabido algo acerca de él pero ahora no.

Johnny había pasado los últimos diez años en una prisión federal.

Bajó del autobús y miró alrededor. Rachel, que seguía inmóvil a un lado, se despabiló y avanzó unos pasos. Sus tacones quedaron prendidos en los diminutos agujeros que había dejado en el pavimento, y tropezó. Al recuperar el equilibrio, él la estaba observando.

—Señorita Grant… —dijo, sin sonreír, mientras la miraba de arriba abajo.

Era una mirada casi ofensiva en su descarada inspección de su feminidad, y eso la desconcertó. No era el tipo de mirada que, como profesora, esperaba recibir de un alumno, o de un ex alumno. Era una mirada irrespetuosa.

—Jo... Johnny. Bienvenido a casa.

Parecía absurdo dirigirse a aquel hombre de rostro marcado, como si aún se tratara de su joven alumno, pero el nombre afloró en sus labios sin que se diera cuenta cuando él la llamó de la forma acostumbrada.

—A casa —dijo él, y apretó los labios mirando alrededor.

—Sí, claro.

Rachel siguió su mirada y vio que Jeff Skaggs, los ojos desorbitados y la lata de Coca-Cola suspendida delante de la boca, los observaba boquiabierto. Era de suponer que todo Tylerville se enteraría de la noticia del regreso de Johnny Harris antes de la hora de cenar. Jeff Skaggs, la madre de Jeff, era la mujer más chismosa del pueblo. Rachel jamás había pretendido mantener en secreto el regreso de Johnny. En Tylerville, Kentucky, los secretos no existían, al menos no por mucho tiempo. Todos conocían los asuntos de los demás. Sin embargo, ella albergaba la esperanza de darle a Johnny la oportunidad de llegar y orientarse un poco antes de que se le viniera encima el inevitable alud de protestas. Si ciertas personas del pueblo hubiesen sabido que Johnny Harris regresaba a Tylerville, habrían armado un escándalo para impedírselo.

Ahora lo sabían, o no tardarían en saberlo, pero era demasiado tarde para hacer algo al respecto. Habría un alboroto fenomenal, en gran parte dirigido contra ella. Pero Rachel sabía que eso ocurriría desde el momento en que recibió su carta pidiéndole un trabajo para obtener la libertad condicional y decidió responderle que sí.

Rachel Grant detestaba las polémicas y aborrecía especialmente ser el centro de ninguna de ellas. Pero había creído íntimamente que el joven que ella recordaba merecía mejor suerte. Ahora seguía pensando lo mismo.

Sin embargo, aquel individuo alto y de aire displicente que estaba a su lado no era el muchacho que ella recordaba. Lo demostraba su mirada insultante, además de su aspecto diferente.

El conductor bajó para sacar el equipaje del autobús.

Rachel recuperó la compostura.

—Más vale que saquemos tus cosas.

Johnny rió, y su risa pareció más inspirada por la burla que por la diversión.

—Aquí las tengo, señorita Grant —dijo, enseñándole una bolsa de marinero manchada que llevaba al hombro.

—Ah, vale. Entonces, ¿vamos?

Johnny no dijo nada. Ella se volvió para dirigirse al coche, presa de un extraño desasosiego. Desde luego, no había esperado que del autobús bajara el muchacho de dieciocho años al que había dado clase, pero tampoco estaba preparada para encontrarse con semejante hombre.

Vaya, qué tonta.

Intentando no perder la calma, Rachel llegó junto al coche, un Máxima azul, abrió la puerta y miró por encima del hombro, justo a tiempo de ver a Johnny Harris haciéndole un corte de mangas a Jeff Skaggs. Aquel gesto obsceno fue suficiente para que se viera confirmada su sospecha de que, en lo que concernía a Johnny Harris, posiblemente se había metido en camisa de once varas.

—¿Crees que era necesario hacer eso? —inquirió en voz baja cuando él se acercó.

—Sí.

Johnny dio la vuelta al vehículo, abrió la puerta de atrás, metió la bolsa y subió en el asiento junto al conductor. A Rachel no le quedó más remedio que subir.

Y eso hizo. Era asombroso lo diminuto que parecía su Máxima, habitualmente espacioso, ahora que Johnny Harris ocupaba el otro asiento. Sus hombros eran más anchos que el mullido respaldo gris del asiento, y desbordaban hacia el espacio de ella. Tenía las piernas muy separadas, demasiado largas para poder estirarlas y apoyó una rodilla contra el salpicadero. Su proximidad la hizo sentirse incómoda. Johnny se giró hacia ella y sus ojos, de un azul grisáceo (era curioso que no lo recordara), volvieron a posarse sobre su figura. Esta vez la intención de su mirada era inequívoca.

—Abróchate el cinturón, por favor. Es obligatorio.

Rachel tuvo que resistir el impulso de encorvar los hombros para ocultar los pechos a su mirada. No solía sentirse incómoda con los hombres. Una vez, hacía mucho tiempo, su corazón ingenuo había amado con locura, como siempre había esperado amar a un hombre. Él se había adueñado de todo su amor, y también de toda su pasión juvenil e insensata, y luego la había rechazado como se rechaza un objeto de poco valor. Rachel había sobrevivido, pero la experiencia le había enseñado que era más seguro prescindir de los hombres.

Ahora no podía ignorar a Johnny Harris. Su mirada se detuvo en los pechos de Rachel. Ella, con un impulso instintivo, lo miró. Su vestido sin mangas, de algodón blanco y estampado con llamativas hortensias púrpuras, tenía un escote alto y redondo, y una falda que le rozaba los tobillos al caminar. Resaltaba su figura esbelta y era a la vez sencillo y femenino. No había nada en su modo de vestir que pudiese provocar aquella inquietante mirada. Sin embargo, con los ojos de Johnny fijos en ella, Rachel se sintió desprotegida, casi desnuda, y esa sensación no le gustó. Tuvo que hacer un gran esfuerzo para ignorar la actitud de Johnny.

—No, claro, no estaría bien que cometiéramos una infracción.

A pesar de la burla de sus palabras, al menos se abrochó el cinturón. Rachel sintió un gran alivio cuando él dejó de mirarla.

Estaba tan alterada que le temblaban las manos cuando introdujo la llave de contacto. Tuvo que intentarlo tres veces hasta que el motor arrancó y del aire acondicionado brotó un aire caliente que los sofocó. Buscó a tientas los botones y bajó las ventanillas de ambos lados. Fuera, el aire no era mucho más fresco y Rachel sintió que en la frente se le acumulaban gotas de sudor.

—¿Hace calor, no?

Era un buen tema de conversación, un tema inofensivo. Él respondió con un gruñido.

Qué se le iba a hacer. Rachel levantó el pie del freno y apretó el acelerador. En lugar de salir hacia delante, el Máxima salió disparado hacia atrás y fue bruscamente detenido por un poste de teléfonos que separaba la terminal de autobuses de la lavandería de Cellie.

Había puesto la marcha atrás por error, pensó, y dejó escapar una imprecación por lo bajo.

Por un momento, después del impacto ninguno de los dos se movió. Rachel aún intentaba recuperar cierta presencia de ánimo cuando Johnny se giró en el asiento para mirar los daños.

—Ahora inténtelo en primera —dijo. Rachel no contestó. ¿Qué iba a decir? Puso el coche en marcha y arrancó. Si tenía el guardabarros abollado, lo cual era probable, tendría que esperar a que Johnny Harris hubiera bajado del coche para comprobarlo.

—¿La pongo nerviosa, señorita Grant? —inquirió su pasajero cuando por fin Rachel logró salir a la carretera, una vía de dos carriles que cruzaba el pueblo, sin chocar con los vehículos que venían en sentido contrario.

El aire húmedo que entraba a ráfagas por las ventanillas le alborotaba el cabello castaño y corto y le dificultaba la visión. Con gesto distraído, se apartó el cabello de la cara y sostuvo con una mano los mechones más rebeldes. Lidiar con Johnny Harris y conducir parecían dos actividades mutuamente excluyentes. Si lograba concentrarse, dominaría la situación.

—Claro que no me pones nerviosa —respondió con sonrisa forzada.

No en vano había dado clases en el instituto durante trece años. Conservar la calma ante el caos constante y el desastre ocasional era ya una costumbre arraigada en ella.

—¿Está segura? Parece que cree que me la quiero tirar.

—¿Qué?

El comentario la cogió tan desprevenida que no logró pronunciar palabra. Sujetando el volante con ambas manos, le lanzó una mirada escandalizada. Por supuesto, conocía la expresión, un término de la jerga adolescente para decir «tener relaciones sexuales». Pero no podía creer que se dirigiera a ella con esas palabras. Era cinco años mayor que Johnny, y ni siquiera cuando era joven había sido lo que se llama una chica fácil. Además, había sido su profesora, por el amor de Dios, y ahora estaba haciendo lo imposible por convertirse en su amiga.

Aun así, convertirse en amiga de Johnny Harris resultaba más difícil de lo que había pensado.

—Al fin y al cabo, hace diez años que no he gozado de la compañía de una mujer... Disculpe, creo que en su caso debería decir una *dama*. Puede que le moleste saber que estoy un poco cachondo.

—¿¡Qué…!?

Esta vez fue más una exclamación ahogada que una pregunta. Le lanzó una mirada de incredulidad.

—¡Mire por dónde va, carajo!

El inesperado rugido sobresaltó a Rachel, al tiempo que Johnny agarraba el volante y tiraba de él. Un camión cargado de carbón pasó tronando junto a ellos, haciendo que el pequeño utilitario se meciera como una barca.

—¡Coño, por poco nos matamos! Rachel sintió que el calor añadido a la tensión le provocaba náuseas. Pulsó el botón para subir la ventanilla. El aire acondicionado funcionaba. Por un momento, Rachel disfrutó del aire helado sobre el rostro en ascuas.

—Por el amor de Dios, ¿quién diablos le ha enseñado a conducir? ¡Si es un auténtico peligro!

Ella no contestó y Johnny volvió a reclinarse en el asiento. Tenía los puños apretados sobre las rodillas, y ése era el único signo que delataba su tensión. También lo delataba su mirada fija en el camino.

Al menos había encontrado una solución para evitar sus miradas lascivas. Sin embargo, probablemente sería un error ignorarlo. La única manera de habérselas con él era hacerle frente. Si descubría que podía pisotear a alguien, iría a por ese alguien.

—No me hables de ese modo —dijo Rachel, rompiendo el silencio tenso—. No lo toleraré.

Mientras hablaba, sostenía el volante con ambas manos, la mirada fija en el camino. « Mantente serena, calmada y sosegada», se dijo. Era la manera de enfrentarse a él. Por desgracia, la terminal de autobuses estaba situada al otro lado del pueblo y aún tardarían unos diez minutos en llegar a su destino. Aquella tarde del jueves el tráfico era muy intenso. Incluso en las mejores condiciones, Rachel tenía la lamentable costumbre de ausentarse mentalmente mientras conducía. Siempre estaba construyendo castillos en el aire, como decía, exasperada, su madre, en lugar de preocuparse por lo que tenía delante. Como resultado de ello había tenido que pagar no pocas reparaciones de parachoques.

Ésas no eran precisamente buenas condiciones.

—¿De qué modo? ¿Se refiere a lo de estar cachondo? Sólo intentaba tranquilizarla. Nadie va a atacarla ni nada por el estilo. Al menos, no yo.

Esa declaración, que parecía tan inocente, fue seguida de otra mirada de reojo que no intentaba disimular su objetivo, a saber, un descarado estudio de su figura. Era como si quisiera ponerla nerviosa deliberadamente, y Rachel no comprendía el motivo. En ese momento, ella era casi el único aliado que le quedaba a Johnny en el pueblo, si no en el mundo.

—¿Por qué te empeñas en ponerte las cosas difíciles, Johnny? —preguntó ella, con voz queda.

Johnny entrecerró los ojos.

—No juegue a la profesora conmigo, señorita Grant. Ya no estoy en el instituto.

—En aquella época tenías mejores modales.

—Y mejores perspectivas. Desde entonces, unas y otras se han ido al infierno. Y ¿sabe qué? Me importa un cuerno.

Rachel permaneció en silenció.

Pasaron sin decir nada frente al Wal-Mart, el Rey de la Hamburguesa, el Kroger y el puñado de tiendas de antigüedades que habían brotado en la esquina de las calles Vine y Mayor. Al acercarse al lugar donde iban, Rachel empezó a tranquilizarse. Sólo faltaban unos minutos para librarse de él. Intentó no cometer más errores al detener el coche en el aparcamiento situado en la parte posterior de la ferretería Grant, fundada por su abuelo a principios de siglo y ahora administrada por ella.

—Hay un piso sobre la tienda. Es para ti. Tienes que seguir por el lado y subir la escalera —dijo Rachel, y detuvo el coche. Buscó en la guantera y le entregó a Johnny una llave que colgaba de una anilla de metal—. Aquí tienes la llave. El alquiler se te descontará del sueldo todas las semanas. Como te decía en mi carta, el horario es de ocho de la mañana a seis de la tarde, con una hora libre al mediodía. Espero que estés en el trabajo a las ocho de la mañana.

—Allí estaré.

—Bien.

Johnny permaneció sentado, con la llave entre los dedos, mirándola con una expresión que ella no pudo descifrar.

—¿Por qué me ofreció trabajo? ¿Acaso no tiene miedo de un hombre que ha violado y matado a una adolescente?

—Los dos sabemos que no violaste a Marybeth Edwards —repuso Rachel con voz cortante, y al hablar con tanta franqueza se le crisparon los dedos sobre el volante—. Yo al menos estoy dispuesta a creer que vosotros dos teníais relaciones de mutuo acuerdo, tal como tú declaraste. Y que ella estaba viva en el momento en que os despedisteis. Ahora, ¿quieres hacerme el favor de bajar de mi coche? Tengo cosas que hacer.

Lo observó con alivio disimulado abrir la puerta y bajar sin decir palabra. No habría sabido cómo librarse de él si se hubiera puesto difícil. Apoyó el pie en el freno y puso la primera con cuidado. Cuando volvió a levantar la vista Johnny aún estaba allí, con el brazo apoyado en el techo del coche y golpeando el cristal.

Con los labios apretados, Rachel pulsó el botón para bajarlo. El calor volvió a darle en el rostro.

—Tengo que decirle una cosa —añadió él en tono confidencial, inclinándose hacia ella.

Tenía la cara cerca de la de Rachel, demasiado cerca. La había vuelto a poner nerviosa, lo cual era sin duda su objetivo. Ese pensamiento la hizo endurecerse.

—¿Qué dices? —preguntó, en tono casi cortante.

—Cuando iba al instituto, me ponía usted muy caliente y todavía me pasa lo mismo.

Rachel quedó boquiabierta, muda, escandalizada. Johnny le lanzó una sonrisa de complicidad y luego se irguió.

Mientras lo observaba alejarse a paso lento, Rachel advirtió que tenía la boca abierta. La cerró con un chasquido seco.

CAPITULO 2

Un coche marrón de un modelo cualquiera se detuvo junto a la acera, a cierta distancia de la ferretería. Desde el asiento del conductor, un vigilante desconocido los observaba con una mirada concentrada. Los ojos del vigilante parecían algo vidriosos mientras escrutaba cada detalle del hombre que caminaba con lenta arrogancia cruzando el aparcamiento hasta doblar en la esquina y perderse de vista. El Máxima azul retrocedió con un chirrido de neumáticos y salió a la calle demasiado rápido. Luego partió, dejando atrás el lugar donde aguardaba el coche aparcado. El vigilante casi no reparó en él.

Había regresado. Johnny Harris había regresado. El vigilante había estado esperando ese momento, un momento que había durado una eternidad. Esta vez los rumores eran ciertos, aunque el vigilante apenas se había atrevido a creerlos hasta que lo vio bajar del autobús.

Johnny Harris. Por fin había vuelto. Había llegado la hora de poner fin a lo iniciado hacía once años.

El vigilante sonrió, pensando en brillantes expectativas.

CAPITULO 3

—¿Has oído eso? Dice Idell que su hijo vio a Rachel Grant cuando se encontraba con alguien en la terminal de autobuses esta mañana. ¡Y jamás adivinarías quién era!

—¿Quién?

—Johnny Harris.

—¡Johnny Harris! Pero si está en la cárcel. Idell debe de haberse equivocado.

—No, Idell jura que Jeff lo vio perfectamente. Debe de haber salido en libertad condicional, o algo así.

—¿Hacen eso cuando se trata de asesinato?

—Supongo que sí. En todo caso, Idell dice que Jeff lo ha visto con Rachel Grant. ¿Te lo puedes creer?

—¡No!

—Es verdad, señora Ashton —era Rachel la que interrumpía la conversación—. Johnny Harris está en libertad condicional y trabajará en la ferretería Grant.

Aún irritada por su encuentro con el famoso Johnny Harris, Rachel experimentó cierta dificultad para mostrar a sus vecinas una sonrisa serena, aunque lo consiguió. Eso era al mismo tiempo lo mejor y lo peor de Tylerville. Nadie podía evitar el chismorreo. Tan ensimismadas estaban las dos mujeres con sus chismes a la salida del Kroger que no se habían percatado de la presencia de Rachel en la fila contigua. La señora Ashton, que ahora escuchaba la noticia, bordeaba los sesenta años y era amiga de la madre de Rachel Grant. Pam Collier era más joven, de unos cuarenta y cinco años, con un hijo de dieciséis que, según toda probabilidad, estaría en la clase de Rachel el otoño siguiente. Rachel habría esperado que Pam se compadeciera de la suerte de Johnny, pensando en el demonio de hijo que ésta tenía, pero no era así.

—Ay, Rachel, y los Edwards, ¿qué? Se morirán cuando se enteren —dijo la señora Ashton.

En su mirada se adivinaba el dolor que sentía por la familia de la adolescente asesinada.

—Siento mucha pena por ellos, y eso usted lo sabe —repuso Rachel—, pero nunca he creído que Johnny Harris matara a Marybeth Edwards, y sigo sin creerlo. Recuerde que yo fui su maestra en el instituto, y no era mal chico. Al menos, no tan malo.

Su conciencia la obligó a corregir la última frase. Johnny Harris había sido uno de esos chicos malos y respondones, de chaqueta de cuero negra y risa burlona. Eso había sido suficiente para enemistarlo con los buenos vecinos de Tylerville. Se emborrachaba, se metía en peleas, destrozaba farolas y ventanas, insultaba a la gente y circulaba en moto. Y la mayoría de los chicos con quienes se juntaba eran tan golfos como él. Se rumoreaba que Johnny y su pandilla habían montado algunas juergas salvajes como no se habían visto nunca en Tylerville. En la escuela y fuera de ella había tenido casi siempre problemas, y su lengua mordaz no había contribuido en nada a su buena reputación. Según Rachel, lo salvaba el hecho de que le gustaba leer. Y eso fue, de hecho, lo primero que le hizo pensar que tal vez Johnny fuera distinto de lo que parecía.

Un día, cuando Rachel sólo tenía veintidós años, cuando le asignaron la supervisión en horas libres, había visto por primera vez a Johnny Harris, que por entonces era sólo un chico de dieciséis. Era su primer semestre de profesora y lo vio salir con aires de suficiencia por la puerta lateral de la escuela como si tuviese todo el derecho. Lo siguió, sospechando que Johnny quería fumar un par de pitillos a escondidas, y finalmente lo descubrió en el aparcamiento, echado en el asiento trasero del coche de otro alumno. Estaba solo y sus zapatillas deportivas de caña alta, una de las cuales tenía un agujero en la suela, asomaban por la ventanilla. Tenía las largas piernas cruzadas y un brazo doblado tras la cabeza como almohada. Sobre el pecho sostenía un libro abierto.

El asombro de Rachel había sido tan grande, como contundente la belicosidad de Johnny al ser descubierto.

—¡Esos Harris son todos mala gente...! Seguro que recuerdas cuando Buck Harris dijo que se había convertido en pastor, y luego fundó su propia iglesia y reunió quién sabe cuánto dinero en donaciones, diciendo que lo destinaría a los niños hambrientos de los Apalaches. Y después fue y se gastó todo ese dinero en el juego, en la bebida y viviendo por todo lo alto. Por eso acabó en la cárcel, y no es lo peor que ha hecho.

Al recordar aquel episodio la señora Ashton apretó los labios. Rachel pensó que la mujer tal vez había sido una de las contribuyentes de la «iglesia» de Buck Harris. En el pueblo era bien sabido que sólo los más ingenuos se habían dejado embaucar. Al fin y al cabo, ¿cómo podía alguien en su sano juicio confiar en Buck Harris?

—No se puede culpar a Johnny por algo que hizo su hermano —dijo Rachel con voz pausada.

—Bah —murmuró la señora Ashton, muy poco convencida.

Rachel observó que Betty Nichols, la cajera, no dejaba de prestar oído a los chismorreos mientras metía la compra en dos bolsas de papel. El dolor en las sienes anunciaba la inminencia de una jaqueca. Hacía años que era propensa a ellas, desde que un día comprendió que nunca se marcharía de Tylerville. Nunca. Los lazos de amor y las obligaciones se habían cerrado en torno a ella, y ahora la ataban como sólidas cadenas de hierro. Rachel lo había aceptado y estaba resignada. Incluso consideraba su destino con cierto humor sombrío. Ella, que siempre había soñado con volar alto y lejos y con llevar una vida de un estilo muy diferente al que llevaba, sentía que le habían cortado las alas. En cierto modo, podía contarse a sí misma como una más de las víctimas de aquel trágico verano de hacía once años.

Su existencia estaba ahora sólidamente asentada en la senda por la cual se desplazaría en los próximos cincuenta años: la de profesora del instituto del pueblo. Su vocación consistía en asumir la casi titánica tarea de abrir las mentes de los jóvenes de Tylerville, y familiarizarlos con el poder y la belleza de las palabras. Al principio, esa perspectiva la había entusiasmado. Pero con los años había llegado a comprender que sondear en busca de la chispa de imaginación y creatividad de sus alumnos era una tarea tan ingrata como buscar la perla milagrosa en el fondo de un océano lleno de ostras. Sólo algunos triunfos, poco habituales, hacían que su trabajo valiera la pena.

Johnny Harris había sido uno de esos triunfos. Tal vez el más inverosímil.

Al pensar en él, arremetió la jaqueca. Con una mueca de dolor, buscó el talonario en su bolso para darse prisa y huir de la tienda. En ese momento, lo último que quería era asumir la defensa de Johnny Harris ante nadie, porque a ella misma le costaba aceptar aquello en lo que se había convertido. Quería estar diez minutos sola. La compra de la señora Ashton ya estaba dentro del carro, y las últimas cosas de Pam Collier pasaban por el lector de barras. Gracias a Dios los sermones no durarían mucho más. Sólo unos minutos más y podría escapar.

—Sue Harris no era más que una putilla, si me perdonáis la expresión. Ahora vive en Detroit y me han dicho que es una de esas madres que reciben subsidios, con tres hijos de tres hombres diferentes. Y jamás se ha casado con ninguno de ellos.

—¡No me digas! —La señora Ashton sacudió la cabeza, mientras Pam, a su vez, asentía.

—Eso me han dicho. Y todo el mundo sabe que Grady Harris era el mayor traficante de drogas de este estado cuando se ahogó hace tres años. Y no se habría ahogado sino hubiera estado drogado con no sé qué.

Rachel aspiró profundamente para calmarse. Le palpitaba la cabeza, pero no hizo caso del dolor.

—A mí me contaron que estaba de fiesta en una embarcación. Se cayó por la borda y se golpeó la cabeza. Puede que Grady hubiera estado consumiendo otra cosa que no fuera whisky, pero nadie lo ha demostrado. Y si beber whisky es un delito, entonces hay muchos delincuentes en esta zona.

A pesar del recelo que sentía ante al menos uno de los hermanos Harris, Rachel se sintió obligada a puntualizar los hechos. Al igual que todos en el pueblo, estaba enterada de los chismes. Lo que ni ella ni nadie sabían era hasta qué punto éstos eran ciertos. Aquello no impedía, desde luego, que corrieran de boca en boca. Los chismes eran la escoria de la que vivía Tylerville. Rachel sospechaba que si los chismes murieran, una parte importante de la población correría la misma suerte.

Eso sí, para hacer frente a la cuestión, tenía que reconocer que había algo de cierto en lo que decían Pam y la señora Ashton. Como clan, los Harris no eran los ciudadanos más respetables de Tylerville, y Rachel no habría podido negarlo. Sólo deseaba ofrecer al muchacho —no, ahora era un hombre— la oportunidad que se merecía. No intentaba convertir a Johnny Harris en un santo pero creía que, en cuanto al asesinato de Marybeth Edwards, lo habían inculpado falsamente.

—Willie Harris también tiene hijos por todas partes. Hasta algunos en Perrytown, por lo que he oído.

Pam bajó la voz para seguir el relato del sabroso chisme. Para comprender su alcance, era necesario saber que Perrytown era el barrio negro situado en las afueras del pueblo. Si bien la integración en Tylerville era ley y todos se oponían verbalmente a cualquier tipo de racismo, en la realidad casi todos los negros vivían separados en su pequeña comunidad.

—¡Oh, eso no lo creo! —Hasta la señora Ashton se escandalizó ante las calumnias contra el padre de Johnny.

—Eso es lo que me han contado.

—Son treinta y siete dólares con sesenta y dos, señorita.

—¿Qué?

Betty Nichols repitió pacientemente el total. Rachel se apresuró a extender un cheque y se lo entregó. En Tylerville todos se conocían. Como Betty había sido alumna suya, no hacía falta enseñarle un documento de identidad. Todo el pueblo sabía que los cheques de los Grant valían lo mismo que el oro, del mismo modo que nadie habría aceptado un cheque a uno de los Harris.

Así era la vida en Tylerville.
—Adiós, señora Ashton. Adiós, Pam.
—Espera un momento, Rachel —la interpeló la señora Ashton.
Pam también gritó algo, pero Rachel ya había cruzado la puerta automática y no las oyó, aunque tampoco lo lamentó.
De regreso a casa con un horrible dolor de cabeza Rachel pensó que nunca en su vida se había sentido tan exhausta. Tal vez fuera el calor. O la tensión que le causaba tener que defender a Johnny Harris.
Cogió su bolso del asiento del pasajero, buscó palpando y encontró el frasco de aspirinas que siempre llevaba consigo. No era fácil abrirlo sin salirse del camino, pero Rachel lo consiguió y se tragó dos aspirinas.
«Ésta es mi carta al mundo, que a mí nunca me escribió...»
Rachel recordó al pasar las palabras de Emily Dickinson. Siempre había amado la poesía, y en los últimos tiempos ese verso le parecía un resumen adecuado de su existencia. Para ella simbolizaba un alma anhelante, encerrada en la monótona rutina de una vida vulgar. Como Emily Dickinson, Rachel quería más, aunque no podía decir qué era lo que anhelaba. A menudo se sentía dolorosamente sola, aunque no le faltaban amigos ni compañía. Pero le faltaba ese ser excepcional, distinto a los demás, algo así como un... alma gemela.
Con los años había llegado a darse cuenta de que no pertenecía del todo a Tylerville. Era un ser diferente en su familia, entre sus vecinos, sus compañeros de trabajo y sus alumnos. Leía todo lo que podía, novelas, obras de teatro, biografías y poesía. Leía periódicos, revistas, cajas de cereales, cualquier cosa. Su madre y su hermana leían libros de cocina y revistas de moda. Su padre leía diarios financieros y revistas de deportes. Ella se contentaba con su propia compañía durante horas. Si le daban a elegir, hasta prefería estar sola. Los demás se sentían infelices si no tenían un abultado programa de actividades sociales. Rachel escribía poesía y soñaba con la posibilidad de publicarla algún día. Los de su familia se reían, indulgentes, con sus garabatos.
Sin embargo, los amaba, y ellos la amaban a ella.
A veces pensaba en sí misma como el desgarbado patito feo del cuento. Por mucho que se empeñara en ser como los demás, algo que había intentado durante años, no lo conseguía. Al final, había aprendido a fingir que era como ellos. Así la vida era más fácil. Le bastaba con guardarse más o menos el ochenta por ciento de lo que pensaba y sentía.
Notó que la tensión comenzaba a ceder cuando detuvo el coche entre los grandes pilares de piedra a la entrada de *El Nogueral*, la granja de doscientos cincuenta acres que era el hogar de los Grant desde hacía varias generaciones. Al disminuir el pulso en las sienes,

sintió un profundo alivio. El hogar siempre ejercía un efecto tranquilizador en Rachel, que amaba la casa centenaria en que había crecido. Amaba el largo camino de entrada, que habían asfaltado hacía apenas unos diez años y que serpenteaba entre altísimos robles y arces. Amaba los córneos y ciclamores en flor que convertían aquel lugar en un paraíso al llegar la primavera; los melocotoneros que crecían detrás de la casa y proporcionaban unos excelentes melocotones, y los nogales que sembraban la calzada y el patio de duras bolas verdes en otoño y daban nueces para comer en invierno. Amaba ver a los pocos caballos que conservaban pastando en los campos más allá de la casa, cercados por bosques. Amaba el granero que había construido su abuelo y el suegro de éste, y cada uno de los tres estanques, y el bosque que ocupaba casi todo el campo de atrás. Amaba las cocheras construidas en un lado de la casa, donde solía estacionar el coche. Amaba la suave pintura blanca que se había descascarillado aquí y allá, dejando al descubierto el rosado de los ladrillos de la construcción original, y el rojo color del techo de latón que formaba picos y alerones, tres plantas y media por encima del suelo. Amaba la ancha galería cubierta, con sus recias columnas blancas que engalanaban la fachada de la casa, y la acera y la terraza que conducían a la parte de atrás. Siguió la acera con los brazos cargados de la compra, dejando que las imágenes, los olores y sonidos de la casa calmaran sus nervios alterados. Como siempre, era agradable llegar a casa.

—¿Has traído las chuletas de cerdo? Ya sabes que tu padre dijo que quería chuletas de cerdo.

Elisabeth Grant, la madre de Rachel, la recibió en la puerta de la cocina. Su tono era irritado, como solía suceder en los últimos tiempos. Su escaso metro sesenta de estatura y sus cuarenta y cinco kilos de peso, era lo único que le había dejado en herencia a su hija. Aparte de eso, la semejanza física entre ambas era escasa. El cabello de Elisabeth, corto y rizado, antes había sido negro natural, y ahora se lo teñía del mismo color. Tenía la piel como el papel, de tono cetrino y arrugada por años de exposición al sol, pero su maquillaje, aplicado con delicadeza, compensaba muchas cosas. Aun cuando no pensara salir de casa, Elisabeth aparecía siempre bien arreglada. Ese día llevaba un vestido verde esmeralda con discretas joyas de oro y zapatos que hacían juego. Elisabeth había sido una mujer muy bella, cosa que aún se podía apreciar. Rachel siempre había tenido la sensación de haber decepcionado a su madre en ese sentido. Su tez y sus rasgos eran más parecidos a los de su padre.

—Sí, mamá, las he traído.

Rachel entregó las provisiones a Tilda, que tuvo que pasar junto a Elisabeth para cogerlas. Tilda vestía unos pantalones estrechos y una amplia camiseta sin mangas a la moda, todo un desafío indumentario a sus cincuenta y dos años. Era el ama de llaves de los Grant desde que Rachel tenía uso de razón. Ella y su marido, Jotadé, que se ocupaba de los trabajos en la casa, eran casi de la familia, aunque cada noche volvían a su casita de madera en Perrytown.

—Habría ido yo a la senda, señora Grant, si me hubiera dicho que necesitaba algo —dijo Tilda en tono de leve reproche mientras llevaba las dos bolsas al mostrador junto al fregadero. Rachel era su pequeña, o más bien, una de sus pequeños, ya que ella tenía seis, y no le agradaba que nadie abusara de ellos, como solía decir. Ni siquiera la madre de Rachel.

—Ya sabes que hoy quería que estuvieras para ayudar a Jotadé con Stan. En el estado en que se encuentra, a mí ya no me quedan fuerzas para hacer nada con él.

—Si ha pedido chuletas de cerdo, debe de haber tenido un día agradable —comentó Rachel, mientras cogía un plátano de la bolsa que estaba vaciando Tilda y lo pelaba.

Stan era su querido padre, que tenía más de setenta años, aunque costara creerlo. Sufría la enfermedad de Alzheimer, que en los últimos ocho años le había quitado la capacidad de moverse y, en gran medida, también la razón. Ahora emergía ocasionalmente de la bruma de confusión en que vivía y entonces reconocía a alguno de los suyos, e incluso llegaba a hablar.

—Eso sí. Vaya, si esta mañana hasta me reconoció. Y preguntó dónde se había escondido Becky. Desde luego, ha olvidado que Becky está casada y tiene hijas —acotó Elisabeth, y se agachó para sacar la cazuela grande del armario de la cocina.

Becky era la hermana menor de Rachel y vivía en Louisville con su marido, Michael Hennessey, y sus tres hijas pequeñas. Becky era el vivo retrato de la madre, físicamente y en personalidad. Ése era el motivo, suponía Rachel, por el que Becky era la favorita de su madre. Elisabeth conocía bien a la menor, que había sido animadora deportiva, reina del baile del instituto y reina de la fiesta de graduación. Becky compartía con su madre un agudo interés por los hombres y la ropa. Rachel, en cambio, tenía siempre la nariz metida en un libro y la cabeza en las nubes. Elisabeth la había tildado de soñadora, y eso no era necesariamente un cumplido. Aquella parcialidad de Elisabeth ya no molestaba a Rachel, aunque había sido un dolor secreto y oculto en la adolescencia de las hermanas. Y cuando ambas fueron mayores, Rachel adoptó el rol de chica de papá y acompañaba a Stan en sus correrías por el pueblo y en sus excursiones de pesca, esforzándose en aprender todo lo que podía sobre ferretería para complacerlo. A él no le importaba que Rachel no fuera una bella muchacha, ni se alteraba si a veces ella se ensimismaba tanto en un libro que olvidaba vigilar la cocina y dejaba que se quemara la cena. Con el tiempo, esa relación especial con su padre llegó a ser muy valiosa para ella. Entre tanto, la cercanía de Becky y su madre había dejado de lastimarla.

—¿Ha llegado ese muchacho, Harris? —inquirió Elisabeth, con tono marcado por cierta desaprobación, mientras abría el paquete de chuletas que Tilda había dejado sobre el mostrador.

Rachel, que ahora se ocupaba de casi todo lo relacionado con la ferretería, no había consultado a su madre antes de darle el empleo a Johnny. No la informó hasta un día antes, cuando ya no podía evitarlo. Como había previsto Rachel, Elisabeth se horrorizó con la sola idea de que Johnny Harris volviese a Tylerville. En cuanto a darle un empleo, prefería dárselo al mismísimo demonio, dijo. Estaba furiosa con su hija. Rachel sabía que, como castigo, estaba destinada a sufrir sutiles persecuciones, tales como su comentario de que Stan preguntaba por Becky, pero no por ella.

—Sí, mamá, ha venido —dijo al tiempo que mordía el plátano y se daba cuenta de que no le apetecía y lo tiraba—. Está muy agradecido de que le hayamos ofrecido el puesto.

Esa era una mentira de las grandes. Su madre arrugó la nariz.

—Nosotros no le hemos ofrecido ningún puesto. Yo jamás habría hecho tal cosa. Todo ha sido obra tuya, señorita, y tú sola tendrás que soportar las consecuencias. Escucha lo que te digo, acabará atacando a alguna muchacha, o cualquier otra cosa horrible. Siempre fue así.

—Yo creo que se portará bien, mamá. Tilda, ¿dónde está papá?

—Arriba, en la sala de baile. Jotadé le trajo una de esas cintas de Elvis que le gustan tanto, y están los dos allí escuchándola.

—Gracias, Tilda. Creo que subiré a verlo. Llámame si necesitas ayuda, mamá.

—Ya sabes que no necesito ayuda para cocinar.

La destreza culinaria de Elisabeth era su orgullo y su alegría. La oferta de Rachel había sido más que nada su manera de responder al castigo de su madre.

—Sí, lo sé, mamá.

Rachel empleó un tono más suave y sonrió a Elisabeth antes de salir de la cocina y subir por la estrecha escalera del fondo. La relación con su madre siempre había sido ambivalente, pero ella la quería de todos modos. La enfermedad de Stan había sido un duro golpe para Elisabeth, que lo amaba más de lo que amaba a la misma Becky.

Mucho antes de llegar a la segunda planta, Rachel oyó los acordes de *Hound Dog*. La sala de baile, un nombre ampuloso para lo que era en realidad, un gran dormitorio con grandes ventanales, que ocupaba casi la mitad de los altos de la casa, no estaba amueblada. El suelo de madera dura estaba desnudo, sin las alfombras orientales que amortiguaban los ruidos y daban calor a las habitaciones de abajo. La ausencia de muebles amplificaba el sonido. Rachel, que nunca había sido una fanática de Elvis, empezó a saltar con los compases mientras caminaba por el pasillo.

Tenía un ritmo contagioso. A Stan siempre le había gustado Elvis, y al morir éste, lo había llorado como si perdiera a un miembro de la familia.

La puerta que comunicaba con el ascensor, que habían instalado para Stan y su silla de ruedas, estaba abierta cuando Rachel pasó. Más tarde, Stan y Jotadé bajaron por ese ascensor hasta la primera planta para bañarlo, darle sus píldoras para dormir y acostarlo. Era la rutina inexorable de sus días. Cada vez que pensaba en su vigoroso padre reducido a esa monotonía, a Rachel le entraban ganas de llorar. Por eso, procuraba no pensar en ello.

Tal como había pensado al girar en un pasillo para entrar a la sala de baile, Rachel encontró a su padre sentado en la silla de ruedas, con los ojos cerrados, cabeceando al compás de la música. Las canciones de Elvis eran uno de los pocos placeres que le quedaban, algo que le llegaba más adentro que cualquier otra cosa.

Jotadé estaba sentado en el suelo junto a Stan con las piernas cruzadas. De la pretina de sus pantalones de trabajo grises le salía un vientre enorme, y la camisa gris más clara, desabrochada, dejaba ver su camiseta. De tez más oscura que su esposa, Jotadé también era más vivaz, y siempre tenía la sonrisa a flor de labios para cualquiera que se cruzara con él. Tarareaba la música y seguía el ritmo con los dedos nudosos dando golpecitos en el suelo brillante. Algún ruido producido por Rachel hizo que Jotadé levantara la vista. La saludó con una ancha sonrisa y Rachel le devolvió el saludo con un ademán. Cualquier intento de hablar hubiera sido inútil debido al volumen de la música.

Se acercó a su padre y le tocó la mano.

—Hola, papá.

Él no abrió los ojos, ni siquiera advirtió la presencia de su hija, ni sus dedos posadas sobre los suyos. Rachel los mantuvo ahí un rato, y luego los retiró suspirando. No esperaba que la reacción fuera diferente. En aquellos días le bastaba verlo, saber que estaba cómodo y que recibía buenos cuidados.

Lo único que ella o cualquier otra persona podía hacer era atender las necesidades físicas de su padre. Al menos habían conseguido mantenerlo en casa. Aunque sin Jotadé, que era el único capaz de manejarlo cuando se ponía intratable, y sin la ayuda de Tilda, habrían tenido que internarlo en un asilo de ancianos.

La sola idea hacía temblar a Rachel, aun cuando el doctor Johnson, médico de Stan, les había advertido que el ingreso quizá sería necesario en las últimas etapas de la enfermedad.

Elisabeth no podía ni siquiera pensar en tal perspectiva sin derramar lágrimas histéricas. Hacía cuarenta y un años que estaban casados.

Stan había sido un hombre corpulento, de un metro ochenta y cinco y unos noventa kilos de peso. Aún era físicamente grande, pero su enfermedad parecía encogerlo. O quizá ahora que su padre dependía de ella había cambiado la percepción que Rachel tenía de su tamaño. Aun así, sintió un amor fuerte y protector al contemplar las pocas hebras plateadas de cabello que apenas le cubrían el cráneo. Envejecer nunca era una perspectiva placentera, pero esa enfermedad que acababa con el alma antes que con el cuerpo era algo espantoso.

—Estaré aquí mientras me necesites, papá —prometió en silencio Rachel, apretándole la mano.

Hound Dag fue seguido de *Love Me Tender,* y al oír esas notas dulces y tristes, Rachel sintió que le afloraban las lágrimas. Ridícula. Lo único que ganaría llorando sería que se le taponara la nariz. Pestañeó para contener las lágrimas, acarició de nuevo la mano de su padre, volvió a saludar a Jotadé con un gesto de la mano y salió. Se cambiaría de ropa antes de bajar. Si su madre iba a preparar sus famosas chuletas de cerdo frito al estilo sureño, un proceso bastante largo, Rachel tenía tiempo de sobra para poner en orden sus ideas antes de que se sentaran a cenar.

Rachel oía los acordes de *Heartbreak Hotel* mientras se ponía unos pantalones cortos a cuadros azules y verdes y un polo verde oscuro. Calcetines blancos y zapatillas deportivas completaban el atuendo. Se cepilló el pelo y luego, ahuecándolo con la mano, se miró al espejo. Advirtió que por primera vez en mucho tiempo se estaba mirando realmente en lugar de revisarse simplemente el peinado y el maquillaje. De pronto comprendió por qué. Sin poder huir del espectro de Johnny Harris, intentaba verse a través de sus ojos.

«Cuando iba al instituto, me ponía usted muy caliente. Y todavía me pasa lo mismo.» Las palabras de Johnny Harris resonaron espontáneamente en su recuerdo. Rachel apretó el cepillo que sostenía en la mano. Era evidente que no hablaba en serio. Tan sólo trataba de ponerla incómoda por alguna razón que ella no lograba explicarse. Rachel no era el tipo de mujer que solía encender de deseo de los hombres. Por eso la había deslumbrado Michael. El guapo, el brillante de Michael... enamorado de ella. Aun entonces le había costado creerlo.

Una punzada de aquel dolor de otros tiempos logró arrancar una mueca a Rachel. Había pasado mucho tiempo desde que él la había abandonado con un beso en la mejilla y con una frase acerca de que no eran realmente compatibles. A ella se le había roto el corazón, pero al parecer él no se percató, o no le importó. Ya no pensaba casi nunca en Michael, al menos no en relación con ella misma. Michael ya no era suyo. Ahora era de Becky, porque era su esposo.

En sus pensamientos se insinuó otro tema que era más inquietante. La idea de haber inspirado un ataque de «calentura» en un Johnny Harris adolescente que había sido todo un galán, para tomar prestado otro término de la jerga de sus alumnos... Vaya, era sencillamente divertido. Ella no daba el tipo.

Tenía treinta y cuatro años, casi treinta y cinco, aunque suponía que no los aparentaba. Su aversión al sol (siempre se quemaba en lugar de broncearse) la había preservado de las arrugas, excepto unas pequeñas que tenía en torno a los ojos. Tenía una figura esbelta, pero ése era el único punto a su favor. Casi todas las chicas de trece años tenían unas siluetas que ella envidiaría. Su secreto más íntimo era que podía comprarse la ropa, y a menudo lo hacía, en la sección de varones preadolescentes de Grumer, las grandes superficies de Tylerville. Rachel tenía el cabello castaño, cortado hasta la altura del mentón y con las puntas peinadas hacia dentro para enmarcar un rostro bonito, con rasgos regulares y forma ovalada, aunque algo pálido. No llegaba a ser un rostro bello, eso saltaba a la vista. Sus ojos eran grandes y bonitos, con pestañas espesas castaño oscuro, pero de un castaño que no le quitaría el sueño a ningún hombre. A menudo le habían dicho que era «mona». Hasta Rob, el hombre con quien mantenía una relación sin entusiasmo durante los últimos años, la había definido así.

Rachel odiaba que la llamasen «mona». Era una palabra que sentaba bien a los bebés y a los animales domésticos, pero no a las mujeres adultas. Aun cuando fuese una descripción precisa, ella la consideraba insultante. Pero, desde luego, Rob no tenía modo de saberlo, ni ella se lo había comentado. Rob era un hombre amable, y sólo había querido halagarla. Como farmacéutico y dueño de su propio negocio tenía unos ingresos respetables, buenos modales y era bastante bien parecido. Rachel estaba segura de que sería un buen padre. Y ella empezaba a desear tener hijos.

Ya era hora de casarse. El abandono de Michael había matado algo indefinido en ella pero, bueno, la vida era así. No se engañaba con la idea de que fuera la única mujer que había sido abandonada. Su corazón había sanado hacía tiempo de sus heridas. Ya no sufría por Michael. La edad le había dado la sabiduría y la decisión necesarias para conseguir que un matrimonio funcionara. Cuando dudaba al recordar la excitación desenfrenada de su pasión por Michael, algo que estaba ausente de su relación con Rob, le bastaba recordar que ya no era la muchacha ingenua y candorosa que había amado con todo el corazón y con ilimitada confianza en su felicidad futura. Había madurado y se había vuelto más sabia.

—¡Rachel, Rachel, baja en seguida!

Era tan insólito oír a su madre gritando desde la escalera que a Rachel le llamó la atención. Se apartó del espejo, salió de la habitación y bajó de prisa a la cocina. Elisabeth sostenía un tenedor de púas largas en una mano. Rachel vio su expresión y supo que estaba alterada.

—Te han llamado por teléfono —dijo, antes de que Rachel preguntara qué sucedía—. Era Bert, de la tienda. Dijo que fueras de inmediato para allá. Ha llegado la policía. Ese Johnny Harris ha armado no sé qué lío.

CAPITULO 4

Había dos coches de policía aparcados frente a la ferretería. Unos cuantos curiosos miraban desde fuera y un agente uniformado custodiaba la entrada. Al bajar del coche, Rachel vio que el agente era Linda Howlett, cuya hermana menor había estado en su clase dos años atrás. Al ver a Rachel, Linda le hizo señas de que pasara y Rachel se apresuró a entrar en la tienda. La escena que vio era tan espantosa que se detuvo de golpe.

En el suelo había dos hombres tendidos, uno boca abajo y el otro de espaldas. Tres policías estaban inclinados sobre ellos. Uno de ellos era Greg Skaggs, hijo de Idell y hermano mayor de Jeff, que había ingresado en la policía el año anterior. Ahora tenía una rodilla apoyada sobre la ancha espalda de un individuo de camiseta blanca sin mangas, y apoyaba una pistola contra una masa de pelo negro despeinado. Otro policía, Kerry Yates, estaba arrodillado y le sujetaba con fuerza el brazo torcido. A Rachel le bastó una sola mirada pan reconocer a Johnny Harris. Unos metros más allá estaba el otro hombre derribado, a quien Rachel no logró identificar. Junto a él permanecía inclinado el jefe, Jim Wheatley, cuya postura indicaba que no corría peligro porque estaba verificando el pulso del cuello del hombre. Tras el mostrador, Olivia Tompkins, que tenía diecinueve años y trabajaba en la ferretería media jornada, observaba con sus grandes ojos pintados. Mientras Rachel vacilaba, Ben Ziegler, el gerente, salió de un almacén situado al fondo de la tienda. Era evidente que ninguno de ellos había advertido la presencia de Rachel.

—Dijo la señora Grant que Rachel está en camino —anunció Ben al jefe Wheatley.

—Vale.

—¡Suéltame, cabrón, me estás rompiendo el brazo!

El gruñido provino de Johnny, que intentó soltarse de un movimiento, frustrado por un duro tirón en su brazo retorcido.

Johnny reaccionó con tal sarta de obscenidades que hizo pestañear a Rachel, y le hizo pensar que aunque Johnny hubiese sido inocente cuando fue juzgado y condenado, tal vez la cárcel lo había cambiado tanto, que ahora era realmente una amenaza para la sociedad. A decir verdad, no había sido nada delicado con ella. Cualquier cosa que hubiera provocado aquella situación, tenía que haber sido muy violenta para despertar semejante reacción por parte de la policía de Tylerville, habitualmente tan comedida.

—Sigue resistiéndote, hijoputa, y puede que hasta me den ganas de agujerearte la cabezota.

La amenaza, pronunciada por Greg Skaggs con voz pausada, sacó a Rachel de su momentánea incredulidad. Fuera lo que fuese Johnny, no estaba dispuesta a ver cómo lo mataban ante sus ojos.

—Dios mío, ¿qué está pasando aquí? —preguntó, acercándose.

El jefe Wheatley, los agentes, Ben y Olivia, todos levantaron la vista al mismo tiempo.

—Rachel, no he podido evitarlo —se lamentó Olivia—. Estaba muy nerviosa porque ese Johnny Harris había entrado en la tienda a pesar de que Ben me había prometido que eso no sucedería mientras yo estuviera aquí, y entonces entró el señor Edwards, y supe que habría jaleo. Fue horrible, empezaron a pelear y cayeron rodando por todas partes, y se querían estrangular y se golpeaban. Yo llamé a la policía, y menos mal que se me ocurrió hacerlo. Johnny Harris le dio un puñetazo en el cuello al señor Edwards y lo dejó inconsciente. ¡Me asombra que no lo haya matado!

—Claro, resulta que Carl se enteró de que Harris estaba aquí. Vino a buscarlo y lo encontró. Ya te había dicho que contratar a Harris era un error, y ya ves que tenía razón. Sólo hace un par de horas que ha llegado y mira lo que ha sucedido —dijo Ben, indicando con un gesto a los hombres en el suelo—. Han destrozado la tienda con la pelea. ¡Mira la que han armado!

Rachel miró alrededor. El suelo estaba sembrado de latas de pintura, pinceles, rodillos y carteles caídos de un muestrario de colores. Una de las latas se había abierto al caer y el esmalte se había derramado sobre las baldosas blanquinegras. Un barril de plástico con un enorme surtido de pernos y tuercas yacía de costado, con su contenido esparcido por todas partes. El alpiste, guardado en un gran bote metálico, ahora formaba una alfombra arenosa bajo los pies. El envase, abollado, reposaba contra el mostrador de madera. A juzgar por su aspecto, lo habían arrojado contra alguien.

—Debiste haberme consultado antes de hacer algo tan palmariamente tonto como contratar a Harris, Rachel —dijo el jefe Wheatley—. Cualquiera con un poco de sentido común, habría previsto que los hermanos Edwards vendrían a por él en cuanto llegara al pueblo. Hombre, yo no puedo culparos, aunque haré respetar la ley como es mi obligación. No está nada bien que la hermana de Carl esté muerta y su asesino ande suelto y de vuelta en nuestro pueblo.

Al hablar, el jefe de policía se incorporó y se apartó del segundo hombre. Rachel reconoció a Carl, el hermano mayor de Marybeth Edwards.

—¿Podrías soltarlo, por favor? —dijo Rachel con mucha calma a Greg Skaggs, mientras señalaba a Johnny. Era evidente que aquellos hombres estaban movidos por el odio y estaban dispuestos a atacar a Johnny sin pensárselo dos veces. Ella había creído en él todos esos años, enfrentándose a una opinión pública abrumadora, y no pensaba abandonarlo ahora sólo porque él ya no era el muchacho con pelusa de melocotón en la barbilla que había esperado encontrar—. No creo que represente un peligro para nadie, con tantos policías presentes. No lleva ningún arma, ¿o sí la lleva?

Tras un breve cacheo del detenido, Kerry Yates dijo de mala gana al jefe Wheatley:

—Yo diría que no va armado.

—Suéltame, cabrón.

—Cállate muchacho, o acabarás de vuelta en la cárcel más rápido que un estornudo —gruñó el jefe Wheatley.

—Que te jodan.

La respuesta de Johnny sobresaltó a Rachel. Greg Skaggs golpeó la cabeza del muchacho con su pistola, un poco más duro de lo que era necesario como mera advertencia. Kerry Yates dobló aún más el brazo que sujetaba y sonrió. Johnny lanzó un gruñido de dolor. Rachel se enfureció.

—¡Soltadlo! —dijo, levantando la voz, cosa que rara vez hacía.

El jefe de policía la miró, observó a sus hombres, vaciló, y luego asintió con la cabeza.

—Dejad que se levante—dijo—. Compórtate, muchacho, o estarás de vuelta en el suelo antes de que puedas limpiarte la nariz —agregó mirando a Johnny, mientras éste se zafaba del brazo.

—Venga, levántate —dijo Greg Skaggs, apartándose del detenido antes de incorporarse.

No volvió a guardar el arma y la sostuvo en la mano.

La respuesta de Johnny al ponerse de pie y volverse hacia ellos fue tan ofensiva que Rachel pensó que era justificable la repentina tensión en el semblante de los agentes. Permaneció apoyado en la punta de los pies, con los puños apretados a los lados como si esperara que lo atacaran en cualquier momento, la cara lívida y manchada de sangre, los ojos brillando de ira.

—Te encontraré un día que no lleves uniforme, chico —le dijo a Greg Skaggs—. Ya veremos si entonces eres igual de duro.

—Eso me suena a amenaza —contestó Wheatley, en tono de advertencia.

—Tú, cállate —ordenó Rachel a Johnny.

Se le acercó y le golpeó el pecho con un índice admonitorio. Sin otra razón que su puro instinto visceral, de pronto estaba cien por cien de su lado.

Johnny Harris la miró con la mandíbula apretada, y a pesar de sus ojos duros, la forma en que Rachel le devolvió la mirada lo hizo callar. Como un escudo, se interpuso entre él y los demás. En ese momento no captó el gesto absurdo de proteger a Johnny, cuando su cabeza no le llegaba al hombro y pesaba sólo la mitad que él. La injusticia de la situación la enardecía. Al fin y al cabo, ¿qué había hecho él que no hubiera hecho Carl Edwards, excepto ser Johnny Harris?

En el suelo, Carl Edwards gimió y se sentó frotándose la nuca. Luego miró a su alrededor y vio a Johnny. La expresión se le torció.

—Hijo de puta —masculló—. Ya verás cómo ajustamos cuentas. Eres un asesino. ¿Crees que te puedes cargar a mi hermana y salirte de rositas?

—¡Basta ya! —dijo bruscamente el jefe Wheatley y se acercó para cogerlo de un brazo y ponerlo de pie—. ¿Quieres presentar una denuncia contra Harris por agresión?

—¡Joder, claro que sí...!

—Para ser justos, Edwards lanzó el primer puñetazo —dijo Ben, a regañadientes.

—Ya lo ves —dijo Rachel, mirando a Wheatley con aire triunfal—. ¿Por qué no le pregunta a Johnny si quiere presentar denuncia contra Carl? Sería lo más justo.

—Rachel... —Wheatley parecía sentirse acosado.

—No —dijo bruscamente Johnny a sus espaldas.

—No me hagas favores, cabrón —rugió Carl Edwards—. Te haré pedazos como hiciste con Marybeth. ¿Recuerdas lo guapa que era, Harris? Pues no quedó nada guapa después de que acabaras con ella, ¿verdad? Puerco, ¿cómo pudiste hacerle eso? Sólo tenía diecisiete años.

—Vamos, a mí eso me suena como una amenaza —dijo Rachel.

Pero la satisfacción de ese desquite se desvaneció ante el derrumbe repentino y lastimoso de Carl Edwards.

—Vamos, Carl, te llevaré a casa —dijo el jefe Wheatley con voz queda al ver que Carl jadeaba de emoción y le corrían lágrimas por la cara.

Rachel sintió que se le encogía el corazón de lástima por él. Tenía que haber sido muy duro perder una hermana de manera tan horrible... Pero ella, no obstante, estaba de parte de Johnny.

—Dígale que no vuelva a entrar aquí, jefe. Si vuelve, presentaré una denuncia por allanamiento —dijo Rachel en voz alta mientras el jefe Wheatley, seguido de sus hombres, se llevaban a un lloroso Carl Edwards.

—Dios santo, Rachel, ¿acaso no sientes ninguna compasión por él? Carl adoraba a su hermana menor. Deberías sentir lástima por él —dijo Ben, desconcertado por la fría amenaza de Rachel.

—Sí que lo compadezco —repuso ella, y se volvió para mirar a Johnny. Éste tenía todo el lado izquierdo de la cara manchado de la sangre que le brotaba del labio partido.

La sangre corría, abundante, manchándole la camiseta que había sido blanca. Fuera, el ruido de los coches le indicó que la policía se marchaba.

La tienda volvía a estar abierta y en actividad.

—Olivia, vuelve a tu puesto, por favor. Ben, ¿está hecho el inventario? Si no, será mejor que lo acabes porque quiero verlo contigo mañana por la mañana.

A sus espaldas, la campanilla de la puerta avisó de la entrada de un cliente, probablemente uno de los curiosos que se habían congregado fuera.

—¿En qué puedo servirle? —preguntó Ben, amable, acercándose al cliente. Rachel ni siquiera miró.

—Tú, ven conmigo —le dijo a Johnny con una voz cargada de autoridad, y señalándolo con un índice poderoso.

Se encaminó hacia la puerta del almacén. Desde allí, una pequeña escalera conducía al apartamento de Johnny, donde podrían estar a solas. No se detuvo a mirar atrás y ver si él la seguía. Rachel sabía que la obedecería. En lo referente a Johnny Harris, su sexto sentido parecía estar dotado de una inquietante agudeza.

CAPITULO 5

—Te traeré un poco de hielo para la boca.

En la cocina del piso amueblado no faltaba nada, ni siquiera una nevera con congelador. Rachel encontró un paño en un cajón junto al fregadero, abrió el compartimiento del congelador para sacar unos cubitos de hielo, los envolvió en el paño y formó una especie de bolsa. Se la ofreció a Johnny, que permanecía apoyado en la encimera junto a la cocina. Éste aceptó la improvisada bolsa de hielo sin decir palabra y se la apretó contra el labio herido. A juzgar por la expresión de su cara, la sensación le procuró más dolor que alivio.

—Vale, ¿qué tal si me cuentas lo que pasó?

—¿Acaso eres mi director de libertad condicional?

Aquel tono arrastrado e insolente sonaba a auténtico Johnny Harris. Su hosquedad resultó tranquilizadora para Rachel. Significaba que, después de todo, algo del muchacho que ella recordaba perduraba en el hombre.

Rachel le sostuvo la mirada sin pestañear.

—Soy tu jefa, ¿recuerdas? Tu patrona. Acabas de pelearte con un cliente en mi tienda. Creo que tengo derecho a una explicación.

—¿Antes de decidir si me despedirá o no?

—Exactamente.

Harris entrecerró los ojos. Cruzando los brazos sobre el pecho, Rachel aguardó. Durante una larga pausa, ninguno de los dos cedió ni un milímetro.

Hasta que Johnny se encogió de hombros.

—¿Quiere saber la verdad? Edwards me atacó. Yo me defendí. Si quiere, me cree, si no, no.

—Te creo.

Ahora que se había rebajado a dar explicaciones, aunque lacónicas, el tono de Harris era hostil. Y ésa era precisamente la actitud que Rachel había previsto que adoptaría. La tensión de su columna se aflojó levemente. Por mucho que Johnny hubiera cambiado en su aspecto físico, íntimamente seguía siendo el mismo.

Al oír la profesión de fe de Rachel, Johnny apretó la mandíbula y arrojó sobre la encimera el paquete de hielo. El trapo se desenrolló y el hielo se derramó con ruido. Rachel chasqueó la lengua en señal de desaprobación e instintivamente empujó el hielo hacia el fregadero, cuando un súbito movimiento de Johnny le llamó la atención. Sin previo aviso, Harris agarró la camiseta con ambas manos y se la subió por encima de la cabeza. Rachel se volvió hacia él espontáneamente. La mirada se le clavó en un pecho masculino tan bello que le quitó el aliento.

Entre sus actividades en la cárcel, era evidente que había tenido tiempo de hacer ejercicio. Tenía los pectorales bien definidos, y el abdomen era liso y musculoso. Los bíceps eran fuertes, y la cintura era estrecha comparada con el ancho de los hombros. Un sedoso triángulo de vello negro le cubría parte del pecho

«¡Guau!», fue la exclamación que cruzó por la mente de Rachel.

Harris acabó de quitarse la camiseta e hizo una bola con ella. Luego miró a Rachel con un brillo malicioso. Era evidente que se proponía turbarla. Tenía que recuperar pronto su presencia de ánimo.

—¿Qué haces? —preguntó.

Si su voz se mantenía serena, era gracias a la práctica de parecer imperturbable, adquirida durante años de impartir clases a delincuentes en ciernes.

—Me estoy cambiando de camiseta. ¿Qué pensaba que estaba haciendo? ¿Que me la iba a hacer aquí mismo, profe? —Johnny dio un paso hacia ella hasta que su pecho quedó a escasos centímetros de su rostro. Rachel tuvo que alzar la vista, más allá de aquella maraña de negro vello pectoral, hombros anchos y mentón sin afeitar, para encontrar su mirada. Johnny tenía los ojos entreabiertos, las pupilas ligeramente dilatadas, el iris de un azul grisáceo profundo—. ¿O tal vez lo estaba deseando? —agregó él, con una voz susurrante.

Pareció que, por un instante, la sangre de Rachel dejaba de fluir. Johnny la quería asustar, claro. Recobró la calma después de esa breve incursión en la gélida duda, con la absoluta certeza de que él sólo deseaba atemorizarla. Era como un niño al que todos le han dicho que es malo y está decidido a demostrar que tienen razón.

Esa idea le dio valor para no ceder.

—Eso será en tus sueños —repuso, con un resoplido burlón, y continuó recogiendo trozos de hielo semiderretido en el fregadero, como si no tuviera ninguna preocupación en el mundo.

Por un momento, Johnny permaneció en silencio observándola. Rachel tuvo la sensación de que se había quedado perplejo. Pero si quería jugar al Lobo Feroz y hacer de ella una Caperucita Roja, iba a sufrir una desilusión, porque no tenía la menor intención de dar la espalda y huir de él. Eso nunca. Al comienzo de su carrera había aprendido que el error más grave que puede cometer alguien que ocupa un cargo de autoridad, es mostrar siquiera el más leve indicio de miedo ante quienes debe dirigir.

—Ya veo que sigue siendo la señorita Grant de siempre —dijo él, finalmente. Su boca y sus ojos habían perdido parte de su dureza—. Recuerdo que siempre tenía una respuesta para todo.

—Para todo, no. —Rachel alzó la vista con un amago de sonrisa.

—Casi, casi todo.

Dicho eso, Johnny se volvió y salió del estrecho corredor de la cocina. Por un instante, Rachel sintió un gran alivio. Estaba apoyada en la encimera y sentía que le faltaba energía psíquica para incorporarse. Lo observó mientras él se alejaba. Eso fue un error. Era increíble la atracción sexual que aquel tipo desprendía. Sus negros cabellos ondulados rozaban apenas unos hombros anchos y bronceados. Una espalda fuerte y musculosa. Pantalones vaqueros ceñidos que moldeaban unas piernas largas que se contoneaban sobre unas botas altas. El simple hecho de verlo alejarse la hizo estremecer. Sintió tirante la entrepierna.

Su reacción, intensamente física, la aturdió. Aunque Rachel estaba lejos de ser una mujer promiscua, el sexo no le era extraño. Recordó a Michael, claro, pero aun cuando había estado locamente enamorada de él, entonces era joven y nerviosa, y sus encuentros la habían dejado con la sensación de que los poetas habían exagerado los placeres de la intimidad física. Durante los años siguientes, sólo dos hombres pretendieron casarse con ella. Los dos leían el periódico del domingo y se daban por satisfechos con pasarse toda la vida haciendo exactamente lo que siempre habían hecho. Rachel no podía imaginarse compartiendo su existencia con ninguno de los dos. No había en ello ninguna magia.

Después de los treinta años, había comprendido por fin que para tener la familia que deseaba quizá tuviese que prescindir de la magia. Ahora estaba dispuesta a conformarse con una sólida amistad con su pareja, como la que creía mantener con Rob. Él llevaría la farmacia, leería el diario del domingo y, tal vez, algún diario financiero. Ella tendría toda una vida interior de la cual él no sabría nada. Quizá todos los matrimonios fueran así. Con ese objetivo, había permitido que Rob le hiciera el amor unas cinco o seis veces, y había disfrutado con esos encuentros. Pero la unión entre ellos no resultaba demasiado apasionada y nunca, ni siquiera en los momentos más íntimos, había sentido una sensación como la que ahora la envolvía.

Dios santo, ¿qué le estaba pasando? Nada más mirar a Johnny Harris descamisado había experimentado una especie de dolor.

A los treinta y cuatro años, desde luego, no corría peligro de convertirse en una fanática de Johnny Harris, término empleado por el *Tylerville Times* para referirse a las seis o siete jovencitas que habían asistido al juicio todos los días. Jamás habría sospechado que aquel turbio personaje pudiera atraerla.

Pero pensaba que la atracción nacía menos de su persona que de su cuerpo. Aunque jamás se le había ocurrido, era posible que, como casi todas las mujeres, no fuese indiferente a un físico masculino magnífico.

Así, su reacción era normal, incluso previsible. No tenía por qué sentirse avergonzada... ya que nadie tenía por qué saberlo.

Tenía que contener su libido. Ninguna mujer en sus cabales querría relacionarse con alguien como Johnny Harris.

El crujido de la vieja madera bajo la alfombra del pasillo anunció el regreso de Johnny. Fingió estar muy atareada estrujando el paño para colgarlo. Cuando él apareció en el vano de la puerta, ella vio que, en efecto, se había cambiado la camisa y se había limpiado la sangre del rostro.

—Lo que quiero saber es qué hacías en la tienda. No tenías motivos para ir hasta mañana.

Rachel aún se sentía algo alterada, temerosa de que él pudiera advertir el efecto que había provocado en ella. Apenas lo miró mientras limpiaba la encimera con una toalla de papel.

—Recordé que en Grant solían vender cosas para picar, y pensé en comprar una bolsa de patatas y una Coca-Cola.

Al parecer, la explicación de Harris indicaba que por el momento había renunciado a sus intentos de atemorizarla.

—Debiste haber ido a comer al Reloj.

El Reloj era un restaurante acogedor, de estilo familiar, administrado por Mel Morris y su esposa Jane. Quedaba a unos tres kilómetros, al otro extremo del centro, pero él habría podido ir a pie sin dificultades. Casi toda la población de Tylerville comía en aquel sitio al menos una vez al mes. La comida era sabrosa y abundante y los precios eran moderados. Entonces a Rachel se le ocurrió que quizá él no tenía dinero ni para pagarse una comida en el Reloj. Se avergonzó de su falta de previsión. Habría tenido que ofrecerle un anticipo de una semana, pero hasta ese momento ni se le había pasado por la cabeza.

—Lo hice, pero el gorila de la entrada me dijo que estaba lleno.

Rachel lo miró con el ceño fruncido.

—¿Que estaba lleno? Pero si nunca está...

De pronto comprendió.

—Esta noche tampoco estaba lleno. Desde donde estaba, vi cuatro mesas vacías. Supongo que no quieren servir a gente de mi «calaña» —agregó, en tono irritado.

—Estoy segura de que... —empezó a decir ella, incómoda, pero con la esperanza de aliviar la humillación que había sufrido el muchacho.

—Yo también... Seguro de que Tylerville no ha cambiado. —Johnny se apartó, dejando libre la puerta de la cocina—. Será mejor que se marche. No querríamos darle motivo para hablar a la señora Skaggs ni a los demás. Imagínese el escándalo. Esa chica tan simpática, Rachel Grant, subió con ese tal Harris y pasó... —remedó, mirándose el reloj—, media hora con sus minutos antes de que volviera a bajar.

Esta vez, la sonrisa burlona que torció la boca de Johnny ni siquiera la afectó.

—Vas a venir conmigo —dijo, arrugando la toalla de papel y dirigiéndose a la puerta trasera del piso. Al pasar junto a Harris, le hizo una seña enérgica—. Vamos.

—¿Adónde?

Rachel llegó a la puerta y, al volverse, vio que Johnny no se había movido de su sitio.

—Volveremos al Reloj y cenaremos. No se saldrán con la suya de tratarte de esa manera.

Él se la quedó mirando un momento. Luego negó con la cabeza.

—No necesito que libre batallitas por mi causa.

—Pues alguien debería hacerlo. No me da la impresión de que te vaya muy bien solo —replicó ella en tono cortante.

Durante una larga pausa, ambos se miraron a los ojos. Luego, Johnny se encogió de hombros y se resignó.

—Vale, ¿por qué no? Tengo hambre.

—Yo también.

Por un instante, le vinieron a la memoria las chuletas de cerdo laboriosamente preparadas por su madre. Elisabeth se irritaría si ella no estaba presente para la cena, pero, por otro lado, lo más probable era que la acogida a Johnny en *El Nogueral* fuera mucho más escandalosa que el desaire del Reloj. Rachel no podía llevarlo a casa a cenar y estaba decidida a lograr que comiera. Era importante que los lugareños no lo trataran como a un paria. Si ella podía evitarlo, tendrían que cambiar de actitud.

Rachel bajó la escalera y Johnny la siguió. Dado que el coche estaba aparcado enfrente, Rachel no tenía otra alternativa que cruzar por la ferretería. La perspectiva la puso tensa, pero mantuvo la cabeza alta y procuró mostrarse tan segura como en realidad deseaba sentirse. A esa hora la tienda estaba muy concurrida, más de lo normal a la hora del cierre de un jueves. Era evidente que había corrido la noticia del altercado. Cuando salió del almacén situado al fondo en dirección a la puerta, seguida de Johnny, que caminaba como si fuera el dueño de la tienda, Rachel se percató de que todas las miradas estaban fijas en los dos. Saludó a los amigos con un gesto de la mano y no hizo caso de los furiosos.

La voz aguda de Olivia le siguió los pasos.

—Señorita Grant, ha llamado su madre. Pidió que le dijera que la cena está casi lista y que vuelva en seguida.

—Gracias, Olivia, por favor llámala de mi parte y dile que no iré a casa. Johnny y yo comeremos en el Reloj.

Ya está. Ahora lo sabía todo el mundo, y el pueblo entero lo sabría en pocas horas. Los chismes volarían, y a la madre de Rachel le daría un patatús. Rachel pensó que llevar a Johnny Harris a cenar al restaurante más popular del pueblo y anunciar públicamente que se proponía hacerlo era el equivalente moderno de arrojar el guante a aquella gente.

Y eso era lo que sentía que estaba haciendo.

Su comentario fue recibido con un silencio gélido. Rachel llegó a la puerta, la abrió y salió a la noche fresca de fines de verano.

—¿Le agrada vivir peligrosamente, eh?

Por primera vez desde el encuentro en la terminal de autobuses, Johnny estaba sonriendo de verdad. No era una sonrisa amplia, era más bien como una mueca leve de los labios. De no haber sido por el brillo de diversión que asomaba en su mirada, ella habría creído que se lo estaba imaginando todo.

—No me gusta que la gente sea injusta —repuso, y subió al coche.

CAPITULO 6

Minutos más tarde, al entrar en el Reloj, Rachel no tardó en constatar que el restaurante, aunque concurrido, no estaba lleno ni mucho menos. Le sonrió a Jane Morris, una mujer regordeta, de aspecto alegre y poco más de sesenta años.

—¡Vaya, Rachel, me alegro de verte!

Tras los hombros de Rachel, Jane vio a Johnny Harris, alto, moreno y desaliñado. Su sonrisa se desvaneció.

—Yo también me alegro de verte, Jane. ¿Cómo está Mel?

El marido de Jane se había roto un tobillo hacía dos meses y su recuperación era lenta. Aún cojeaba mucho y usaba bastón.

—Así así. A nuestra edad no es tan fácil curarse una fractura —repuso Jane, recuperada de su evidente sorpresa al ver al acompañante de su amiga.

La mirada que conservaba fija en Rachel revelaba su consternación.

Esbozando una amplia sonrisa, Rachel decidió tomar el toro por los cuernos.

—¿Recuerdas a Johnny Harris, verdad? —Era una pregunta absurda, desde luego. En Tylerville, todos se conocían desde pequeños, y Johnny Harris era el personaje más famoso del pueblo—. Sabrás que ahora trabaja para nosotros en la ferretería. Yo fui su profesora en el instituto.

Sin que la pronunciaran, entre los tres flotaba la palabra «antes». Antes de que a Marybeth la hallaran con tres puñaladas en el cuerpo.

—Tú, Johnny, desde luego, conoces a Jane Morris.

Rachel tendió una mano, rodeó el musculoso antebrazo de Johnny Harris y lo hizo adelantarse hasta que quedó junto a ella. Ninguno de los tres delató en lo más mínimo, ni siquiera con un parpadeo, que aquella era la segunda visita de Johnny al restaurante aquella noche.

Jane le dirigió una mirada de desaprobación, desde el pelo demasiado largo hasta las botas gastadas.

—Señora Morris...

Si el saludo de Johnny fue brusco, no lo fue menos la actitud de Jane Morris. «He aquí otra amistad rota» pensó Rachel, presa de un humor ligeramente histérico.

—¿Y cuál es el plato especial de esta noche, Jane? Espero que tengas pastel de carne.

—Pues estás de suerte —repuso Jane, que se volvió más suave al dirigirse de nuevo a Rachel—. ¿Pastel de carne con puré de patatas, entonces? ¿Quieres té helado?

Mientras hablaba, los conducía a una mesa situada al fondo. Era una victoria, tal como Rachel había imaginado. Jane se volvió y les hizo señas de que la siguieran. Rachel sintió que los músculos tensos del antebrazo de Johnny se aflojaban. Era evidente que no se había sentido tan seguro del desenlace como ella.

Rachel pensó que, por el hecho de ser Johnny Harris, estaba acostumbrado al rechazo.

Cuando llegaron a la mesa indicada, Jane llamó a una de sus camareras de uniforme color de rosa.

—Glenda, Rachel quiere té helado y pastel de carne —dictó Jane, y desvió la mirada hacia Johnny, que se acomodaba en un asiento—. ¿Y usted, qué?

Aunque había cierta dureza en su tono, al menos le había hablado directamente, lo cual era un paso enorme. Jane no solía desairar a alguien sin tener un motivo.

—Pediré lo mismo.

—¡Que sean dos! —gritó Jane a Glenda. Luego miró a Rachel sonriendo—. Saluda a tu madre de mi parte.

—Eso haré —prometió Rachel. Jane Morris se alejó de prisa ante la llegada de nuevos clientes.

—Aquí están las bebidas. Traeré la comida en un minuto.

De una bandeja, Glenda tomó dos vasos altos y húmedos y los colocó en la mesa. De pronto, al mirar a Johnny por primera vez, le asomó una expresión de asombro.

—¡Vaya, si es Johnny Harris! ¿Qué haces fuera de la cárcel?

Rachel dio un respingo. Johnny bebió un sorbo de té y sonrió a la mujer.

—Tendrías que saber que algún día me dejarían en libertad. ¿Me has estado esperando?

Glenda emitió una risita.

—Jolín, si ya tengo cuatro hijos. No sé si a eso se le puede llamar esperar.

—No, seguro que no.

Para Rachel, era bastante evidente que los dos se habían conocido bastante. Pensándolo bien, sabía quién era Glenda. Por nacimiento, pertenecía al clan de los Wright, a quienes se consideraba la escoria de la sociedad, igual que a los Harris. Rachel no la había reconocido en seguida porque Glenda jamás había ido al instituto. Con su cabello rubio encrespado por la permanente y aquellas pequeñas arrugas en torno a los ojos, parecía mayor que Johnny, pero Rachel pensó que debían de tener más o menos la misma edad.

—Ayer vi a tu padre. No dijo nada de que fueras a volver.

Johnny bebió otro sorbo de té y se encogió de hombros.

—Glenda, ¿puedes servir aquella mesa de allí? —Al parecer, Jane estaba molesta.

—Claro, señora Morris. Me alegro de verte, Johnny. Cuídate.

—Tú también, Glenda.

Tras un momento de incómodo silencio, Rachel comentó:

—Es obvio que ella sí se alegra de verte.

Johnny esbozó una sonrisa involuntaria mientras su mirada se cruzaba con la de Rachel.

—Sí, alguna habrá por ahí.

Glenda volvió con los platos ya preparados, que depositó sobre la mesa.

—¿Necesitan salsa de tomate?

—Sí.

—No.

Ambos habían respondido al mismo tiempo. Rachel miró a Johnny, y luego hizo un gesto resignado de asentimiento a la camarera. No era necesario. Glenda ya estaba poniendo la botella de *ketchup* sobre la mesa antes de alejarse de prisa para atender otras mesas.

—Ajá, esto realzará el sabor —dijo Harris en respuesta a la mirada que Rachel le lanzó por cómo cogía el frasco, lo destapaba y echaba la mitad del contenido sobre el pastel de carne y el puré.

Rachel sintió repugnancia, pero asintió con la cabeza. Luego apartó la mirada al ver que él empezaba a devorar la comida. Los modales de Johnny Harris en la mesa no eran precisamente los más exquisitos que había visto en su vida. Sintió cierto remordimiento. A fin de cuentas, él no había pasado los últimos diez años de su vida en una escuela de urbanidad. Además, teniendo en cuenta sus orígenes, Rachel dudaba de que hubiese tenido oportunidad de aprender las sutilezas del cuchillo, el tenedor y la servilleta.

—¿No piensa comer? —logró preguntar él, que comía a dos carrillos.

—En realidad, no tengo demasiado apetito —repuso ella.

No había probado más de tres bocados de su plato. Se sentía demasiado llamativa en aquel lugar, y miró alrededor para ver si los demás comensales habían advertido cómo Johnny la emprendía con su comida.

Se produjo un momento de pesado silencio, que no interrumpió ni siquiera el tintineo del tenedor de Johnny contra su plato ni el ruido de su masticación.

El silencio llamó la atención de Rachel, que miró a Johnny. La estaba mirando fijamente, con los ojos entrecerrados y el tenedor suspendido en una mano. En la comisura de los labios asomaba una diminuta mancha de *ketchup*. Rachel fijó la mirada en ella, y algo en su expresión debió de transmitir su disgusto, porque la boca de Johnny se torció con violencia. Dejó el tenedor en el plato ruidosamente, tomó la servilleta que aún tenía doblada y se la pasó por la cara con una furia más elocuente de lo que habría sido una explosión de palabrotas.

—¿Es que le doy vergüenza, profe?

—No...no —tartamudeó ella, apabullada.

—Está mintiendo.

—¿Quieren más té? —Glenda estaba junto a ellos con una gran jarra de plástico amarillo perlada de humedad.

—No, ya hemos terminado. Tráeme la cuenta, por favor.

Johnny dedicó una sonrisa forzada a Glenda, pero el brillo de sus ojos al mirar a su acompañante de mesa indicó a Rachel que estaba furioso.

—Paguen en la caja —dijo Glenda, buscando entre la media docena de cuentas que asomaban del bolsillo de su falda; sacó una y la puso sobre la mesa, delante de Harris. Luego le sonrió—. Ven a verme cuando puedas. Los chicos y yo vivimos en las fincas Appleby, ¿las recuerdas, no? Mi marido y yo... estamos separados. Creo que vamos a pedir el divorcio, cuando alguno de los dos pueda pagarlo.

—Lamento saberlo —repuso Johnny.

—Ya. Claro.

—¡Glenda! Esta gente de aquí quiere té.

—Tengo que dejaros —dijo con resignación Glenda antes de alejarse con la jarra.

—Dame eso —dijo Rachel en voz baja al ver que Johnny recogía la cuenta para revisarla.

La hostilidad hervía en él a borbotones.

—Ah, claro, encima me insulta —repuso él. Su tono era casi amable, teñido de una cortesía exagerada.

Rachel dejó escapar un suspiro.

—Mira, Johnny, lamento haber herido tus sentimientos. Sólo que... no soy muy aficionada a la salsa de tomate, y ver una comida tan sabrosa cubierta de esa cosa roja me desagrada. He sido grosera al hacértelo notar y te pido disculpas. Pero eso no es motivo para que te portes de manera ridícula —advirtió. La expresión de Harris la hizo callar. Era evidente que sus palabras no conseguían apaciguar su ira. Quizá se sentiría humillado si ella pagaba la cuenta en su lugar. Al fin y al cabo, era un hombre, y los hombres se portaban como necios en ciertas situaciones—. Está bien, tú ganas. Toma, paga tú. —Abrió su bolso, buscó en el bolsillo lateral y sacó un billete de veinte dólares que le pasó a Johnny por encima de la mesa con la máxima discreción.

Por el modo en que él miró el billete, se diría que era una serpiente que se disponía a morderlo.

—Yo pago, sí, pero con mi dinero —dijo él, y se incorporó con la cuenta en la mano. Rebuscó en los bolsillos, sacó varios billetes arrugados de un dólar y los depositó sobre la mesa con gesto brusco antes de dirigirse a la caja. Silenciada por aquel reproche, a Rachel no le quedó más remedio que recuperar sus veinte dólares y seguirlo.

Una tras otra, las cabezas se volvieron al paso de Johnny Harris. Al cabo de unos segundos, parecía que todos lo miraban. Rachel, que lo seguía más atrás, estaba en una posición ideal para observar las reacciones de sus vecinos.

—¿Acaso no es...?

—¡Dios mío, sí que lo es!

—¿Qué está haciendo aquí?

—Oí decir que le dieron la libertad condicional porque los Grant le ofrecieron un empleo en la ferretería.

—¡Elisabeth no habría hecho una cosa así!

—No fue Elisabeth, sino Rachel. Mira, está allí con él. ¿Te lo puedes creer? ¡Oh, hola Rachel!

La persona que hablaba saludó en voz alta cuando se dio cuenta de que Rachel se había vuelto hacia ella. Ella respondió con una sonrisa tirante y un leve ademán. Conocía de toda la vida a casi todos los que estaban en el restaurante, pero eso no les impediría despellejarla a fuerza de chismes.

—Espero que lo hayan pasado bien —dijo Jane Morris.

Se acercó de prisa a la caja registradora y se mostró casi amable al recibir los veinte dólares que Johnny le entregaba. ¿De dónde había sacado dinero en efectivo? Rachel había oído decir que el Estado pagaba a los presos mientras permanecían en la cárcel, pero la cantidad era algo así como diez centavos la hora. Había estado allí diez años, de modo que, por cuarenta horas semanales, aquello daba un total de...

Aún intentaba calcular la cifra aproximada cuando Jane le dio el cambio a Harris y éste salió a grandes zancadas del local.

Rachel se despidió de Jane con una sonrisa y lo siguió.

Cuando lo alcanzó, él ya estaba en el aparcamiento y se dirigía hacia el Máxima de Rachel, devorando la corta distancia con sus largas piernas. Incluso para un observador cualquiera, era evidente que aún estaba furioso, pensó Rachel. Le lanzó una mirada de censura mientras abría el coche y entraba en él. Johnny subió junto a ella, la mandíbula apretada y la mirada dura. Rachel frunció los labios.

—Te portas como un niño enrabiado —le dijo ella, y puso la marcha atrás.

—¿Ah, sí? —Los ojos de Johnny cobraron un brillo desagradable—. Pues usted se porta como una zorra pretenciosa y ricachona. Lamento que mis modales no sean de su agrado, señorita Arrogancia.

—Pues tu actitud egoísta me gustan aún menos que tus modales —dijo Rachel, bruscamente irritada—. ¡Y no me hables así! Podrías tratar de demostrar alguna gratitud.

—Eso le gustaría, ¿verdad? Que me muestre agradecido. ¿Qué quiere que le bese, los pies o el culo, profe?

—Por lo que me importa, ¡te puedes ir derecho al infierno! —exclamó Rachel, exasperada.

Dicho esto, pisó el acelerador. El coche se lanzó hacia atrás.

—Si no presta atención, acabaremos los dos en el infierno. Piense en lo que está haciendo, joder —dijo entre dientes Johnny, mientras ella frenaba con un chirrido, con el parachoques trasero a escasos centímetros de un sólido muro de ladrillos—. Puede que piense que mi vida no vale gran cosa, pero, coño, no quiero perderla en un accidente de coche.

Rachel tuvo que resistir el impulso de pisar con fuerza el acelerador, aunque no fuera más que para darle una lección. Apretó la mandíbula con todas sus fuerzas. Se concentró en el volante y llegaron a la ferretería sin contratiempos.

Pocos minutos después, cuando se detuvieron en el aparcamiento desierto de la ferretería Grant, ninguno de ellos había roto el silencio. Rachel sospechó que la paciencia de Johnny se debía al temor que le inspiraba su modo de conducir. Respiró hondo. Era verdad que él se portaba como un niño, con las cejas fruncidas y un rictus amargo en la boca, pero no era menos verdad que ella adoptaba la misma conducta.

—Bueno, ¿qué te parece si hablamos de esto? —preguntó al detener el motor y volverse a mirarlo.

—¿Qué le parece si no hablamos? —contestó él. Abrió la puerta y bajó sin decir palabra.

Nuevamente ofendida, Rachel dio un respingo con el portazo. Al verlo pasar delante del coche y ver lo delgado que estaba, volvió a dominar su buena conciencia. Aunque estuviera furiosa con él, aquel hombre tenía que comer algo. Buscó el botón a tientas y bajó la ventanilla.

—Johnny...

Él se volvió para mirarla y alzó las cejas. Rachel le hizo señas. Él se acercó al coche con expresión grave, pero Rachel, que buscaba su talonario en el bolso, no se percató.

—¿Qué pasa?

Ella levantó la vista y lo vio junto al coche.

—Te pagaré tu primera semana de sueldo por adelantado —dijo Rachel. Abrió el talonario, sacó el bolígrafo del estuche y empezó a escribir.

Johnny Harris se inclinó, con un antebrazo apoyado en los dos centímetros de ventanilla que quedaban por encima de la puerta, introdujo la cabeza en la abertura y tendió la otra mano hacia ella.

Rachel se encogió alarmada cuando su brazo le rozó los pechos, pero comprendió de inmediato que su intención no era manosearla. Cerró sus largos dedos sobre la muñeca de ella e impidió que terminara de escribir su nombre en la línea en que ponía «a la orden de».

—No me haga favores —dijo con aspereza, casi hiriéndola al apretar la suave piel de su muñeca—. No soy de esos que viven de la caridad.

Antes de que Rachel pudiera replicar, antes de que pudiera siquiera pensar en una respuesta, Johnny emitió por lo bajo un sonido inarticulado que le hizo levantar la mirada. Rachel contuvo el aliento cuando la mirada de Johnny recorrió su rostro. Johnny entreabrió los labios como si fuera a decir algo más, y luego los cerró con fuerza. Sus ojos se tornaron tan inexpresivos como si un telón hubiese caído sobre ellos. Rachel no tuvo que desprenderse porque él le soltó la muñeca, se giró y se alejó.

Mientras lo observaba, Rachel se percató de pronto con desasosiego de que su corazón latía acelerado.

CAPITULO 7

Oyó el sonido inconfundible de un coche que se acercaba a sus espaldas. Johnny no se molestó en mirar ni en detenerlo haciendo señas con el pulgar. Ningún habitante de Tylerville en su sano juicio se atrevería a llevarlo. Él era Johnny Harris, el asesino. La gente lo rehuía como si tuviera la peste.

¡Joder!, si ni siquiera sabía comer decentemente. El recuerdo de su humillación durante la cena le hizo chirriar los dientes. Siempre había comido con la finalidad de acabar lo que tenía en el plato antes de que otro se lo quitara. Los modales, las servilletas y todo eso nunca habían tenido importancia. Pero eran importantes para ella, de modo que tendría que aprender a hacerlo bien. ¡Joder! Lo agobiaba la idea de verse disminuido a ojos de Rachel Grant. También le molestaba que ella hubiera intentado darle dinero como anticipo de su sueldo. Él consideraba eso como una caridad, y la mera idea lo ponía furioso.

Una camioneta roja, que parecía nueva, pasó velozmente. El color brillante resplandeció a la luz del crepúsculo. En la cabina iban apretados un hombre, una mujer, una niña y un niño. Una familia. Siempre había imaginado tener una familia como ésa. ¡Joder!, en diez años de reclusión había imaginado todo tipo de cosas... y gracias a eso había conservado la cordura.

Pero estaba aquí y ahora, ésa era la realidad. Caminaba pesadamente siguiendo el borde de un camino asfaltado y lleno de grietas que atravesaba el barrio más pobre del distrito. Granjas de madera destartaladas, con patios llenos de chatarra, se intercalaban con chozas de una sola planta también repletas de chatarra. Chicos descalzos y sucios jugaban en medio de la maleza que les llegaba a la cintura. Mujeres obesas vestidas humildemente, sentadas con las rodillas desnudas separadas, lo escudriñaban desde los porches desvencijados. Los hombres, huesudos y en camiseta, se rascaban los sobacos y lo observaban al pasar. Unos perros escuálidos sin raza identificable arremetían contra él ladrando.

Bienvenido a casa. Él formaba parte de aquel horrible lugar, y éste formaba parte de él. Alguna vez había sido uno de esos chicos desnutridos y sucios. Su madre había sido tan gorda y desaliñada como las mujeres de las que él recelaba ahora. Su padre había sido un mal hijo de perra, rápido con los puños y los insultos, y cuando estaba en casa sólo vestía una camiseta. Siempre la misma, a juzgar por las manchas y agujeros que la adornaban.

Ésa era su gente. Su experiencia de la vida era como la suya misma. La sangre viciada de ellos estaba en sus propios genes.

En una época lejana tuvo la esperanza de escapar. ¡Joder!, en el pasado había tenido muchas esperanzas.

Era una casa de madera de una sola planta en lo alto de una loma. Estaba tan destartalada como las peores que había visto. Un camino de cantos rodados conducía hasta ella. Había dos camionetas herrumbrosas estacionadas delante, una de ellas sin ruedas y apoyada sobre dos bloques de cemento. En el patio, unos pollos hurgaban en el suelo picoteando. A través de la puerta principal, que estaba abierta, distinguió el parpadeo de un televisor.

Había alguien en casa. Johnny Harris no supo si alegrarse o lamentarlo.

Se acercó, subió al porche y miró a través de la puerta con sus innumerables agujeritos y roturas.

Un hombre estaba tirado en un sofá y miraba la televisión. Un anciano, encanecido y delgado, vestido con una camiseta harapienta y sucia, que acariciaba una botella de cerveza barata.

Al verlo, algo le atenazó la garganta a Johnny.

Estaba en casa. Para bien o para mal, estaba en casa. Abrió la puerta y entró.

Willie Harris alzó la vista y lo miró, sorprendido un instante por la intromisión. Luego, al reconocer al visitante, entrecerró los ojos.

—Eres tú —dijo en tono cargado de desprecio—. Ya sabía que aparecerías tarde o temprano, como las monedas falsas. Apártate, me tapas el televisor.

—Hola, papá —repuso Johnny, tranquilo.

—¡Que te apartes, he dicho!

Johnny se apartó, no porque temiera a su padre o a sus puños, sino porque quería ver el resto de la casa, ver qué había cambiado. Entró en la cocina con sus viejas encimeras de esmalte blanco y la mesa en torno a la cual siempre habían comido...cuando había algo que comer. Si no se trataba de la misma mesa (¿era posible que algo tan estropeado hubiese durado tanto?), la de ahora era idéntica, hasta el trozo que faltaba en la cubierta. Había un montón de platos sucios apilados junto al fregadero, como siempre, aunque ahora no había tantos. La misma cortina rosada estampada de flores, más sucia que nunca, colgaba de la misma vara amarillenta y combada, por encima del fregadero. En el mismo sitio de siempre, dos dormitorios y un cuarto de baño diminuto, apenas utilizado, junto al pasillo. Johnny miró en el interior de las habitaciones, preguntándose si el colchón de doble plaza tirado en el suelo, en la habitación más pequeña, era el mismo donde habían dormido siempre él, Buck y Grady. Sue Ann, que era la única niña, gozaba del sofá del salón para ella sola. Sus padres habían compartido la cama del otro cuarto, hasta que la madre de Johnny se marchó a Chicago con un individuo. Entonces su padre dormía allí con cualquier arrastrada o con quien estuviera de turno en ese entonces. A veces uno u otro de los muchachos, que solía ser Buck, también se acostaba con ella.

Eso era su casa.

Johnny entró de nuevo en la sala de estar y apagó el televisor.

—¡Maldito seas! —exclamó el padre, con el rostro contorsionado por la ira. Dejó la botella de cerveza en el suelo y se levantó del asiento.

—¿Cómo te encuentras, papá?

Johnny se sentó en el extremo del sofá que Willie había dejado libre al retirar los pies descalzos y, sujetándolo suavemente por el brazo, impidió que su padre se levantara para volver a encender la televisión.

Un tufo apestoso a cerveza y a vieja osamenta le dio de lleno en el rostro.

—¡Maldito seas, no me pongas la jodida mano en el brazo!

Willie Harris procuró zafarse de la mano de un tirón, sin conseguirlo. Johnny le sonrió y apretó más, no tanto como para hacerle daño, pero sí lo suficiente para advertirle. Las cosas habían cambiado, y él ya no toleraría un puñetazo en la boca o en el vientre cuando a su padre se le antojara.

—¿Ahora vives solo aquí?

—¿A ti qué cojones te importa? ¡Aquí seguro que no vendrás a vivir!

Eran diez años de ausencia durante los cuales Willie nunca había escrito, llamado ni visitado a su hijo, y que habían suavizado los recuerdos que el joven tenía del viejo inútil. De hecho, había albergado la esperanza de que su padre se alegrara de verlo.

—No vendré a vivir aquí. Tengo un piso en el pueblo. Sólo he venido a ver cómo estás.

—Me cago si no estaba mejor antes de que tú llegaras.

Nada había cambiado. ¡Joder!, ¿acaso algo había cambiado alguna vez en aquel pueblo?

—¿Has sabido algo de Buck o de Sue Ann en los últimos tiempos?

—¿Qué coño te crees que es esto, la familia Walton o algo así? —contestó Willie con un resoplido—. No, no he sabido nada de ellos. Y tampoco me interesa. Ni me interesa saber nada de ti.

Aquello le dolió. No debería haberle dolido, pero le dolió.

Pensó en levantarse, salir por la puerta y no volver jamás. No volvería a ver al viejo cabrón.

Pero no se resignó a dejar las cosas así. Algo había aprendido en la cárcel sobre el valor de las cosas y de las personas. Sobre las relaciones. La mayoría de la gente tenía relaciones casi sin esforzarse. Johnny deseaba tener relaciones en su vida.

—Mira, papá —dijo con voz queda—, tú me odias y yo te odio, ¿vale? Así ha sido siempre, pero ya no tiene por qué ser así. Podemos cambiarlo. En este mundo hay demasiadas personas que no tienen a nadie. ¿Acaso quieres morir solo, sin que nadie te llore en tu funeral? ¡Yo no, joder! Tenemos una relación de sangre, hombre, ¿es que no te das cuenta?

Su padre lo miró fijamente un momento, inmóvil. Luego cogió la cerveza y bebió un largo trago. Mientras lo observaba, Johnny sintió el asomo de una dolorosa esperanza. Tal vez, sí, tal vez, podrían empezar de nuevo.

Willie Harris dejó la botella en el suelo y se limpió la boca con el dorso de la mano.

—¡Jooder!, se diría que en chirona te han convertido en un jodido marica. Te deben de haber dado por el culo a base de bien para que te hayas convertido en una maldita llorica. No tengo tiempo para hablar contigo. Vete de mi casa.

Por un momento, Johnny luchó contra el impulso casi irresistible de aplastar de un puñetazo la cara burlona de su padre. Pero se controló, le dejó caer el brazo huesudo y se incorporó.

—Que te pudras en el infierno, viejo —dijo, sin emoción.

Giró sobre los talones y salió.

El estruendo de la puerta a sus espaldas fue la única respuesta.

Dio la vuelta por un lado de la casa, pasó frente a las camionetas y se dirigió al cobertizo. Aún estaba allí, inclinado como siempre había estado. Por la gallina encaramada a una ventana sin cristales, vio que ahora se usaba como gallinero.

Agachó la cabeza y entró. Todavía estaba allí. Johnny no había querido hacerse ilusiones, pero allí estaba. Cubierta de excrementos de gallina. Los neumáticos, podridos, estaban destrozados, y por un agujero abierto a picotazos en el asiento de vinilo, asomaba la gomaespuma. Pero allí estaba, apoyada contra el muro, tal como él la había dejado. La moto.

¡Cuánto apego le había tenido a aquel aparato! Una Yamaha 750 cromada de color rojo cereza, adquirida con el dinero que había ganado haciendo diferentes trabajos en el pueblo, y tan venerada como una muchacha guapa. Cuando fueron a detenerlo, él la guardó en el cobertizo, sin saber que tardaría casi once años en regresar. Al parecer, nadie la había tocado en todo ese tiempo, a excepción de las gallinas.

Todavía estaba en buen uso. Neumáticos nuevos, tal vez un pequeño ajuste y funcionaría tan bien como antes. Él ya no tendría que depender de sus pies ni de Rachel Grant para ir de un lado a otro. Tendría su propio vehículo.

Tener un medio para moverse le devolvía parte de su poder. Sin la moto, se habría sentido menos hombre.

De pronto, oyó un gruñido a sus espaldas. Johnny miró por encima del hombro. En el umbral había un perro inmóvil, enorme, con las patas tiesas y los pelos erizados, mostrando los dientes. El gruñido que brotaba de su garganta era amenazador.

Moviéndose con lentitud, Johnny se volvió hacia él. Ya había oscurecido fuera, y estaba aún más oscuro dentro del cobertizo. La tenue luz de la luna delineaba la figura del animal. Un perro sarnoso, como cualquier otro, aunque algo más grande que la mayoría. Mal alimentado, criado para atacar, probablemente peligroso.

Los Harris siempre habían tenido un perro como aquél. Grande y feo, y lleno de odio, lo cual no era de extrañar. Willie solía pegarle y atormentarlo. Luego lo encadenaba y lo dejaba sin comer para que fuera malo. Tan malo como él mismo.

Pero aquel perro no estaba encadenado.

El gruñido se volvió más ronco y profundo. El animal bajó la cabeza en actitud amenazadora. Johnny sintió que se le tensaban los músculos a la espera del ataque. Miró alrededor buscando un objeto, un trozo de madera o cualquier cosa con la que defenderse de la bestia cuando ésta atacara.

Pero el perro no saltó. Emitió otro gruñido, alzó la cabeza y olfateó el aire. A la derecha, un gallo agitó las alas y cantó, pero el animal ni siquiera movió las orejas en esa dirección. En cambio, miraba a Johnny fija y atentamente.

Sorprendido por la actitud del animal, y con una mezcla de curiosidad y temor, Johnny lo miró a su vez. Recorrió con la mirada el pelaje leonado, y luego se fijó en detalles como la forma de la cabeza y las orejas, y luego el largo de la cola. De pronto lo asaltó una increíble posibilidad.

El perro gimoteó.

No podía ser. El perro tenía cuatro años cuando a él lo detuvieron. Es decir que ahora tendría... quince. Una edad muy avanzada para un animal que había sido maltratado continuamente.

—¿*Lobo,* eres tú?

Johnny había querido mucho a aquel condenado perro, aunque aquello sonara tonto. El cachorro pertenecía a la camada de una perra vagabunda que se había refugiado en el granero abandonado de una granja cercana. Con sus hermanos y amigos, Johnny les lanzaba piedras a la perra y a sus cachorros, pero de noche volvía con cazos llenos de restos de comida. La perra nunca había dejado de desconfiar de él, pero los cachorros, especialmente el más grande, se apegó a él como un patito a su madre. Un día, cuando los perritos tendrían unas siete semanas, Johnny encontró a la madre muerta junto al camino. Sin saber qué hacer con los cachorros, decidió llevárselos a casa. Debió haberlo pensado mejor. Su padre metió de inmediato cuatro de los cinco animalitos en la parte trasera del camión y se los llevó para arrojarlos quién sabe dónde. Al quinto cachorro, *Lobo,* se le permitió quedarse debido a su tamaño, y porque Willie Harris pensaba que haría de él un buen perro guardián. Pese a las protestas de Johnny, Willie no tardó en encadenar a *Lobo* y se dedicó a convertirlo en un perro malo. Aunque Johnny intentó protegerlo, su padre logró su propósito y Johnny se convirtió en la única persona en el mundo que el animal toleraba.

A veces, en la cárcel, cuando por las noches yacía despierto contemplando el camastro de arriba, Johnny echaba de menos a *Lobo* más que a nadie.

Era aquél un triste recuerdo de su vida.

El perro volvió a gimotear. Sabiendo que su actitud era absurda, porque se exponía a perder la mano a la altura de la muñeca si el animal atacaba, Johnny dio un paso adelante y extendió los dedos para que él los olfateara.

—*Lobo,* ven aquí, muchacho.

El enorme animal bajó la cabeza y avanzó a rastras, con la actitud de quien quiere creer pero teme una treta cruel. Johnny se arrodilló y lo recibió con los brazos abiertos, hundiendo las manos en la áspera piel, acariciando y rascándolo mientras el perro gemía, lo lamía y lo golpeaba con la cabeza.

—Ah, *Lobo* —suspiró Johnny Harris, aceptando por fin la verdad.

Lo único que había amado en su vida había sobrevivido para darle la bienvenida. Y mientras el animal apretaba la enorme cabeza en su regazo, le rodeó con los brazos el grueso cuello y hundió la cara en su cuerpo y por primera vez en once años, lloró.

CAPITULO 8

—Rachel, tenemos un problema.

«¡Vaya novedad!», pensó Rachel, y con gesto cansino cambió el teléfono de un oído a otro. En las cuarenta y ocho horas transcurridas desde el regreso de Johnny Harris a Tylerville, la vida se había convertido en un montón de problemas, todos directamente relacionados con él.

—¿Qué pasa ahora, Ben?

—¿Recuerdas a esa pandilla de chicos que veníamos vigilando? Por fin he sorprendido a uno de ellos robando y lo que pasa es que Harris no me ha dejado llamar a la policía.

—¿Cómo? ¿Y por qué?

—Porque, supongo, que al ser él mismo un delincuente, se compadece de sus colegas. ¿Cómo diablos voy a saberlo? Dice que si llamo a la policía me dará de patadas en el... en fin, no pienso repetirlo.

—¡Oh, Dios!

—Te lo digo en serio, Rachel, no creo que vaya a soportar mucho más tiempo a ese individuo. Es peor que un forúnculo.

—Pásamelo. No, será mejor que vaya a la tienda. Mientras tanto, procura retener allí al ladrón hasta que yo llegue, por favor.

—Lo intentaré, pero, Rachel...

—Me lo contarás cuando llegue, Ben.

Rachel colgó. Por desgracia, su madre, atareada en la cocina con un pastel de maíz que preparaba para abrirle el apetito a Stan, había oído toda la conversación. Rachel se percató desde el momento en que se volvió y vio la expresión inconfundible de la tensión en el rostro de Elisabeth.

—¿Es que nunca escucharás lo que te digo, Rachel? Te dije desde el primer momento que cometías un error al ofrecerle trabajo a ese muchacho. No logro entender que seas tan terca. Vaya, si apenas puedo levantar cabeza en el pueblo con lo que están contando mis amigas a propósito de tu amistad con ese chico. Y no supe qué decir cuando Verna Edwards me llamó por teléfono llorando...

—Sé que es duro para ti, madre, y lo lamento. También lo lamento por la señora Edwards, pero no creo que Johnny haya matado a Marybeth Edwards. Él es...

—¿Johnny? —Elisabeth se puso rígida. Su actitud hizo pensar a Rachel en un perro de caza que de pronto huele la liebre—. Rachel, ¿acaso tiene algún fundamento lo que se dice acerca de ti y ese muchacho? Creo que conozco bien a mi hija, y no quisiera pensar que andas perdiendo el tiempo con esa escoria. Se trata de un ex preso, Rachel, y para colmo varios años más joven que tú.

—Yo también creo que me conoces, mamá —respondió Rachel con voz tranquila, y salió.

Caía la tarde del sábado. En una hora, Rob debía pasar a buscarla a casa. Era una suerte que ya se hubiera peinado y maquillado, pensó Rachel mientras subía la escalera corriendo. Sólo tenía que ponerse el vestido rojo, corto y ceñido, con escote ahuecado y unas mangas diminutas, calzarse los zapatos negros, ponerse unos pendientes, también negros, y estaría preparada. Se cepilló rápidamente el pelo al compás de *Jailhause Rack,* que bajaba flotando desde el segundo piso. Revisó por última vez su aspecto en el espejo. Al salir de su habitación, se encontró con Tilda, cargada de sábanas blancas dobladas.

—¡Uuuuy, qué guapa estás! —dijo Tilda, asintiendo con la cabeza, admirada, examinándola de pies a cabeza—. ¿Vas a salir con ese farmacéutico tan guapo?

—Sí.

—Eso pensé. Te has pintado con lápiz de labios rojo. Las mujeres sabemos lo que significa, ¿eh?

—Hace juego con mi vestido, Tilda —respondió Rachel, recatada, aunque la expresión pícara de Tilda la hizo sonreír.

Se despidió de la criada con un ademán y bajó la escalera lo más silenciosamente posible. No estaba de suerte, porque Elisabeth la esperaba en la puerta.

—No vuelvas demasiado tarde, Rachel. Ya sabes cómo me preocupo por vosotras, chicas. Sobre todo ahora que ese muchacho ha vuelto al pueblo.

Rachel estuvo a punto de pararse a recordarle a su madre que ya tenía treinta y cuatro años, y que era una adulta responsable y perfectamente capaz de decidir a qué hora volver a casa.

—No vendré tarde, mamá.

«¿Acaso he llegado tarde alguna vez?», pensó Rachel, con una sonrisa irónica en los labios, mientras cruzaba los portales de piedra y se dirigía hacia el pueblo. Toda su vida había sido el vivo modelo de la hija obediente. ¡Para lo que le había servido! Siempre era Becky la que iba a todos los bailes y fiestas, la que se quedaba hasta tarde con un muchacho tras otro y que había llegado a casa bebida en más de una ocasión, para congoja de su madre. Más callada y menos popular que su hermana menor, Rachel se había contentado con pasar sus noches en casa con un libro. «Se te irá la vida en sueños», le había advertido Elisabeth, pero en aquel entonces Rachel no había sospechado que los augurios de su madre pudiesen resultar ciertos.

Cuando llegó el momento, Rachel salió para estudiar en la universidad, aunque no demasiado lejos. Sus buenas notas le habían permitido ingresar en la universidad Vanderbilt, a unas tres horas de viaje de Tylerville. Pero Nashville, ciudad sede de esa Universidad, estaba a años luz de Tylerville en cuanto a perspectivas y oportunidades. Rachel estaba entusiasmada con Nashville y había lamentado volver a casa después de graduarse, ya con el certificado en mano, para convertirse en profesora de los jóvenes de Tylerville. Claro que no tenía la intención de ser profesora de instituto toda la vida. Tenía la absoluta certeza de que el futuro le deparaba algo maravilloso.

Entonces llegó aquel trágico verano... el largo y tórrido verano de hacía once años, cuando sin duda debió de suceder algún tipo de cataclismo para provocar tantos acontecimientos desastrosos. Rachel había vuelto a Vanderbilt para seguir unos cursos de postgrado, con la idea de obtener su Magíster. Una tarde, Rachel atravesaba uno de los caminos que surcaban el campus, con la cabeza en las nubes, como era habitual. Componía mentalmente un poema para su clase de redacción, cuando un corredor se arrodilló en su camino para abrocharse las zapatillas de deporte. Rachel no lo vio, tropezó con él y cayó de cabeza. El desconocido se disculpó, la ayudó a levantarse, y ella quedó de inmediato impresionada por su aspecto. Durante el resto del verano se hicieron inseparables. Rachel se enamoró. No cabía en sí de alegría cuando lo llevó a Tylerville para que conociera a su familia. Hablaron de matrimonio y Rachel esperaba anunciarlo oficialmente durante aquella visita de fines de verano.

Sucedió que al ver a Becky, encantadora y vivaz, Michael quedó embelesado. Rachel no pudo hacer otra cosa que observar con creciente angustia cómo le quitaban al primer y único hombre que había amado en su vida. Rachel daba por sentado que Becky no se había propuesto hacerle daño. Pero Becky nunca había considerado el asunto desde el punto de vista de Rachel. Igual que su hermana mayor, Becky se enamoró locamente de Michael a primera vista. Se comprometieron en un mes y se casaron en menos de tres. Rachel se apartó con discreta elegancia, e incluso ofició de dama de honor de Becky. De no haber sido por las circunstancias del asesinato de Marybeth Edwards, más o menos por aquel entonces, Rachel pensaba que la angustia de perder al novio a manos de su hermana podría haberla conducido a la muerte.

Para empeorar la situación, Michael se llevó a Becky con él cuando volvió a Vanderbilt a terminar su tercer año de derecho.

Rachel nunca había querido volver a enfrentarse con la idea de volver a Nashville.

Se quedó en casa, para alegría de sus padres, que habían temido ver partir a las dos hijas al mismo tiempo. Ella había pensado que sería una estancia pasajera, acaso un año como máximo, para tener tiempo de recuperar cierta estabilidad. Había vuelto a dar clases en el instituto, y progresivamente, con el correr de los meses, la peor parte de su dolor se había disipado. Se dedicó a su trabajo y a sus alumnos, y esperó a que su vida recuperara el esplendoroso entusiasmo que había muerto con el abandono de Michael.

Pero aquello no sucedió. Su padre contrajo la enfermedad de Alzheimer, y cualquier proyecto de escapar de Tylerville que ella hubiese planeado quedó postergado. Con Becky casada y ausente, y Elisabeth perturbada por la evolución de la enfermedad de su marido, la presencia de Rachel se hizo imprescindible. Además, ella quería pasar cada minuto disponible con su padre mientras aún pudiera hacerlo. Pero a veces tenía la sensación de que la vida le pasaba de largo mientras esperaba a que él muriera.

Se reprochó semejante pensamiento, algo terrible en una hija cariñosa. Lo apartó de su mente y pensó en la velada de esa noche.

Como en los dos últimos años, Rob la llevaría al Latido, el concierto al aire libre programado en beneficio de la Asociación de Cardiología, que tenía lugar el último sábado de agosto en los terrenos del club de Campo de Tylerville. De hecho, el Latido había sido el lugar de su primera cita.

Tendría que llamar a Rob desde la ferretería para pedirle que fuera a buscarla allí. No... sería mejor frente a la tienda, y evitar así que Rob se encontrara con Johnny. Durante los últimos dos días, Rob había dejado muy clara su opinión acerca de Johnny en una serie de cuatro llamadas telefónicas y un almuerzo.

«¿Por qué la vida nunca era sencilla de vivir?», pensó Rachel, con un suspiro. Ella sólo hacía lo que le parecía moralmente justo al ofrecerle a Johnny una segunda oportunidad. Como resultado, toda su vida se había complicado. Cuánto más fácil hubiera sido no contestar a la breve carta de Johnny. Rachel tuvo que reconocer que no habría podido vivir consigo misma si no lo hubiese hecho. ¿Acaso no había dicho en una ocasión que las semillas de la propia destrucción son sembradas por la personalidad de cada cual? Ese mero acto de bondad (de debilidad, según Rob) era la semilla que estaba destruyendo la monotonía de su existencia. Su vida había transcurrido plácidamente hasta que llegó aquel autobús. Desde entonces, casi no había tenido un momento de sosiego.

Porque Johnny Harris era lisa y llanamente un engorro. Siempre lo había sido, y en eso al menos no había cambiado.

Rachel dejó el coche en el aparcamiento detrás de la ferretería y entró por la puerta del fondo. Olivia estaba en la caja registradora cobrando una bolsa de clavos y unas herramientas de carpintería para Kay Nelson, una mujer atractiva y regordeta de treinta años que había sido gran amiga de Becky desde que ambas iban al colegio. A diferencia de Becky, Kay nunca se había casado. Era dueña de una floristería y al parecer estaba muy satisfecha con su condición de soltera. Olivia levantó la vista, vio a Rachel y, con un gesto, indicó el almacén del fondo.

—Están en el despacho, Rachel.

Rachel asintió con la cabeza. El despacho de Ben estaba detrás del almacén y parecía el lugar adecuado para solucionar el problema de un ratero pillado *in fraganti*.

—Gracias, Olivia.

Aunque el tono nervioso de Olivia hubiera indicado a cualquiera con un poco de perspicacia que algo raro pasaba, Rachel respondió de manera descuidada. No tenía sentido revelar a todo el mundo un problema interno. Si salía de allí, el incidente llevaría más agua al molino de los chismes, que ya funcionaba a plena capacidad.

Decidida a mostrarse despreocupada aunque le fuera la vida en ello, Rachel sonrió a Kay con una sonrisa animada.

—Hola, ¿qué tal? Te eché de menos en la iglesia el domingo pasado. ¿Cómo estás?

—Yo muy bien, Rachel. Fue uno de esos virus de veinticuatro horas. La pregunta es, ¿cómo estás tú?

En el tono de Kay había más preocupación de lo que solía contener esa pregunta de cortesía. Rachel comprendió que Kay se había enterado de la existencia de Johnny Harris en su vida y que la compadecía por ello. Esa simpatía muda le dio ganas a Rachel de hacer rechinar los dientes, pero tuvo que contenerse, puesto que quería mostrarse despreocupada.

—Estoy bien. ¿Piensas construir algo? —preguntó, sonriente, intentando cambiar de tema.

Kay miró las cosas que tenía sobre el mostrador y las recogió, como a la defensiva.

—Oh, no, esto es para mi hermano, el carpintero de la familia. ¿Has sabido algo de Becky?

«Tú también, Bruto», pensó Rachel, comprendiendo que, como casi todos sus clientes, en los dos últimos días Kay había venido a la ferretería por curiosidad.

—La semana pasada supe algo. Creo que vendrá a casa para el día de Acción de Gracias, con Michael y las niñas.

—Tendré que ir a verla.

—Muy bien —dijo Rachel, y con un ademán de saludo pasó al otro lado del mostrador en dirección al almacén.

Como había previsto, la puerta del despacho del gerente estaba entreabierta. Había un teléfono en la pared, a su izquierda, y Rachel se detuvo un momento para una rápida y furtiva llamada a la farmacia Howard, de la que era dueño Rob. Dejó un mensaje para él y colgó. Luego, comprendiendo que ya no podía postergar lo impostergable, se dirigió a la puerta abierta. Se detuvo en el umbral y observó la escena que aparecía ante sus ojos.

En el sillón de cuero de Ben, detrás del escritorio, estaba sentado un chico de cabello rubio despeinado, rostro flaco y rasgos angulosos. Johnny Harris, sentado en el borde de la mesa y de espaldas a la puerta, hablaba con el niño. Johnny llevaba el cabello largo recogido en una coleta y atado en la nuca con una cinta de goma azul. Con su camiseta sin mangas y sus pantalones vaqueros, no podría haber tenido un aspecto más diferente de Ben, un tipo robusto y de anteojos, que ahora estaba apoyado en la pared con los brazos cruzados sobre el pecho. Los pantalones grises de Ben, pulcramente planchados, su camisa a rayas azules y su corbata azul marino, aunque no eran artículos caros, estaban impecables, y eran un mudo testimonio del estilo con que, según él, debía vestir un hombre en su lugar de trabajo. Con un suspiro íntimo, Rachel se preguntó si Johnny no habría decidido peinarse con una coleta sólo para irritar a Ben. Era probable.

Rachel cerró suavemente la puerta al entrar y se dispuso a encarar el problema más inmediato. Cuando levantó la vista, encontró tres pares de ojos muy distintos fijos en ella. En los de Ben leyó un alivio evidente, pero la expresión de Johnny le fue más difícil de descifrar. Rachel no lo había vuelto a ver ni había hablado con él desde el infortunado incidente de la cena. Al recordar en qué términos se habían separado, sintió que se le retorcían las tripas.

No sabía qué esperar de él, y se sentía igualmente insegura acerca de su propia culpa y de su propia ira. Rachel cruzó una mirada breve con Johnny y entonces se encontró con la del chico: pestañas espesas, ojos pardos enmarcados por unas ojeras tenues. Tenía las pupilas dilatadas, y Rachel pensó que sería el miedo.

—Rachel —dijo Ben, apartándose de la pared. Cogió del escritorio un pequeño reloj despertador y se lo enseñó—. Esto es lo que quería llevarse. Olivia lo vio, y cuando lo detuve descubrí el despertador oculto debajo de su camisa, tal como ella dijo.

—¡Eso es una mentira asquerosa! —exclamó el niño, que tendría unos siete u ocho años, y que al parecer había perdido el miedo—. ¡Yo no he cogido nada!

—¡Te atrapamos con las manos en la masa, ladronzuelo! ¡No puedes negarlo! —exclamó Ben con ira, volviéndose hacia el niño y agitando el reloj delante de su cara—. Y tampoco es la primera vez. Tú y tus amigos siempre estáis aquí robando algo.

—Jamás nos hemos llevado nada suyo y usted no puede probar lo contrario —insistió el niño con vocecita desafiante.

—Es el colmo —dijo Ben, y se volvió a Rachel sacudiendo la cabeza—. Ni siquiera está arrepentido. Si no llamamos a la policía, estaremos invitando a los chicos del pueblo a que vengan y se lo lleven todo.

—Ya te dije lo que pasaría si llamabas a la policía, Ziegler, y va en serio.

La serena advertencia había salido de boca de Johnny, que se había bajado de la mesa. Antes de acercarse a ellos, pasó junto al muchacho y le dijo algo en voz baja.

—Tú no tienes nada que decirme, Harris. Trabajas para mí. —La réplica de Ben, aunque en voz baja, estaba cargada de ira.

—Trabajo para Rachel, no para ti.

La insolencia en el tono de Johnny era igual a la mirada que le lanzó a Ben. El gerente se azoró. En la sonrisa de Johnny se adivinaba un desafío.

—Los dos trabajáis para mí —dijo bruscamente Rachel. Mirando los ojos entrecerrados de Johnny, no vio en ellos ningún indicio de remordimiento por su reacción durante su último encuentro... pero tampoco había enfado. Advirtió que él la había llamado por su nombre de pila, pero aquél no era el momento de pararse a analizar el alcance de eso—. Ben tiene toda la razón. La norma de esta tienda es denunciar a los rateros, y este niño forma parte de una pandilla que, según nuestras sospechas, nos roba desde hace casi seis meses. Por fin hemos sorprendido a uno de ellos en el acto de cometer un delito. ¿Por qué no íbamos a llamar a la policía?

—Porque tiene nueve años y está muerto de miedo. ¿Qué clase de mujer es usted para entregar a la policía a un chiquillo? —repuso Harris en tono de reproche.

—Soy una mujer de negocios —respondió Rachel, con voz apenas audible, y volvió a fijar su mirada en el niño.

Aquello fue un error. Vio a un chico asustado que observaba a los tres adultos hablando en voz baja, aunque era evidente que intentaba disimular. Rachel le lanzó a Johnny una mirada de antipatía, aun corriendo el riesgo de que su corazón dominara su cabeza. A pesar de su lenguaje precoz, no era más que un niño. Nunca habría podido adivinar que sólo tenía nueve años.

Dejó escapar un suspiro, sabiendo que no llamaría a la policía.

—Dejadme hablar con él un momento. ¿Cómo se llama?

—El pequeño diablo ni siquiera quiso decirnos su nombre, acusó Ben Ziegler, encogiéndose de hombros.

La respuesta de Johnny fue brusca.

—Se llama Jeremy Watkins. Conozco a su madre.

—¿Quién es? —Rachel lo miró alzando las cejas.

—¿Se acuerda de Glenda, la camarera del Reloj?

—Sí —asintió ella.

Fue una sílaba cargada de significado. Aquélla era la razón por la que Johnny defendía al niño... para proteger a la madre. Por algún motivo, esa idea no le gustó nada a Rachel. Tampoco le gustó darse cuenta de que Johnny había aceptado la invitación de la camarera, ya que conocía al muchacho. Sin quererlo, recordó su voz pausada al decir: «Hace diez años que no he gozado de la compañía de una mujer. Puede que le moleste saber que estoy un poco cachondo.»

Era evidente que había aprovechado la oportunidad de remediar esa carencia.

—Sus padres van a divorciarse. Eso es duro para el chico. Déle un respiro, ¿vale?

—Tú, desde luego, perdonarías cualquier delito. Puede que si no te hubiesen dado tantos respiros cuando eras niño, no habrías acabado en la cárcel – dijo Ben.

—Y si a ti alguien te hubiera rehecho la cara cuando eras niño, no habrías acabado siendo un santurrón gilipollas. Pero eso nunca lo sabremos, ¿verdad?

—Pedazo de... —masculló Ben, apretando los puños y con el rostro enrojecido de ira.

—Venga, Ziegler, cuando quieras —lo retó Johnny, y volvió a sonreír, la mirada brillante y despejada.

Rachel no tardó en ver que tenía ganas de pelea. Ella esperaba mayor discreción por parte de Ben, pero observó que el gerente también estaba dispuesto a darle a los puños. Rachel supuso que lo único que lo retenía era la certeza de que el otro hombre, más joven, alto y fuerte, le haría barrer el suelo.

—¡Maldita sea! ¡Ya estoy harta! —Rachel casi nunca maldecía. Su furia iba en aumento por haber sido obligada entre todos a llegar a aquel estado—. No escucharé ni una palabra más. Ben, ¿quieres hacer el favor de volver a la tienda? Seguro que Olivia necesita ayuda. En cuanto a ti... —empezó, y desvió la mirada hacia Johnny, una mirada que no anunciaba nada bueno—, hablaré contigo más tarde. Primero quiero vérmelas con este chico.

—Si no presentas una denuncia contra ese mocoso, yo me despido —dijo Ziegler, y la voz le temblaba de ira.

—Es absurdo lo que dices, Ben. Hace seis años que trabajas aquí y no permitiré que te vayas. Pero me reservo el derecho de no llamar a la policía si no lo considero justificado. Sabes tan bien como yo que hacemos muchas excepciones a nuestra norma.

—Si no llamas a la policía, me despido —reiteró Ben, vehemente.

Dio media vuelta y salió del despacho a grandes zancadas.

CAPITULO 9

—Eres un imbécil—dijo Johnny Harris.

—Tú te callas —intervino Rachel, conteniendo la rabia a duras penas.

Le lanzó a Johnny una mirada furiosa, le volvió la espalda y rodeó el escritorio hasta quedar frente al niño.

—Jeremy... ¿así te llamas?

El niño alzó hacia ella unos ojos enormes en los que asomaba el recelo.

—Puede que sí, puede que no.

—Puedes confiar en ella, Jeremy, es buena persona —dijo Johnny al chico con voz suave.

Rachel apretó la mandíbula.

—¿Me quieres dejar a mí ocuparme de esto, por favor?—cortó Rachel, en tono excesivamente meloso. Si le decía a aquel provocador de mala estofa lo que realmente pensaba, iba a darle un susto de muerte al chico.

—Como usted quiera —repuso Johnny, y volvió a sentarse en el borde del escritorio con un gesto que insinuaba que dejaba el problema en sus manos.

Rachel no le hizo caso. Se puso de cuclillas junto al niño, de modo que sus ojos quedaron a la misma altura.

—Jeremy, sé que te metiste el reloj debajo de la camisa y que tú y tus amigos habéis hecho cosas parecidas antes. Puede que para ti sea muy emocionante llevarse cosas sin tener que pagarlas, ¿verdad? Queréis ver si lográis saliros con la vuestra. Pero creo que no os dais cuenta de que lo que estáis haciendo es robar. Robar está mal y podéis encontraros en graves aprietos por ello. Vendrá la policía, te detendrán y tendrás que presentarte ante un juez. Lo que ocurre luego lo decide el juez, pero te aseguro que no es nada divertido. —Rachel hizo una pausa para que sus palabras causaran el efecto deseado—. No llamaré a la policía esta vez, porque pienso que cualquier persona merece una advertencia. Pero si vuelves a hacerlo, en esta tienda o en cualquier otra, no quedará otro remedio. ¿Me entiendes?

Mientras ella hablaba, los ojos color de arena de Jeremy se habían humedecido, delatando las lágrimas inminentes que asomaban a la superficie. Apenada por el niño, Rachel se inclinó para abrazarlo. Tan pronto como ella lo tocó, el chico la empujó para apartarla. Rachel cayó sentada. Gracias a Johnny, que la agarró por el hombro, no cayó del todo hacia atrás.

—¡Jeremy! —exclamó bruscamente Johnny, y se inclinó para ayudar a Rachel a levantarse. Ella se incorporó, malhumorada. Se sentía como una estúpida, y pensó que de no llevar tacones altos no se habría caído.

—¿Se encuentra bien? —preguntó Johnny en voz baja.

Su mano tibia y reconfortante le ceñía el antebrazo.

Cuando alzó la vista, se encontró con el rostro de Johnny a una distancia preocupante. En su mirada había inquietud por ella, y eso la desconcertó. El amargo recuerdo del último encuentro entre ambos aún le dolía, pero el dolor empezaba a desvanecerse rápidamente.

—Creo que viviré —repuso ella, intentando pasarse una mano por la espalda para sacudirse la ropa.

—A ver, permítame —dijo Johnny, y su preocupación desapareció para dar paso a una descarada picardía, porque le pasó la mano por detrás, tal como había hecho ella, pero su mano se entretuvo donde no debía. Aunque los dos gestos fueron similares, su efecto en Rachel fue muy distinto.

—¡Basta, ya!

La intimidad del contacto sobresaltó tanto a Rachel que se apartó de un salto, y la reprimenda que le propinó fue más sonora y violenta de lo que se había propuesto. Por un momento, Rachel temió que Ben Ziegler irrumpiera por la puerta para rescatarla, pero eso no sucedió, para gran alivio suyo. Sin duda estaba lejos y no había oído nada.

—Sólo quería ayudarla a sacudirse el polvo —dijo Harris en tono inocente, aunque provocándola con la mirada.

Rachel lo miró como para fulminarlo de vergüenza. Cada vez que creía descubrir un asomo de decencia en la actitud arrogante y agresiva de Johnny Harris, él hacía algo que volvía a irritarla. Empezaba a sospechar que era una actitud deliberada. Apartó la idea de su cabeza al percatarse de la presencia de Jeremy. Fijó su mirada en el chico y vio que él los observaba a los dos con vivo interés.

—¿Me prometes que no volverás a robar nunca y así no tendré que llamar a la policía? —pidió Rachel.

Seguía un poco aturdida pensando en Johnny Harris, y su voz quizá fue más suave y amable de lo necesario. La presencia de Harris, que la observaba con su sonrisa intencionada y su detestable atractivo sexual, le impedía adoptar el aire severo que hubiese querido.

—No podéis demostrar nada —dijo el chico.

Por un momento, aquella respuesta ingrata y hostil dejó a Rachel sin habla. Y luego, concentrada únicamente en el asunto que la ocupaba, miró al chico sacudiendo la cabeza.

—Te equivocas, Jeremy. Si el señor Ziegler y la señorita Tompkins, que atiende el mostrador, fueran a los tribunales y declararan contra ti, podríamos demostrar que intentaste robar el reloj. Pero por esta vez esperamos no tener que hacerlo. Si vuelve a suceder...

—No volverá a suceder. Yo hablaré con Glenda –dijo Johnny, y se le acercó.

Rachel se sintió aliviada porque esta vez Johnny sólo miraba al niño.

—No se lo digáis a mi madre —imploró Jeremy, que de pronto perdió todo su aplomo. Le temblaba el labio inferior, y ahora mostraba todo el miedo que en realidad tenía—. Por favor, no se lo digáis a mi madre.

—Teniendo en cuenta cómo te has portado con la señorita Grant, no me queda otro remedio.

Al igual que Rachel, intrigado por la aparición de este talón de Aquiles en la actitud insolente del niño, Johnny se cruzó de brazos y fingió severidad. Jeremy le sostuvo la mirada. Luego bajó los párpados y miró al suelo, desconsolado.

—Si se lo decís, se pondrá a llorar. Siempre llora mucho. Porque mi padre tiene una amiga y nos abandonó para vivir con la muy puta, y nosotros no tenemos dinero aunque mamá trabaja todo el día. La semana pasada nos cortaron la luz y ella tardó tres días en pagarles para que la volvieran a dar. Hacía mucho calor en nuestra caravana sin el aire acondicionado. Y la carne en el congelador se pudrió y no pudimos comprar más hasta ayer. Y el reloj que tiene junto a la cama está roto y ella no puede comprar otro porque se gastó todo el dinero en la carne, y si llega tarde al trabajo muchos días la despedirán. Entonces llorará sin parar y tendremos que ir a vivir con mi padre y con la puta, y ellos no nos quieren. Y, si no, todos nos moriremos de hambre.

Aquella confesión tan atolondrada le llegó al corazón a Rachel. Volvió a ponerse en cuclillas, deseando abrazar con fuerza al niño, esta vez con más cautela. Le tocó una rodilla y estuvo a punto de decirle que se llevara el reloj y cualquier otra cosa que quisiera. Se lo impidió Johnny, que le apretó levemente el hombro. Cuando ella lo miró, él negó con la cabeza en señal de advertencia. Rachel entendió lo acertado del aviso, no dijo nada y retiró la mano. Si era blanda con el niño en ese momento, anularía todo el efecto de sus amenazas.

—Dime, no querrás darle más preocupaciones a tu madre si te pillan robando, ¿verdad? —preguntó Johnny, con voz serena y amable a la vez.

Jeremy le lanzó una mirada fugaz.

—Nadie puede demostrar... —Algo debió de captar el chico en la expresión de Johnny, porque bajó la cabeza—. No, señor.

—Así me gusta. Así nadie tendrá que contarle nada a tu mamá... por esta vez. Si esto vuelve a ocurrir, se lo diremos, y también la informaremos de lo que ha pasado hoy. Ahora, le pides perdón a la señorita Grant y te vas de aquí en seguida. Atrás hay una puerta, así no tendrás que ver a nadie más en la tienda.

—¿Quieres decir, a ese señor? No le caigo bien. Rachel supuso que se refería a Ben Ziegler.

—No, no tendrás que verlo. ¿Qué le dices a la señorita Grant?

—Lo siento. No volveré a hacerlo —dijo Jeremy, y le lanzó a Rachel una de sus miradas huidizas.

A continuación, respondiendo a un gesto de Johnny, Jeremy se levantó del sillón y salió corriendo por la puerta.

Durante un momento, oyeron el ruido de sus pasos en el suelo de madera. La puerta metálica de servicio chirrió al abrirse y se cerró de golpe. Jeremy había desaparecido.

Rachel se incorporó. La desconcertó ver que estaba tan cerca de Johnny que sus hombros casi le tocaban el pecho y que con la falda le rozaba los vaqueros. Se apartó de él para colocar en su sitio el sillón donde se había sentado el muchacho, intentando ocultar así la súbita agitación que sintió. El leve chirrido de las ruedas sonó como un estruendo en el silencio repentino del despacho.

—Gracias por no llamar a la policía. El chico ha pasado un mal rato —dijo Harris, y ella no tuvo otra alternativa que mirarlo. Había nuevamente amabilidad en los ojos de Johnny Harris, y cualquiera que conociera sólo el lado fanfarrón y guaperas de su personalidad se habría sorprendido. Pero Rachel siempre había intuido que esa amabilidad existía. Si las cosas hubiesen sido diferentes para él, si las circunstancias de su origen y el destino no hubiesen conspirado contra él, tal vez habría sido un hombre amable.

—Si lo vuelve a hacer, tendré que denunciarlo —advirtió Rachel.

En su fuero íntimo sabía que nada en el mundo podría hacerle entregar a aquel niño a la policía. A duras penas se había contenido para no rogarle que se llevara el reloj.

—Si lo vuelve a hacer, yo mismo le daré unos azotes que le impedirán sentarse en una semana —agregó Johnny—. Eso le causará más impresión que la policía, créame.

—No soy partidaria de maltratar a los niños.

Johnny sonrió. Aquellos ojos grises de pronto parecían azules, de una viveza que la deslumbró. Al perderse en ellos un momento se sintió cegada, como si hubiera mirado el sol demasiado tiempo.

—Tiene un corazón blando, profesora. Sabía que no llamaría a la policía, así como sabía, cuando le pedí trabajo, que no se negaría.

—¿Por qué has vuelto al pueblo?

La pregunta la inquietaba desde hacía dos días, desde que no había encontrado en Johnny al penitente agradecido al que ella creía ayudar. El verdadero Johnny Harris que había bajado del autobús era tan insoportable como en sus tiempos de adolescente alborotador. Su presencia había despertado un resentimiento en el pueblo que lo había convertido en un avispero, como él debía suponer, y todo eso había alterado la vida de Rachel. Era evidente que él no había regresado, como ella había pensado, a hacer las paces con la comunidad. Más bien parecía haber vuelto para declararles la guerra.

Harris entrecerró los ojos y contestó:

—Porque éste es el pueblo donde yo nací y no permitiré que nadie me eche de él hasta que yo esté dispuesto a irme.

—Si tan sólo tú...

—¿Si tan sólo qué?

Un tono de burla asomó en su voz. Rachel lo miró, entristecida. Después del desastroso episodio de su demostración de malos modales en la mesa, no sabía cómo decirle que, si cambiaba de actitud, tal vez la gente de Tylerville cambiaría la suya.

Johnny quizá le leyó el pensamiento con bastante exactitud, sin que ella pronunciara una palabra. La expresión de su rostro se endureció. Ya no tenía el mismo brillo amable en la mirada. Se había vuelto a poner lo que Rachel empezaba a ver como una máscara, y su actitud la hizo desconfiar.

Sin previo aviso, Johnny la cogió por el brazo y la miró con descarada osadía mientras la hacía girar para observarla, sin que a ella se le ocurriera resistirse.

—Me gusta el vestido que llevas. Destaca muy bien tu culo.

Rachel se zafó de un tirón y se sonrojó, pero antes de que pudiera aniquilarlo de un golpe como se merecía, el vivo ruido de unos pasos la avisaron de que llegaba alguien.

Era Rob. Rachel hizo un esfuerzo para serenarse y logró sonreír al verlo entrar. A juzgar por el ceño fruncido no estaba muy contento.

—¿Te encuentras bien, Rachel? —preguntó Rob, y desvió la mirada para fijarla en Johnny con hostilidad.

—Ha llegado justo a tiempo —intervino Johnny, sonriendo con mirada insolente —Estaba a punto de arrancarle la ropa a tirones.

—Grandísimo... —mascullo Rob, lleno de ira.

—Por supuesto que me encuentro bien —dijo Rachel, y le lanzó a Johnny una mirada fulminante mientras calmaba a Rob sujetándolo por el brazo. Le molestaba que éste pensara que el simple hecho de estar a solas con Johnny fuera un riesgo para ella, y habló con tono irritado—. Johnny está bromeando, ¿verdad?

El énfasis casi imperceptible que puso en la pregunta, indicaba que más le valía responder afirmativamente si sabía lo que le convenía.

—Oh, por supuesto —repuso Harris.

Pero el modo en que lo dijo fue una provocación. Rachel lo miró indignada. ¿Por qué tenía que buscar siempre el rechazo de la gente?

—¿Estás lista? Llegaremos tarde al concierto —advirtió Rob con brusquedad, y le desprendió la mano de su brazo. Se la cogió y entrelazó sus dedos con los de ella.

Rachel vaciló. La animosidad electrizaba el ambiente entre los dos hombres y era evidente que ninguno de los dos se prestaría a un acto de cortesía como dejar que los presentaran el uno al otro. Había tal contraste entre ellos que era probable que se manifestaran antipatía a primera vista, aun cuando ninguno de los dos supiese nada acerca del otro. Rob se había divorciado hacía tres años, era un hombre culto y sofisticado, y eso se veía en su costoso traje gris y su corbata de seda marrón. Su estatura mediana y figura robusta acentuaban su aire de sólida respetabilidad de clase media alta. Su cabello castaño claro corto e impecablemente peinado no intentaba ocultar la calvicie incipiente de la coronilla. No era tan guapo como Johnny, ni tan joven ni peligrosamente deseable como él, pero ofrecía mayor seguridad a largo plazo. Y eso era, por supuesto, lo que contaba para una mujer sensata.

—Estoy lista —contestó Rachel—, pero tengo que hablar un momento con Johnny antes de salir. ¿Te molestaría mucho esperarme en la tienda?

En la mirada que le devolvió Rob se notaba que en realidad le molestaría mucho. Ella le dirigió una sonrisa mimosa.

—Por favor, sólo tardaré un segundo, te lo prometo.

Rob no respondió a su sonrisa. En cambio, miró a Johnny en clara advertencia.

—Aguardaré en el almacén —dijo, insinuando sin ambages que estaría cerca si ella lo necesitaba.

Rachel se sintió aliviada cuando él, por fin, le soltó la mano y salió del despacho. Era muy difícil lograr que la gente respetable de Tylerville mirara a Johnny con ojos que no fueran de extrema desconfianza.

—No sabía que tuvieras esa habilidad para parecer tan dulce y femenina, profe. – Johnny sonreía, pero su mandíbula contraída era una señal de su verdadero estado de ánimo.

—Por favor —dijo Rachel, y él se derritió en su sitio.

— ¿Te acuestas con él?

—Un día de éstos —dijo Rachel, secamente— alguien te hará callar de un puñetazo en esa bocaza tuya. Ya me gustaría ser yo quien lo haga.

—Contéstame. ¿Te acuestas con él? —insistió Johnny. La sonrisa se le había esfumado.

—Eso no es asunto tuyo. Y si no haces un esfuerzo para entenderte con Ben, te despediré, y sin trabajo te llevarán de cabeza a la cárcel. ¿Qué opinas de eso, chulo de playa?

Johnny esbozó una mueca sardónica.

—Nunca hagas amenazas que no piensas cumplir. No podrías despedirme, como tampoco pudiste llamar a la policía para entregar a ese chico.

—No cuentes con ello —le espetó Rachel.

Se giró dando la espalda al causante de todas sus molestias y se dirigió a la puerta. Sentía su mirada fija en ella, y la idea de que él la observaba la hizo vacilar. Con sus tacones altos no podía evitar el balanceo de sus caderas.

Cuando llegó a la puerta, él emitió un sonido extraño que la sobresaltó y se volvió a mirarlo.

—Rachel —dijo Harris, su voz apenas un ronco susurro, traspasándola con la mirada—, no te acuestes con él. Acuéstate conmigo.

Rachel se quedó sin aliento por un instante, mientras las palabras de Johnny la envolvían como una serpiente seductora. Se obligó a seguir caminando, y sólo así consiguió huir.

CAPITULO 10

El concierto se celebró en una carpa enorme, junto al pequeño lago que dividía el terreno del club, y tuvo un gran éxito. Al menos eso le dijeron más tarde a Rachel. Ella estaba tan absorta en sus pensamientos que no escuchó ni una sola nota.

El calor inesperado que le habían provocado las palabras de Johnny Harris, ya se había disipado en gran medida, cuando los elegantes espectadores empezaron a abandonar poco a poco sus butacas de trescientos dólares. Al ritmo de los acordes de Mozart y Chopin, su imaginación había volado pensando en cómo sería acostarse con Johnny. Necesitó hacer un gran esfuerzo para disipar los actos vergonzosamente explícitos que, espontáneamente, se sucedían en la pantalla que era su mente. Fue aún más difícil librarse de la súbita sensación de ardor sexual, que le hinchaba los pechos y avivaba su ardor. Finalmente consiguió rechazar esas ideas, y ahora sólo sentía una leve pulsación en el cuerpo, pero a costa de concentrarse en pensar las cosas tal como eran y no como ella deseaba que fuesen. Johnny Harris estaba descartado como pareja en la cama, por muy sensual que ella lo encontrara. Rachel jamás había sido una joven promiscua, y jamás se acostaría con un hombre, por muy atractivo que fuese, tan sólo para calmar una excitación sexual. A su edad, con el ejemplo de su hermana y sus tres hijas, cuando pensara en un hombre debería pensar en el matrimonio y en bebés. En este aspecto, las posibilidades de Johnny Harris eran realmente escasas.

Aunque estaba absolutamente convencida de que Johnny no había cometido el crimen por el que se le había condenado, era verdad, como decía su madre, que era un ex presidiario. Ese estigma no se borraría nunca. Tampoco se borraría la convicción que el pueblo tenía de su culpabilidad. Sólo la revelación de la identidad del verdadero asesino podía cambiar esa situación, y Rachel tenía que reconocer que aquél sería un desenlace poco probable. Después de que detuvieran a Johnny, Rachel había pasado mucho tiempo lucubrando posibles alternativas que explicaran la muerte de Marybeth Edwards, barajando diferentes argumentos sobre el asesinato. No podía imaginarse a nadie que ella conociera cometiendo un crimen tan horroroso, y cada culpable que se le ocurría era más improbable que el anterior. Su teoría predilecta era que la muchacha había sido víctima de un forastero, alguien que había pasado por Tylerville, un asesino en serie, un demente, alguien que se dedicaba a acechar a las muchachas.

Pero en el somnoliento pueblo de Tylerville esa teoría parecía demasiado rebuscada.

Al responder a la carta de Johnny se había dirigido al Johnny Harris que ella recordaba. Un alumno suyo, uno de los pocos que habían respondido a los libros y a la poesía como ella, por mucho que intentara ocultarlo. Cualquier tipo de lectura era poco varonil, y leer poesía era directamente una mariconada. Siendo adolescente, aquellas inclinaciones lo habían avergonzado hasta el extremo de disimular su afición a las letras como un vicio secreto. Pero a veces, cuando Rachel lo sorprendía sin sus díscolos amigos, había podido engatusarlo para que hablara de libros y de poesía. A partir de allí, sus conversaciones habían seguido todo tipo de rumbos, sobre personajes famosos, la política y la religión. Mientras ella hablaba, Johnny se animaba cada vez más, revelando un aspecto de su personalidad que, pensaba Rachel, casi nadie más conocía.

Había algo en él que la había atraído entonces, un atisbo de inteligencia y sensibilidad excepcionales que brillaba como una trémula vela a través de la máscara de burlona dureza que era su actitud cotidiana. Rachel estaba convencida de que valía la pena dedicarle un esfuerzo a Johnny Harris. En aquel entonces, había albergado la esperanza de salvarlo de la existencia que le correspondía por nacimiento y que se veía amenazada por una pobreza apabullante. Más tarde, había deseado salvarlo de un destino mucho más peligroso.

Pero los deseos no se cumplían más que en contadas ocasiones. Aquella conducta salvaje de Johnny, por la que ella lo había reprendido más de una vez en aquellos tiempos tan lejanos, había pesado en su condena como la más sólida de las pruebas. El elemento más perjudicial había sido que él era la última persona que reconocía haber visto con vida a Marybeth Edwards. Contraviniendo los deseos de sus padres, la jovencita se había escabullido esa noche para encontrarse con él. Johnny lo había reconocido, e incluso había dicho que habían hecho el amor en el asiento de atrás del Lincoln del padre de Marybeth, aparcado en la calzada de acceso a la casa. Johnny afirmó que se había marchado alrededor de las dos de la madrugada y que había visto a la chica caminando hacia la puerta de atrás de su casa. No la había visto entrar. Había subido a la moto y se había alejado.

A la mañana siguiente, habían encontrado el cadáver de Marybeth Edwards a poco más de un kilómetro de allí. Su cuerpo ensangrentado yacía en una zanja del camino, cubierto de sangre y de capullos de cletra.

Johnny Harris juró una y otra vez que él no la había matado. No lo creyeron entonces y nunca lo creerían. Los habitantes de Tylerville, no.

Aunque la idea la excitara en secreto, Rachel no podía acostarse con él. Aunque nunca hubiera sido condenado por asesinato tal posibilidad era impensable. Era cinco años mayor que Johnny, y había sido alumno suyo. Un escándalo de esas proporciones estremecería Tylerville. Su madre se moriría.

—Estás muy callada esta noche —dijo Rob, y le rodeó los hombros con un brazo mientras caminaban por el sendero que bordeaba el lago, bajo la luz de la luna.

Delante de ellos, otras parejas seguían la misma ruta y admiraban alternativamente los farolillos instalados al borde del camino y las estrellas que brillaban en lo alto. El aire nocturno era cálido y las piedrecillas del sendero crujían bajo sus pies. El reflejo borroso del cielo nocturno en la plácida superficie del lago era tan bello que apaciguaba hasta los pensamientos más agitados.

Rachel decidió olvidarse de Johnny Harris y se inclinó hacia Rob.

—Creo que estoy cansada, nada más.

—Podríamos ir a mi casa y... descansar.

Rachel sabía muy bien, que lo que él sugería, no tenía nada que ver con el verdadero descanso. Resultaba divertido porque en otras ocasiones ella había esperado el mismo final para sus veladas.

Ahora la idea carecía de atractivo. «Acuéstate conmigo.» Le parecía oír el susurro de Johnny en el viento. Se estremeció bajo el abrazo de Rob.

—¿Tienes frío?

—No.

—Me alegro.

Rob aprovechó el abrigo que les ofrecía un alto pino y la llevó fuera del sendero, la tomó en sus brazos y la besó en la boca. Rachel se obligó a apretarse contra él, a rodearle el cuello con los brazos. Por primera vez, cuando sintió la lengua de Rob penetrando en su boca y la rechazó como una intrusión. Su reacción instintiva fue apartar el rostro.

Tuvo que recordar que en Rob estaba el futuro. En un pueblo de las dimensiones de Tylerville no había mejor perspectiva como marido y como padre. Y ella quería las dos cosas.

—Oíd, tortolitos, separaos. Tengo una idea.

Era Dave Henley quien hablaba, el dentista del pueblo quien con su esposa Susan los había acompañado al concierto. Dave era el mejor amigo de Rob. Rachel le tenía afecto, y más aún a Susan, de quien era buena amiga desde la escuela primaria. Sabía que tenía la esperanza de que ella y Rob se casaran. Formaban un buen cuarteto.

—Vete, Henley, ¿no ves que estamos ocupados? —dijo Rob.

Pero el tono era bonachón, y soltó a Rachel. Para ser franca consigo misma, Rachel debía reconocer que la interrupción la aliviaba. Se apartó de Rob y se acercó a Susan, que le dedicó una sonrisa cómplice.

—¿Y qué idea tienes? —preguntó Rachel a Dave.

Se sentía incapaz de devolverle la sonrisa a su amiga.

—Acaban de abrir un local nuevo en la autopista 21. Creo que el dueño se llama Huracán O´Shea. Dicen que tiene buena música, se puede bailar y hay...

—Alcohol —terminó Susan, como alguien que presenta el plato principal.

Tylerville estaba situada en una región muy seca, lo cual hacía casi irresistible el atractivo del licor.

—¡Guau! —repuso Rachel, riéndose de la ansiedad exagerada de Susan.

—¿Tienes ganas de ir? —inquirió Rob.

Se acercó a Rachel y le cogió la mano. Le dirigió una sonrisa y ella pensó, por enésima vez desde que había empezado a salir con él, que Rob era un hombre estimable. ¿Qué clase de estúpida era ella que no aprovechaba la oportunidad? Sólo en los libros doblaban las campanas, estallaban cohetes y cantaban los coros celestiales cuando una mujer encontraba al hombre de sus sueños. A decir verdad, sólo en las novelas existían esos hombres. En la vida real, casi todas las mujeres se conformaban con un don nadie.

—Claro, ¿por qué no?

Al menos por una o dos horas más aquello le evitaría tener que decidir si dejaría que Rob la llevara a la cama esa noche. Se sintió culpable al pensar que si se le presentaba la elección en aquel mismo momento, su instinto le haría gritar ¡no!

Tardaron unos veinte minutos en el trayecto por la autopista. Cuando se detuvieron en el aparcamiento del local de Huracán O´Shea, a Rachel no le sorprendió que estuviera lleno a rebosar. En las cercanías de Tylerville no había mucha vida nocturna que le hiciera la competencia. Incluso los cines pasaban la última película a las nueve de la noche.

La música resonó en sus oídos antes de que llegaran a la puerta.

«You picked a fine time to leave me, Lucille...»

¿Qué era aquello? Rachel se quedó boquiabierta cuando el segundo verso, que le era desconocido, era entonado por un coro de voces alegres. Ella, Rob, Susan y Dave intercambiaron miradas.

—¡Parece que esto está alborotado! —sonrió Dave, expectante, al abrir la puerta.

Rob se encogió de hombros y todos entraron.

Las paredes del local, que Rachel reconoció como un antiguo taller de reparación de coches, eran de hormigón y estaban pintadas de un rojo vivo. Arriba, los cables eléctricos a la vista y las tuberías eran del mismo color gris oscuro que el cielo raso sin terminar. El suelo, de madera, tenía varios niveles. En los muros brillaban variados anuncios, desde marcas de cerveza hasta los mismísimos Beatles. Sonaban dos pianos acompañando a una pareja de cantantes estridentes, y una rubia de piernas largas, con un traje de satén amarillo brillante que imitaba a una animadora deportiva, llevaba la batuta.

La melodía a todo volumen tenía a la multitud de pie cantando, o mejor dicho, vociferando. Los cuatro recién llegados avanzaron pegados a la pared de atrás en el nivel más alto. Había cuatro niveles, cada uno de ellos treinta centímetros más alto que el anterior, y todos abarrotados de clientes que golpeaban con los pies, agitaban los puños y gritaban. El nivel más bajo era la pista de baile, rebosante de cuerpos que giraban con entusiasmo.

—¡Este sitio es sensacional! —exclamó Susan.

—¡Es lo máximo! —confirmó Dave.

Rob le cogió la mano a Rachel y se la apretó, como si temiese extraviarla en medio del gentío. Tuvieron la suerte de pasar detrás de una mesa justo en el momento en que sus ocupantes se marchaban. Con un grito de triunfo, Dave tomó posesión del lugar.

Cuando se acomodaron en sus asientos, llegó la camarera con su bandeja y un fajo de papeles.

—¿Qué queréis beber?

Todos pidieron. Rachel, que no era una bebedora entusiasta, ni siquiera con el acicate de la relativa carencia de alcohol, pidió un daiquiri. Lo encontró bastante aceptable y sabía por experiencia que le duraría toda la noche.

Cuando llegaron las bebidas, Rob hacía visibles muecas, molesto por el volumen ensordecedor de la música. Rachel la habría disfrutado más si hubiese sido unos decibelios más suaves, pero el ritmo era contagioso, y de pronto se encontró golpeando el suelo con los pies. Dave comía palomitas de maíz y bebía whisky, mientras Susan observaba a los presentes con tanto interés como Rachel. Algunas mujeres vestían de manera extravagante, con minifaldas cortísimas, medias de malla y blusas con lentejuelas. Bajo las luces intermitentes que iluminaban la pista de baile las lentejuelas centelleaban como joyas multicolores.

—¡Dios mío!, ¿te imaginas llevando algo así? —gritó Susan al oído de Rachel, mientras miraba a una mujer delgada vestida con una minifalda de cuero y el pelo teñido de rojo que pasó contoneándose junto a ellos.

El objeto de asombro de Rachel era la blusa de la mujer. La prenda era negra y transparente, salvo algunas lentejuelas estratégicamente colocadas. Era evidente que no llevaba nada debajo.

Rachel sacudió la cabeza y siguió a la mujer con la mirada hasta la pista de baile, donde empezó a bailar desenfadadamente. Mientras observaba sus contoneos con escandalizado regocijo, de pronto se fijó en un hombre alto, delgado y musculoso que bailaba con una rubia. La pareja se retorcía al unísono en un frenesí sensual que parecía más el preludio del acoplamiento que un baile. La luz lanzó un destello, iluminando sólo unos segundos la pista de baile.

Esos breves segundos bastaron. Rachel sintió como si alguien la hubiera golpeado en el vientre cuando reconoció al hombre que bailaba con la rubia. Era Johnny Harris. Era imposible confundir aquella negrísima cola de caballo, tan fuera de lugar en Tylerville, aquel cuerpo de hombros anchos y caderas delgadas. Cuando la luz volvió a centellear, Rachel reconoció a la acompañante: era Glenda, la camarera del Reloj.

CAPITULO 11

—Disculpadme, tengo que ir al lavabo.

Rachel tuvo que valerse de una excusa. No podía quedarse allí y ver cómo Johnny Harris le hacía el amor a Glenda, o casi. No, no podía, después de las fantasías sexuales que había tenido con él, ni después del modo en que la había acosado. Y que Dios se apiadara de su alma, porque ella le había respondido.

«Claro, Johnny Harris siempre había tenido éxito con las mujeres», pensó con amargura, mientras caminaba hacia el pasillo estrecho y oscuro que conducía al lavabo de mujeres. Las tenía cuando iba al instituto, y nunca le habían faltado amiguitas. Las chicas de buena familia, a quienes sus padres les prohibían siquiera hablarle, lo seguían con la mirada.

Si ella lo encontraba sensual, y estaba obligada a reconocerlo, ya podía añadir su propio nombre a la larga lista.

El lavabo era pequeño y estaba pintado de rojo, como el pasillo, y las gruesas paredes de ladrillo, por suerte, amortiguaban la percusión incesante. La única ocupante salió al entrar Rachel. Aliviada al encontrarse sola, se lavó las manos y dejó que el agua fresca le corriera por las muñecas durante unos minutos. Después, ahuecó las manos para beber. Algo, tal vez el daiquiri, o quizá sus propias emociones, le había provocado náuseas.

Entró una mujer. Rachel se secó las manos con una toalla y salió. Volvería a la mesa y, si era necesario, alegaría estar enferma para poder marcharse.

El lavabo de hombres se hallaba frente al de las mujeres, al otro lado del pasillo. A Rachel no le sorprendió ver que se acercaba un hombre. El pasillo estaba a oscuras, excepto por el resplandor púrpura y el ocasional destello de las luces a la entrada, además de las luces de neón rojo que indicaban los lavabos. Cuando ella y el hombre se disponían a cruzarse, Rachel se pegó al muro. Cuando él tendió una mano como para cogerle un brazo, ella lanzó un chillido. Levantó la vista y vio a Johnny Harris.

—¿Qué? ¿De paseo por los bajos fondos? —inquirió él, burlón.

—Tú estarás en tu salsa, supongo —repuso ella, fría.

—Sí, me siento como en casa —dijo él, y se acercó.

Le rodeó el brazo con la mano izquierda. Rachel sintió el calor y la fuerza de los dedos. En la mano derecha, Johnny sostenía una cerveza. Ella no lo habría notado si él no la hubiera levantado para beber.

—Me sorprende que tu novio te haya traído a un sitio como éste. No parece el tipo de hombre al que le guste divertirse.

—Si me haces el favor de soltarme el brazo, iré a reunirme con él y seguiremos divirtiéndonos a nuestra aburrida manera.

—No he querido decir que fueras aburrida, Rachel... Hablaba de él. Tú tienes inmensas... posibilidades.

El modo en que arrastró esa última palabra, el modo en que le brillaron los ojos al mirarle la cara y luego los pechos, la hizo vacilar y luego enfurecer.

—¿Quieres soltarme, por favor? —insistió en tono cortante.

Johnny levantó la cerveza para beber otro trago. Luego sacudió lentamente la cabeza. Al sonreír, la luz púrpura hizo que sus dientes resplandecieran.

—No hasta que bailes conmigo. Aún no has bailado, te estaba observando.

Rachel tragó saliva. Volvió a negar con la cabeza.

—Gracias por pedírmelo, pero no. Tengo que volver donde están mis amigos, y estoy segura de que a ti te esperan los tuyos.

—Glenda es una buena chica y estamos con un montón de gente. No me echará de menos por un rato, y no importa si lo hace. Si lo que te preocupa es tu novio, no te verá. Nos quedaremos al fondo de la sala, donde está muy oscuro.

Mientras hablaba, la arrastraba hacia la salida. Rachel se resistió.

—Johnny, no.

Él se encogió de hombros, se detuvo, y entrelazó sus dedos con los de ella mientras le sonreía.

—Está bien, parece que tendré que llevarte con tus amigos.

—¡No! —exclamó Rachel, horrorizada. Se estremeció al pensar qué sucedería si Rob y Johnny se peleaban por ella.

—¿No? Entonces ven a bailar conmigo. Vamos, será divertido y luego te dejaré ir. Te lo prometo.

Sus ojos relucían, burlándose de ella, embaucándola. Atrapada entre dos males y repentinamente tentada, Rachel calló. Tomando su silencio por aprobación, Johnny la tomó de la mano y la llevó hacia la pista de baile de la cavernosa discoteca.

Agobiada, temerosa y seducida por la idea de bailar con él, ya no habría podido negarse. Rachel dirigió una mirada cauta hacia el estrado superior, donde estaba la mesa de sus amigos. En la oscuridad, con el tumulto bailando a su alrededor y cantando al son de *You've Lost that Loving Feeling,* no pudo localizar la mesa ni mucho menos distinguir a Rob.

—Ni siquiera me gusta bailar —protestó Rachel, mientras Johnny depositaba su cerveza sobre una mesa cercana y la arrastraba a la pista.

—Si es así, es que no has bailado con el hombre adecuado —declaró Johnny

El clásico de los Righteous Brothers finalizó con una floritura melódica y uno de los animadores gritó:—¿Está bastante oscuro para vosotros allá en la pista de baile?

Cuando le respondieron «¡Noo!» a gritos, la luz que destellaba en lo alto se transformó en una esfera reluciente que inundó la sala de diminutos puntos vibrátiles, rojos y púrpuras.

—Qué romántico, ¿no? —suspiró el animador en el micrófono. Acto seguido, marcó los primeros compases de *Be My Baby,* de los Ronettes.

Johnny colocó las manos de Rachel sobre sus propios hombros, le sujetó la cintura justo por encima del cinturón y la atrajo hacia él. Rachel apoyó cautelosamente las manos sobre los anchos hombros. Johnny llevaba otra de sus camisetas blancas sin mangas. A través del fino algodón, Rachel sintió cómo ondulaban los músculos al moverse, y el calor de su piel. Aunque Rachel llevaba tacones, él era mucho más alto. Rachel no sabía con certeza si le agradaba o no aquella sensación de vulnerabilidad que le infundía la diferencia de estatura.

—¿Acaso crees que tú eres el hombre adecuado? —se burló Rachel.

Johnny Harris olía levemente a sudor y a cerveza. Tan cerca de él, Rachel comprobó que le era difícil pensar, y mucho más difícil aún hablar. No estaba pegada a él, y su cuerpo rozaba apenas el de Johnny. Sin embargo, el efecto en sus sentidos era electrizante.

—Puede que sí —repuso él.

Al notar en su voz una súbita ronquera, ella alzó la vista y descubrió que la miraba sin sonreír. Por un instante, sólo un segundo, aquellos intensos ojos azules se oscurecieron. Luego Johnny la apretó contra él, introdujo un muslo entre sus piernas y, junto con ella, siguió el ritmo de la música dulce y caliente.

"Sé mi... sé mi nena", cantaba el intérprete.

Rachel nunca había bailado así en su vida. Johnny meneaba las nalgas con ella, giraba con ella, la echaba hacia atrás y la volvía a atraer con sus poderosos brazos. Entretanto, el roce de su pierna moviéndose entre las de ella la despojaba de los últimos vestigios de cordura.

Sólo hizo un intento de apartarse y luego, hipnotizada, ni siquiera trató de resistirse. Johnny se la llevaba con él al cielo o a los infiernos

—Rachel no supo adónde —y aunque la explosiva combinación de hombre y música y su propio anhelo le hacían perder la cabeza, no le importaba mucho.

Cuando acabó la música, ella permaneció aferrada a él por un instante, aturdida. Tenía los ojos cerrados y la frente apoyada en el pecho de Johnny, y con las manos le apretaba los hombros. Sentía las duras manos de Johnny en torno a su cintura. Conservaba su pierna entre las de ella, y le había subido el vestido hasta la mitad del muslo.

La sedosa barrera de las medias no lograba proteger su piel del ardiente roce de los vaqueros de Johnny.

—¿Ves a qué me refiero? —murmuró él a su oído, mientras el maestro de ceremonias decía algo que Rachel no captó. La luz del techo volvió a brillar por encima de sus cabezas.

Arrojada de nuevo a la realidad sin previo aviso, Rachel alzó la cabeza que tenía apoyada en el pecho de Johnny y, pestañeando, lo miró a los ojos, que parecían burlarse de ella. Tardó un momento en advertir cuán íntima era la postura entrelazada de ambos. Le quitó las manos de los hombros como si de pronto fueran bestias dentadas que amenazaban con morderla. Rachel se zafó de sus brazos y se apartó, sin atinar a hacer otra cosa que mirarlo fijamente. En aquel ambiente irreal la camiseta blanca del joven cobraba un resplandor de otro mundo, y acentuaba la anchura de sus hombros y el bronceado de su piel. La cara de Harris era enjuta y dura, y en él había una peligrosa belleza masculina. La observaba con la mirada fija de un raptor, sin sonreír, la boca grande y sensual de labios plenos, los ojos clavados en su rostro. De pronto Rachel quedó sin aliento de tan sólo mirarlo.

En los pianos resonaron los acordes de *Crear Balls of Fire,* de Jerry Lee Lewis. Alrededor de ellos, las parejas empezaron a retorcerse frenéticamente.

—Yo... yo tengo que irme —dijo ella, evitando su mirada. En los labios de Johnny asomó una leve sonrisa cuando se percató de su confusión.

—Podrás huir, profe, pero no podrás ocultarte...

Las suaves palabras sonaron seductoras, amenazantes y prometedoras al mismo tiempo. Tendió hacia ella las manos, y era evidente que deseaba volver a tomarla en sus brazos.

—¡No!

Rachel se volvió de prisa y, abriéndose paso entre la maraña de cuerpos, llegó al borde de la pista de baile. Johnny la siguió. Ella lo sabía, aun sin mirar hacia atrás ni una sola vez. Lo sentía a sus espaldas con certeza infalible y su presencia hacía que se le erizaran los cabellos de la nuca.

Sin decir una palabra, se dirigió en medio de la oscuridad hacia donde suponía que estaba su mesa. Mientras subía, sentía que le temblaban las rodillas y que tenía el estómago hecho un nudo.

Con manos temblorosas, se alisó la falda. Era preferible no recordar cómo se le había arrugado tanto y era preferible olvidar aquel increíble cuarto de hora.

Nunca podría olvidarlo.

Atraída por una fuerza irresistible, miró finalmente alrededor intentando captar una última imagen de Johnny antes de volver con Rob. Con los destellos de luz era difícil identificar a las personas. Tal vez lo habría perdido de vista si él no hubiera llevado aquella camiseta blanca sin mangas, con su extraño resplandor púrpura. O tal vez su mirada se habría dejado llevar hacia él tan inexorablemente como su cuerpo. Pero lo encontró, y entonces tuvo la sensación de que se le revolvía el estómago.

Johnny Harris había vuelto a la pista de baile y ahora ejecutaba su variedad especial de lambada con Glenda.

«Por lo menos ahora sé dónde estoy», pensó Rachel. Por algún motivo a Johnny le excitaba perseguirla. Quería que ella lo deseara. Pero mientras lo que ella sentía por él no se parecía a nada que hubiese sentido antes, lo que él sentía por ella era lo mismo que experimentaba con tantas otras mujeres: excitación.

¿Acaso no era ésa la palabra que él había usado? «Y le cuadra muy bien», pensó Rachel, enfurecida.

Recuperando esa perdida dignidad suya, subió la escalera sin volver a mirar la pista de baile. Si él iba por la vida como un perro en celo, pues ojalá que consiguiera lo que buscaba. Pero de ella no lo obtendría nunca, jamás.

Por fin divisó su mesa. Rob y Dave conversaban, y Rob fruncía el entrecejo. Susan se estaba poniendo de pie. Rachel se les acercó.

No volvería a pensar en ese baile con Johnny Harris.

—Lamento haber tardado tanto —murmuró, y se deslizó en su asiento, frente a Rob, que le tomó una mano y se la llevó a los labios.

—Pensábamos que te habías caído dentro —dijo Susan, y volvió a sentarse.

—Susan estaba a punto de ir a buscarte. Estábamos inquietos por ti —dijo Rob, con un tono que parecía reprochar la ligereza de Susan—. ¿Estás bien?

Rachel aprovechó en seguida la oportunidad.

—Para deciros la verdad, no. No me encuentro bien, debo de haber cogido uno de esos virus. —«Llamado Johnny Harris», se le ocurrió de pronto—. ¿Os importaría mucho si nos vamos?

Rob miró a los otros, que negaron con la cabeza.

—Por supuesto que no. De todos modos, la música es algo estruendosa para mi gusto. Vamos.

Al salir de la discoteca, Rachel no volvió a mirar hacia la pista de baile, y apretaba con fuerza la mano de Rob.

CAPITULO 12

En la oscuridad palpitante, junto a la pista de baile, el vigilante observaba a Johnny Harris sin pestañear. ¿Acaso Johnny no sentía esos ojos fijos? Era evidente que no, porque nunca miraba en dirección al vigilante.

Éste experimentaba desde hacía rato sucesivas oleadas de frío, a pesar de que el calor de tantos cuerpos en un espacio demasiado pequeño le hacía sudar la frente. De pronto sintió la ira, sepultada hacía tanto tiempo, que brotaba y lo envolvía como una bruma gris y gélida.

Una vez más, Johnny Harris estaba pidiendo que le dieran una lección.

El vigilante se propuso asegurarse de que esta vez Johnny no olvidara nunca esa lección.

CAPITULO 13

Era poco más de las dos de la madrugada de esa misma noche y Johnny se hallaba de pésimo humor. Aceleró la moto por las calles desiertas de Tylerville, y halló un placer perverso en el rugido que indicaba que el tubo de escape necesitaba una reparación. Una hermosa noche, cálida y casi sin nubes, le permitía ver bien el camino con el suave resplandor de la luna llena. No necesitaba más alumbrado en las calles, que además no abundaba en Tylerville. Aquel pueblo estaba muy atrasado. Aquello no sería tan grave, si no fuera porque sus ciudadanos más destacados experimentaban cierto orgullo en mantenerlo así. Cuando sepultara la historia de su pasado, una historia que lo había perseguido durante los últimos diez años, se iría de allí en seguida, antes de que el pueblo le chupara toda la sangre, como a los demás.

El viento le golpeaba la cara y los brazos desnudos, y el aire le hacía bien. La máquina que rugía entre sus piernas era veloz y potente, y era suya. Tenía el estómago lleno y probablemente había bebido más cerveza de la que le convenía. Luego había hecho el amor con una mujer. Entonces, ¿por qué se sentía como un montón de basura pudriéndose desde hacía semanas?

Sabía la respuesta, pero saberlo no lo hacía sentirse mejor.

La mujer con quien había hecho el amor no era la mujer que él deseaba. Glenda era una vieja amiga, tenía un bonito cuerpo y él no pensaba rechazar nada de lo que le ofrecieran después de tantos años de abstinencia. Pero no era Glenda la que lo excitaba con sólo mirarla.

Era Rachel. Era la señorita Grant. La profesora. Sentía algo por ella desde el instituto. Ella se habría escandalizado si hubiese podido leer los pensamientos del adolescente al que había enseñado inglés. Éste se había pasado casi todas las horas de clase, además de buena parte de sus noches, imaginando qué aspecto tendría Rachel desnuda. Cómo sería tocarla desnuda. Qué clase de sonidos emitiría al llegar al orgasmo. Si es que llegaba.

Pero no había hecho otra cosa que imaginar. Había aceptado religiosamente la idea de que ella estaba por encima de él, que era más probable que él llegara a la luna antes que acostarse con ella. Había una diferencia de edad, desde luego. A los dieciséis, a los diecisiete y a los dieciocho años, una diferencia de cinco años parecía más bien un cuarto de siglo. Además, ella era la maestra y él uno de sus alumnos... un tabú determinante. Pero el obstáculo más insalvable entre ellos, al menos según su criterio, eran sus respectivas situaciones en la vida. Rachel y su familia tenían dinero. Tenían una casa antigua, coches de lujo, una buena educación, un jardinero y una criada. Para el joven Johnny aquello era la máxima categoría. En cuanto a sí mismo, hasta donde podía recordar, desde pequeño había sabido que pertenecía a una familia de blancos pobres, casi indigentes. El pueblo entero los despreciaba. Los demás chicos se burlaban de sus padres borrachos, de su ropa desgastada y de su cuerpo no muy aseado. No lo invitaban ni a sus fiestas ni a sus casas. Cuando él creció lo suficiente para cuidar de sí mismo y se mostró tan duro como para infundirles temor, logró por fin que lo respetaran. Aun así, los más guapos, los que tenían padres que revisaban los deberes de sus hijos, que les fijaban horarios y que pensaban enviarlos a la universidad, ésos lo rehuían. Por omisión, él se juntó con los malos. Y se esmeró en ser el peor de todos.

Johnny sonrió burlonamente al recordar el chico que había sido de adolescente. Había tenido planes y grandes proyectos. Pensaba irse de Tylerville en cuanto acabara el instituto, saldría a comerse el mundo y ganaría una fortuna, aunque nunca había resuelto con claridad cómo lograría su objetivo. En aquel entonces los detalles no importaban. Lo que contaba era que, cuando fuera rico, regresaría y se exhibiría ante todos los esnobs del club de campo que lo habían despreciado a él y a su familia, y mediante su fortuna o mediante la intimidación, se ganaría el afecto de la señorita Rachel Grant. Sustentado por la confianza de la juventud, no había visto impedimento alguno a la realización de sus sueños.

Pero la vida termina rompiéndole las piernas a la gente, y él no era ninguna excepción. Le habían robado diez años de su vida. Ahora no quería desperdiciar ni un minuto más. Quería probar todo lo que se había perdido respecto a la comida, la bebida, la lectura y el sexo. Sus sueños eran ahora más modestos, pero seguían siendo sueños, y Johnny quería convertirlos en realidad.

Entre esos sueños destacaba el de acostarse con la señorita Grant. Si el modo en que ella se había apretado contra él aquella noche era un indicio, tarde o temprano lo conseguiría.

Tal vez no valía lo suficiente para sentarse a cenar con ella, pero sí era lo bastante bueno como para hacerla gozar como nunca en su vida.

La moto bajaba rugiendo por la calle principal. Johnny Harris iba a detenerse en la ferretería cuando divisó un coche de la policía estacionado enfrente. El motor estaba parado y tenía los faros apagados. De lo contrario, él lo habría visto antes. Entrecerró los ojos y, por un momento, pensó en acelerar y pasar de largo a toda velocidad. Pero en Tylerville no había donde ir, y aun cuando lograra escapar de ellos aquella noche, sabrían dónde encontrarlo por la mañana.

Entró en el aparcamiento y se detuvo, siempre a horcajadas sobre la moto, sosteniendo el peso con una sola pierna. El policía bajó de su coche y caminó hacia él. En la mano sostenía una larga linterna de metal que, como Johnny sabía por experiencia, también servía de porra.

El policía era un individuo alto y robusto. Cuando se acercó, Johnny reconoció al jefe Wheatley, el mismo tipo que era jefe cuando lo habían detenido por asesinato. No era excesivamente listo, pero era justo. Johnny pensó que al menos no tenía motivos para temer una paliza injustificada.

—¿Qué quiere? —preguntó con brusquedad.

—¿Puedes parar el motor? —preguntó Wheatley, y con un gesto indicó lo que le pedía, porque el estruendo de la moto apagó sus palabras.

Johnny vaciló un momento y lo apagó. En el silencio repentino que sobrevino, desmontó y apoyó su moto en el soporte. Luego se quitó el casco, se lo colocó bajo el brazo y se volvió hacia el jefe de policía.

—¿He violado alguna ley que no recuerdo?

—¿Has estado bebiendo?

—Tal vez. No estoy ebrio. Si quiere someterme a una prueba, hágalo.

Wheatley negó con la cabeza.

—No creo que seas tan estúpido, aunque no sería la primera vez que me equivoco.

Por un momento, los dos hombres no dijeron nada. Se miraron con desconfianza, nada más. En la actitud del policía había algo raro, casi vacilante. Eso puso nervioso a Johnny, que estaba acostumbrado a las fanfarronadas y a los malos tratos de los agentes del orden.

—¿Ha venido aquí a decirme algo o sólo está mirando las estrellas?

—No te pases de listo —dijo Wheatley, y frunció los labios y se golpeó la pierna con la linterna—. Traigo malas noticias.

—¿Qué clase de malas noticias?

—Ha habido un accidente.

—¿Un accidente?

Rachel. El nombre brotó de inmediato en los pensamientos de Johnny. Era una estupidez, porque si algo le hubiera sucedido a Rachel, él sería la última persona a quien se lo dirían.

—Sí, y ha sido grave. Es tu padre.

—¿Mi padre?

—Sí.

A Johnny se le cortó el aliento. Le costó encontrar aire para pronunciar la única palabra pertinente.

—¿Ha muerto?

—Sí, ha muerto. Lo arrolló un tren, donde las vías cruzan el camino cerca de su casa. Parece que estaba borracho, aunque no estamos seguros.

—Oh, Dios —murmuró Johnny.

No había pensado revelar su emoción, no en presencia de un policía. Pero no pudo evitarlo. La noticia fue como si lo degollaran vivo, y se sentía sangrar como si le hubiesen cortado una vena. Su padre, el perverso hijo de perra, muerto.

Johnny apretó los labios. Se obligó a respirar hondo por la nariz. Había aprendido cómo conducirse en una crisis porque había sido necesario hacerlo. También había aprendido que, de un modo u otro, si podía arreglárselas para seguir respirando, la crisis pasaría.

—No me gusta pedirte esto, pero necesitamos que alguien identifique el cadáver. Es tan sólo una formalidad, no hay duda de que es él, pero...

—Claro.

—Yo te llevaré. Sube.

Era la primera vez en su vida que Johnny Harris viajaba en un coche de la policía sin haber sido detenido.

CAPITULO 14

Rachel oyó la noticia en la iglesia a la mañana siguiente.

—Yo digo que es un castigo de Dios a toda esa gentuza.

—Oh, no, de Dios, no.

—¡Eso es lo que pienso! Esos Harris son todos malas personas, y pienso que Dios se habrá decidido a librar al mundo de ellos, uno por uno, para proteger a la gente decente. Al menos, eso espero. Dormiré más tranquila por las noches cuando hayan desaparecido.

—¡Ha muerto de una forma terrible!

—¡No está bien que lo diga, pero no siento ni una pizca de piedad por ese hombre! No le habría pasado nada si no hubiera estado borracho perdido. Él se buscó su propia desgracia, como casi todos los pecadores.

—Pero ¡ser arrollado por un tren, Idell!

Rachel sintió que se le helaba la sangre. Se volvió en su asiento para interpelar a las dos mujeres que cuchicheaban, sin darse cuenta de que en ese momento el reverendo Harvey llegaba al crescendo atronador de su sermón, que versaba sobre la independencia de quienes poseen muchos bienes materiales.

—Señora Skaggs, ¿de quién está hablando? —inquirió. Su tono insistente hizo que ambas damas, ella y la señora Ashton, levantaran sus cabezas canosas y la miraran boquiabiertas. La madre de Rachel, sentada a su lado, le propinó un fuerte codazo en las costillas, pero Rachel no le prestó atención. La voz del reverendo Harvey seguía tronando. Los demás feligreses la miraban con expresión de censura—. ¿Quién es? —insistió Rachel en un agudo susurro.

La señora Skaggs pestañeó: —Pues, Willie Harris.

Al conocer la identidad del fallecido, Rachel se sintió más aliviada.

—¿Ha muerto? —preguntó, en voz más baja.

—Sí.

—Válgame Dios, Rachel —dijo Elisabeth, mientras tiraba del vestido floreado de su hija.

Rachel se volvió e hizo lo posible por asumir de nuevo su postura de respetuosa atención a lo que decía el clérigo. La verdad es que no oyó ni una palabra más.

Willie Harris había muerto. ¿Qué significaría eso para Johnny? Rachel sabía que él y su padre no tenían una relación demasiado estrecha. Pero, por otro lado, ella no sabía gran cosa acerca de su familia ni de su vida anterior. En todo caso, perder a un padre, y en aquellas circunstancias, tenía que ser algo aplastante. Sintió pena por él.

La ceremonia religiosa parecía interminable. Después, los feligreses se reunieron en el jardín de delante. La madre de Rachel Grant, elegante como de costumbre, vestía una falda de seda azul y un minúsculo sombrero que hacía juego. Se detuvo a conversar con sus amigos, como acostumbraba a hacerlo. Rachel sabía que sería imposible mover a su madre hasta que no hubiera concluido el ritual de esas charlas semanales, y se conectó con la red de chismes del pueblo para averiguar lo que pudiera acerca de la muerte de Willie Harris.

—Y lo enterrarán en el cementerio del Calvario por la mañana —dijo finalmente Kay Nelson en tono discreto.

De pie, junto a Kay en un círculo de allegados, mientras aguardaba con paciencia a que su madre se fuera, a Rachel la asombró ver cuántos detalles de la muerte *y* del sepelio inminente ya había averiguado Kay. Aquella mañana, los teléfonos debían de haber sonado sin parar.

—Parece una muerte tan prematura...

Amy, la menuda cuñada de Kay, parecía auténticamente dolida por la víctima. Amy era una forastera que había llegado a Tylerville hacía sólo dos años, al casarse con Jim, hermano menor de Kay. Por eso no se esperaba de ella que entendiera los vericuetos existentes sobre quiénes eran los personajes del pueblo. Si Tylerville perdía inesperadamente a un ciudadano destacado, el entierro podía retrasarse hasta cinco o seis días para que pudiera llevarse a cabo un funeral grande e imponente. Pero para alguien como Willie Harris no eran necesarios tantos días.

Jim Nelson se encogió de hombros.

—Bien podrían sepultarlo hoy. Supongo que no irá nadie al funeral, excepto Johnny. A menos que aparezca Buck o la chica de los Harris. Me imagino que no ganarás mucho vendiendo coronas funerarias, Kay.

Sólo en aquel momento, viendo la aparente familiaridad de Jim con los Harris, Rachel pensó que éste había sido compañero de Johnny en el instituto. Si la memoria no le fallaba, recordaba que también él había salido un par de veces con Marybeth.

—Me harás sentir mal. Nunca pienso en las muertes que ocurren en el pueblo como una fuente de lucro —protestó Kay, sonriendo, golpeando con un puño el brazo de su hermano—. Y es terrible pensar que nadie irá a su funeral.

—Yo iré —anunció bruscamente Rachel.

Jim Nelson la miró. Al igual que Kay, Jim tenía una figura robusta y, con su traje a rayas finas, tenía un aire imponente. Parecía exactamente lo que era, a saber, un próspero abogado de pueblo.

—Tú siempre le tuviste afecto a Johnny Harris, ¿verdad, Rachel? —comentó Jim. Recuerdo que en el instituto le permitías cosas por las que a nosotros nos habrías colgado sin más.

—Tal vez pensé que sus orígenes explicaban en parte su mala conducta, a diferencia de los demás —replicó Rachel, y Jim sonrió asintiendo.

—¡No me digas que dabas clases en el instituto cuando Jimmy estudiaba allí! Vaya, ¡no puedo creerlo! —dijo Amy, y volvió a mirar a Rachel, que casi pudo leer en sus ojos la pregunta «¿cuántos años tienes?» Pero Amy era demasiado bien educada para formularla.

—Así es. Y era muy estricta —repuso Jim, y sonrió de nuevo—, me han dicho que todavía lo es.

—Pero, Jim Nelson, ¿qué dices? —exclamó Kay escandalizada—. Ya sabes lo buena que es Rachel. Bromeas, ¿verdad?

—De ninguna manera. Puede que Rachel sea buena, pero la señorita Grant era una verdadera arpía. Todos la temíamos, hasta Johnny Harris. Cuando estaba ella, Johnny cuidaba sus modales como no lo hacía con nadie más.

—¿Fuiste amigo suyo? Yo creía que...

Sin terminar la frase, Amy miró a su esposo con gesto inquisitivo. Jim negó con la cabeza.

—No, no, él no frecuentaba nuestro grupo. Nosotros jugábamos al tenis y al golf, y él y sus compinches entraban en las casas forzando cerraduras.

Kay le lanzó a su hermano una mirada de irritación. Jim alzó las cejas, sorprendido.

—No era tan malo. Solía cortar el césped de la casa cuando tú estabas demasiado ocupado jugando al tenis o al golf, y siempre fue muy correcto con mamá y conmigo. Sea como sea, Johnny trabaja ahora para Rachel, ¿no te acuerdas? —dijo Kay, enfática.

—Sí, claro —dijo Jim, y desvió la mirada hacia Rachel—. No entiendo cómo has podido darle trabajo después de lo que le hizo a la pobre Marybeth. Le tendrían que haber aplicado la pena de muerte. Diez años de cárcel por lo que hizo es una broma. Lo menos que deberíamos hacer es echarlo de Tylerville.

—¡Jim! —exclamó Kay, lanzando una mirada inhibida a Rachel.

—No puedo dejar de pensar lo que pienso, y me sentiría como un hipócrita si no lo dijera.

—Cada cual tiene derecho a su opinión —sentenció Rachel, con una sonrisa tranquila—. La mía es que Johnny Harris no la mató. Lo hizo otra persona.

—Oh, Rachel, quisiera creerlo. Pero ¿quién? —preguntó Kay, con expresión de compasiva incredulidad.

Jim habló al mismo tiempo que su hermana.

—Como he dicho, tú siempre le has tenido afecto. Por mi parte, pienso que es tan culpable como el demonio.

—Oye, Jim—Bob, ¿tienes tiempo para jugar al golf esta tarde? —Era Wiley Brown, un compañero de Jim y juez de distrito recién elegido para el cargo, que se había acercado para unirse a ellos. Le propinó una sólida palmada en el hombro a Jim y saludó a los demás con un gesto—. ¿O tu mujercita te tiene demasiado atado a su delantal?

Al oír la broma, Amy se sonrojó levemente. Jim le tiró de la oreja antes de responderle.

—Sí, tengo tiempo. ¿A eso de las dos? Te veré en el club, así tendré tiempo para comer antes.

—Está bien.

Comenzaron a hablar de golf. Viendo que su madre se encontraba entre sus amigas, Rachel se disculpó y fue a buscarla antes de que a alguna otra amiga se le ocurriera hacer lo mismo. A veces, hacer de chofer de su madre era un fastidio.

Durante el breve trayecto de regreso a casa, Elisabeth se dirigió a su hija en tono de reprobación.

—Dime una cosa, Rachel, ¿en qué estabas pensando cuando te pusiste a hablar en voz alta en la iglesia? Nunca en mi vida he sentido tanta vergüenza.

—Lo siento, mamá. La señora Skaggs y la señora Ashton cuchicheaban detrás de nosotras y escuché algo que me llamó la atención.

—Sobre la muerte de ese individuo, Harris, si no me equivoco —dijo Elisabeth, aguda. Su voz se volvió desafiante—. ¿Acaso piensas ir al funeral?

—Así es —dijo Rachel, y apretó el volante.

—¡Lo sabía! ¡Siempre has sido una niña obstinada! Y dime, ¿por qué quieres tener que ver con esa gente? No son nada más que la escoria de la sociedad —declaró Elisabeth, dirigiéndole una mirada de exasperación. Rachel apretó los dientes. Su pie aumentó la presión sobre el acelerador hasta que el coche voló por el estrecho camino.

—¡Dios mío, Rachel, conduce más despacio! —exclamó su madre, aferrándose al apoyabrazos cuando el automóvil tomó una curva apoyándose sólo en dos ruedas.

De pronto recordó dónde se hallaba y vio lo que hacía. Retiró el pie del acelerador. Respiró hondo y se obligó a concentrarse en conducir. Hacía años que no discutía con su madre. Como regla general, no tenía ningunas ganas de hacerlo porque Elisabeth nunca cambiaba de opinión sobre nada, aunque muchos hechos contrariaran su punto de vista. Esta vez, sin embargo, Rachel no dejaría pasar por alto el irritante comentario de Elisabeth.

—¿Qué es la escoria de la sociedad, mamá? ¿Los pobres? Si papá hubiera muerto cuando Becky y yo éramos pequeñas, habríamos sido pobres. ¿Habríamos pertenecido por ello a la escoria?

A pesar de la ira, Rachel habló en tono tranquilo. Con una mirada de reojo, vio que Elisabeth estaba ofendida.

—Sabes muy bien que no. El dinero no tiene nada que ver.

—¿Y qué, entonces? ¿Acaso Tilda y Jotadé son escoria?

—¡Rachel Elisabeth Grant! ¡Tilda y Jotadé son excelentes personas! Serán negros, pero son limpios y educados, y son honrados y de confianza. ¡Y tú lo sabes!

—Pues, entonces, ¿qué me dices de Wiley Brown? Puede que sea juez, pero bebe mucho más de lo que le conviene, como bien sabes. Por cierto, el día en que se graduó en el instituto estaba tan borracho cuando se presentó en el salón de actos que se durmió y se puso a roncar en plena ceremonia. ¿Pertenece a la escoria él? ¿Y los Bowen? La señora Bowen abandonó a sus hijos y huyó a Europa. ¿Son escoria ellos? ¿O qué hay de los Walsh? Él es pediatra y ella es enfermera, pero ella siempre tiene los ojos a la funerala o alguna magulladura por haber tropezado con una puerta, según cuenta ella. ¿Escoria? ¿Y qué hay de Rob? ¿Está divorciado? ¿Acaso también pertenece a la escoria?

—¡Rachel, a veces pienso que viniste al mundo para volverme loca! ¡Sabes muy bien que ninguna de esas personas pertenece a la escoria!

—Explícame, entonces, ¿qué es la escoria humana, mamá? Quisiera saberlo. Si no es ser pobre, negro, o alcohólico, o si no eres una escoria porque abandonas a tus hijos o maltratas a tu cónyuge, o porque te divorcias, ¿qué es la escoria?

—Tal vez no sepa describirlo —farfulló Elisabeth—, pero reconozco a la escoria cuando la veo. Además, ¡tú también!

Rachel sintió que temblaba y que estaba a punto de perder los estribos, algo que no le sucedía casi nunca.

—Escúchame bien, mamá —dijo, con voz tranquila—. Ya estoy harta de que tú, y todos los de este pueblo, llaméis escoria a Harris. Si no puedes darme una razón válida de por qué lo es, ¡no vuelvas a hacerlo, por favor!

—Pero, Rachel, qué tono usas con tu madre.

—Lo lamento, mamá, pero lo digo en serio.

Elisabeth apretó los labios y entrecerró los ojos al mirar a su hija.

—En el pueblo se habla de ti y ese muchacho. No he prestado atención, porque eres mi hija y has sido educada para actuar con sensatez. Pero empiezo a pensar que quizá esas habladurías tengan algún fundamento. Cuando tu padre era joven, antes de casarse conmigo, era impulsivo e irreflexivo, y propenso a meterse en líos por cualquier cosa. Me duele tener que decirte que te estás volviendo igual que él.

Le dolió aquella crítica por partida doble, contra ella y contra su padre, a quien amaba. Volvió a perder la calma y le lanzó a su madre una mirada helada cuando llegaron a la entrada de la propiedad.

—Ojalá que así sea, mamá. Detestaría que sucediera lo contrario.

Los ojos de Elisabeth se dilataron y palideció al clavar la mirada en su hija. La barbilla obstinadamente alzada, negándose a decir ni a sentir que lo lamentaba, Rachel paró el coche con una sacudida.

—Tienes que poner el coche en posición de «aparcar» —advirtió Elisabeth, que como cualquiera que conociera bien a Rachel, sabía de los hábitos erráticos de su hija al volante.

—No me voy a quedar. Tengo un recado que hacer. Entra tú.

—¿Un recado? No habrás olvidado que comemos a las dos, ¿verdad? Tenemos invitados, aunque no debería tener que recordártelo.

—Estaré de vuelta a las dos. Por favor, baja, mamá.

Emitiendo una mezcla de resoplido y suspiro, Elisabeth bajó del coche y cerró la puerta con una calma intencionada que fue más elocuente que un portazo. Se inclinó y miró a Rachel por la ventanilla.

—Vas al pueblo a ver a ese muchacho, Harris, ¿verdad?

—Sí, mamá, eso voy a hacer. Y puede que lo traiga a comer.

—¡Rachel!

Rachel lanzaba rayos por los ojos al devolverle la mirada a su madre. Sus manos apretaron tanto el volante que los nudillos palidecieron.

—Y si no eres amable con él, y no lo recibes como a cualquier otro de nuestros invitados en esta casa, te doy mi palabra de que mañana haré mis maletas y me mudaré de nuevo al pueblo.

—¡Rachel!

—Lo digo en serio, mamá. Ahora, por favor, apártate. Tengo que irme.

—¡Rachel! —repitió Elisabeth, con voz dolida y ofendida, al tiempo que se erguía y se apartaba.

Rachel dió marcha atrás y luego giró describiendo un gran arco. Al mirar por el retrovisor, vio la perplejidad que se pintaba en el rostro de su madre, cuya figura diminuta y frágil resaltaba ante el trasfondo de la enorme casa blanca y los prados verdes. Pero por primera vez en su vida, Rachel se negó a que su madre la hiciera sentirse culpable. Esta vez había hablado en serio.

El enfrentamiento entre Rachel y su madre no sirvió de nada, porque cuando llegó a la ferretería Johnny no estaba en su piso. Se detuvo en la casa Long, una de las dos funerarias del pueblo, la que se ocupaba de los servicios fúnebres para ciudadanos de menor categoría como Willie Harris... pero comprobó que Johnny tampoco estaba allí y que no se había tomado ninguna medida para velar a Willie Harris, si bien el funeral estaba programado para las diez de la mañana siguiente. Tras saludar a Sam Munson, el empresario de pompas fúnebres, Rachel partió. En su mente la perseguía una sola pregunta: ¿dónde estaba Johnny? Rachel pensó en Glenda, y su imagen de Johnny, solo y acongojado, experimentó un cambio repentino. Claro, él estaría con Glenda. No la necesitaba a ella para nada.

Sentía el pecho oprimido, y más valía darse por vencida. Emprendió el regreso a casa. La expresión de alivio en el rostro de Elisabeth cuando ella se presentó sola, justo a tiempo para comer, no hizo más que avivar su dolor.

CAPITULO 15

Lo que quedaba de Willie Harris yacía en un ataúd gris, en la parte delantera del cuartito artesonado. La funeraria había colocado cinco hileras de sillas plegables, unas cuarenta en total. Después, el cadáver sería incinerado.

Rachel estaba en la cuarta fila, junto a Kay Nelson. Kay, aparentemente presa del remordimiento después de la conversación en la iglesia, llegó calladamente apenas empezada la ceremonia. Además de ellas dos, había otras cinco personas: dos mujeres jóvenes de apariencia tosca, mal vestidas, desconocidas para Rachel; Don Gillespie, el dueño de la casa que los Harris habían alquilado durante tantos años, y Glenda Wright Watkins con su hijo Jeremy.

Johnny no se presentó, al igual que los otros dos hermanos Harris.

La presencia de Glenda sin Johnny le causó cierta sorpresa a Rachel. Había llamado varias veces a su piso desde la visita del día anterior, e incluso había pasado a verlo tarde por la noche, y luego por la mañana. Había sido en vano porque Johnny no estaba. Rachel supuso que estaba en alguna parte con Glenda. Pero Glenda estaba allí, dos filas más adelante, la rubia cabeza inclinada y de la mano de su hijo.

Si Johnny no estaba con ellos, ¿dónde estaba?

Rachel esperó impaciente a que terminara la ceremonia para poder hablar con aquella mujer. Cuando se pronunció la oración final y los presentes salieron en fila, Rachel se incorporó rápidamente. A su lado, Kay también se puso en pie.

—Es lo más triste que jamás se ha visto —susurró, dirigiéndose a Rachel—. No ha venido ninguno de los hijos... ¿Piensas que fue malo con ellos?

—No tengo la menor idea —repuso Rachel, aunque no lo decía con sinceridad.

El primer año en que ella había sido profesora de Johnny Harris, cuando él tenía dieciséis años, se había presentado a clase con los ojos amoratados y el labio partido con tanta frecuencia que Rachel sospechó que su padre lo maltrataba. Con esa inquietud, empezó a fijarse en los hermanos Harris más de lo que habría hecho en otro caso. Buck, alto y robusto, dos años mayor que Johnny, ya había dejado la escuela algunos años antes. Pero Grady, un muchacho delgado y tímido, tres años menor que Johnny, y Sue Ann, que aún iba a la escuela primaria en ese entonces, presentaban regularmente lesiones como las de Johnny. Cuando Rachel le preguntó a Johnny si alguien los maltrataba, él se le rió en la cara y lo negó todo... sin que por eso aplacara ni un ápice las sospechas de Rachel. Entonces recurrió a su propio padre en busca de consejo, pero Stan fue terminante. Le dijo que no se metiera. Lo que pasaba del otro lado de una puerta cerrada no era de su incumbencia.

Aquel episodio había suscitado una de las pocas discusiones que había tenido con su padre en toda su vida.

A pesar del consejo de Stan y de la negativa de Johnny, Rachel decidió que la próxima vez que observara marcas en cualquiera de los hermanos Harris informaría al centro de protección de menores del distrito.

Pero nunca volvió a ver esas marcas. En aquel entonces pensó que sus conclusiones habían sido demasiado apresuradas. Ahora se preguntaba si su interrogatorio a Johnny había llegado a oídos de Willie Harris, lo cual puede que hubiese puesto fin al problema. Al menos albergaba esa esperanza.

—¿Quiénes son?

Siempre susurrando, Kay señaló con un gesto a las dos muchachas. Una de ellas sollozó al apartarse del ataúd y ahora se acercaba por el pasillo.

—No las conozco... Discúlpame, por favor, Kay. Tengo que hablar con alguien.

Rachel alcanzó a Glenda cuando ella y Jeremy salían.

—Hola, Jeremy. Hola, señora... Watkins, ¿verdad? ¿Se acuerda de mí?

Mientras hablaba, Rachel no pudo abstenerse de mirarla disimuladamente mientras le hablaba. Glenda llevaba un traje discreto, color lavanda. Era un traje barato, de tela de poliéster, pero su línea recatada la favorecía y no dejaba de ser apropiado para la ocasión. Tenía la espesa cabellera sujeta en la nuca con un lazo de terciopelo negro. En suma, Rachel tuvo que reconocer que Glenda era más atractiva de lo que ella había supuesto al principio. Era probable que, según los cánones masculinos, Glenda fuera considerada mucho más guapa que ella misma. Era alta, delgada y rubia, de aspecto mundano y pechos grandes como melones. Sin quererlo, Rachel se preguntó si eran reales y al instante se censuró por ser mal pensada.

Jeremy no dijo nada y se limitó a mirar a Rachel con desconfianza. Llevaba unos pantalones vaqueros limpios pero desteñidos, y una camiseta de manga corta bien planchada, lo cual sugería que, a diferencia de Glenda, no poseía ropa más formal. A juzgar por su actitud, sospechaba que Rachel se les había cruzado para delatarlo. Rachel le dedicó una sonrisa tranquilizadora que no surtió efecto alguno, porque a él no se le borró la mirada de desconfianza.

—Claro que sí, usted es la señorita Grant —dijo Glenda, y asintió sonriendo, lo cual de pronto la hizo parecer mucho mayor, ya que sus mejillas se llenaron de pequeñas arrugas provocadas por el sol—. Es la profesora amiga de Johnny... No sabía que conocía a Jeremy.

La mirada que Jeremy lanzó a Rachel era desafiante y suplicante al mismo tiempo.

—Nos conocimos por medio de Johnny, ¿verdad, Jeremy? Y nos conocimos bastante bien —dijo Rachel, y volvió a sonreír al chico antes de fijar su atención en Glenda—. ¿Ha visto usted a Johnny? Quería darle mis condolencias, pero no he podido encontrarlo.

Glenda sacudió la cabeza.

—La última vez que lo vi fue el sábado por la noche. Llegamos a mi casa un poco tarde, los dos llevábamos una buena, y él se fue derecho a su casa porque, amigos o no, no permito que ningún hombre se quede a pasar la noche cuando están mis hijos. Tenía el domingo libre y lo pasé con los chicos, de modo que ni siquiera me enteré de lo sucedido al señor Harris hasta anoche. Hoy he venido porque Johnny y yo nos conocemos desde hace años y no hay mucha gente que se preocupe de él en este momento. —Se encogió de hombros.—Pero él ni siquiera ha venido. Y no puedo decir que me sorprenda.

—Ah, ¿y por qué no?

—¿Podemos irnos, mamá? —interrumpió Jeremy, tirando de la mano de Glenda—. Has dicho que iríamos al Rey de la Hamburguesa.

—En seguida, Jeremy. Ya sabes que te he dicho que no interrumpas. —Glenda sonrió a Rachel con aire de disculpa—. Estos chicos, bueno, siendo maestra, ya sabe cómo son. Pero en cuanto a la ausencia de Johnny, no lo culpo. Willie Harris fue muy malo con ellos, con todos, cuando eran niños. Los maltrataba mucho, y les pegó más veces de lo que puedo recordar. No sé si decirlo será o no una falta de respeto a los muertos, pero ésa es la verdad —agregó, indicando el ataúd con un gesto.

Rachel respiró a duras penas.

—En una época sospeché algo así. Pero cuando se lo pregunté a Johnny él lo negó.

—Me lo imagino. Así es Johnny —dijo Glenda, y rió.

—Mamá... —insistió Jeremy en tono lastimero.

—Sólo un momento, Jeremy.

Kay se acercó a ellas y le dirigió a Glenda una sonrisa impersonal.

—Discúlpame, Rachel, ¿podrías llevarme hasta la tienda? Me ha traído Jim. a

Entre Kay y Glenda había un abismo del cual ambas mujeres eran conscientes. Kay frecuentaba el club de campo, como Rachel, mientras Glenda era una persona insignificante para los ciudadanos más prósperos de Tylerville.

—Te llevaré con mucho gusto.

Aunque le costó un gran esfuerzo, Rachel Grant creyó haber disimulado su impaciencia por la interrupción. Si Glenda había estado a punto de revelar algo más acerca del pasado de Johnny, ahora que Kay estaba presente se callaría. De pronto, sintió ganas de enterarse de todo sobre el joven Johnny Harris.

—Kay, creo que no conoces a Glenda Watkins y su hijo Jeremy. Glenda, ella es Kay Nelson.

Kay la saludó con un gesto.

—¿Es usted amiga de la familia Harris?

—Soy amiga de Johnny —especificó Glenda, como si no quisiera que se la relacionara estrechamente con el padre de Johnny.

—¿Amiga, mamá? —rió Jeremy entre dientes, y miró a su madre con expresión burlona—. ¿Así lo llamas tú? La otra noche lo vi ponerte la mano encima.

—¡Jeremy Anthony Watkins! —exclamó Glenda, justo a tiempo para taparle la boca al su hijo. Se sonrojó y miró avergonzada a las otras mujeres—. Debo dar de comer a este chico en seguida o se convertirá en un verdadero monstruo. Ya saben cómo son los chicos cuando no han comido. Me alegro de volver a verla, señorita Grant. Y mucho gusto de haberla conocido, señorita Nelson.

Rachel Grant y Kay murmuraron unas palabras a manera de despedida mientras Glenda arrastraba a su hijo.

—¿Dónde le habrá puesto la mano? —caviló Kay con vivo interés cuando las dos se dirigían al coche.

—No tengo la menor idea —repuso Rachel, en el tono menos alentador posible. No deseaba comentar la relación de Johnny Harris con Glenda Wakins, ni siquiera pensar en ella.

—Podría aventurar una suposición —dijo Kay, riendo por lo bajo mientras subía al coche. Lanzó una mirada indulgente a Rachel, que introducía la llave de contacto, y agregó—: Pero no lo haré. Aunque debo decir que me sorprende que Johnny Harris haya encontrado una mujer del pueblo con quien relacionarse. Era de suponer que todas lo temerían.

—Creo que Johnny y Glenda se conocen desde hace mucho tiempo —replicó Rachel.

Cabizbaja, con ganas de librarse de Kay, Rachel no vio la gran piedra que había frente al coche hasta que pasaron por encima. Apretó los labios, prometió ser más cuidadosa y se dispuso a concentrarse mientras se incorporaba al tráfico.

—¿Sabes quiénes eran esas dos muchachas? —inquirió. Con los ojos brillantes, Kay se volvió en su asiento para contar el suculento chisme—. Me lo ha dicho Don Gillespie. Eran prostitutas. Verdaderas prostitutas. ¿No te parece increíble?

—Ay, Kay —dijo Rachel, y apartó la vista del camino para lanzarle a su amiga una mirada escéptica—. ¿Prostitutas?

—Don dijo que Willie Harris iba a Louisville dos veces al mes regularmente para ver a una de las muchachas, y que el viejo se metía con la chica desde que ella tenía doce años.

—¿Doce? Oh, Kay, ¡no puedo creerlo!

Kay Nelson se encogió de hombros.

—Me dijo que Willie Harris se jactaba de ello. ¡Por todos los cielos, Rachel, ten cuidado! ¡Que nos salimos del camino!

Las ruedas del Máxima rebotaron en la orilla del camino. Rachel se sobresaltó y giró rápidamente el volante hacia la izquierda para volver a coger la ruta.

—Becky siempre decía que eras pésima conduciendo —murmuró Kay, sacudiendo la cabeza.

—Becky es tan perfecta en todo lo que hace que suele criticar lo que hacen los demás —replicó Rachel, en tono suave.

—¡Oh! —sonrió Kay—. ¡Qué hermanas más cariñosas! Cuánto me alegro de tener sólo hermanos. ¡Para Rachel, has pasado de largo!

En efecto, el coche había dejado atrás el pequeño edificio de ladrillos rojos donde Kay tenía su negocio llamado *Dígalo con flores*. Apretando los dientes, Rachel giró y se detuvo frente a la tienda.

Kay abrió la puerta y se volvió para mirar a Rachel. —¿Vendrás a la reunión de la Asociación para la Conservación de la Iglesia esta noche?

—Creo que no. Pero me parece que mi madre sí irá.

—Tu madre es una persona maravillosa —dijo Kay, sonriendo—. ¿Sabías que ha donado el dinero que faltaba para restaurar los jardines del cementerio de la antigua iglesia baptista? Este otoño podré plantar algunos bulbos, y luego terminarlo en primavera. Quedará precioso.

—Estoy impaciente por verlos —declaró Rachel, cortés. Kay rió entre dientes.

—Lo sé, lo sé, no a todos les interesan las flores tanto como a mí. Pero será algo digno de ver, ya verás. —De pronto, el tono de Kay se volvió serio—. ¡Adoro ese lugar, y me duele tanto verlo tan abandonado...!

—La asociación es afortunada al tener una presidenta tan diligente —dijo Rachel.

—Sí, ¿verdad? —sonrió Kay—. En fin, te dejo. Gracias por traerme. Dile a tu madre que nos veremos esta noche.

Kay bajó y cerró la puerta del coche. Rachel se despidió con un ademán de saludo. Aunque sus sentimientos estaban con la Asociación para la Conservación de la Primera Iglesia Baptista de Tylerville, en aquel preciso momento no podía demostrar gran interés en sus esfuerzos por restaurar y retocar la iglesia más antigua del pueblo. Estaba demasiado preocupada por localizar a Johnny.

La siguiente parada fue la ferretería Grant. Quería ver si Johnny se había presentado a trabajar en vez de acudir al funeral de su padre.

Desde el mostrador, Olivia negó con la cabeza.

—No ha estado aquí para nada esta mañana. Ben ha dicho que tampoco llamó para avisar que no vendría.

La tienda estaba vacía, salvo por un cliente que no podía oírla y que ahora examinaba un muestrario de pinturas. Así, cuando Olivia habló ventilando en público uno más de los problemas internos, no la oyó nadie salvo Rachel. Ésta sabía que en algún momento tendría que hablar con Olivia a propósito de su escasa discreción, pero en aquel momento no estaba en condiciones de formular reprimendas. Estaba muy inquieta por Johnny. Si no estaba con Glenda ni tampoco en su lugar de trabajo, ¿dónde estaba?

Ben Ziegler asomó la cabeza por la puerta de su despacho al oír la voz de Rachel.

—Rachel, ¿podríamos hablar un momento?

Rachel se habría negado, pero Ben ya había vuelto a su despacho y Rachel lo siguió con un suspiro contenido.

Ben, de brazos cruzados, se apoyó en el borde del escritorio. Rachel entró, cerró la puerta y le lanzó una mirada inquisitiva.

—Johnny Harris no se ha presentado a trabajar esta mañana.

—Esta mañana han celebrado el funeral de su padre —replicó Rachel, a la defensiva, sin molestarse en agregar que Johnny tampoco había estado presente.

—Pero debería haber llamado para avisar que no vendría, y tú lo sabes.

—Estoy segura de que debe de estar muy afectado.

Ben lanzó un resoplido.

—Nada podría afectarlo, a menos que lo condujesen ante un pelotón de fusilamiento. Rachel, ese tipo perjudica los negocios. La mitad de nuestros clientes se niegan a que Harris los atienda, y la otra mitad viene nada más que para verlo. Es grosero e insubordinado, y por su aspecto debería andar con una de esas bandas de motoristas, los Ángeles del Infierno. El sábado te dije que me despediría si dejabas libre a ese niño y no llamabas a la policía. Pues, lo has dejado ir. Aquí tienes mi despido.

Cogió un sobre de encima de la mesa y se lo entregó a Rachel. Ella lo aceptó y miró a Ben a la cara.

—Oh, Ben, no lo dirás en serio, ¿verdad?

—Sí, Rachel, lo digo en serio. Ese individuo me saca de quicio cada vez que lo miro. Te juro que el solo hecho de tenerlo en la tienda me está provocando una úlcera. Sólo me quedaré si lo despides.

—Es que no puedo, Ben. Si no tiene trabajo, lo enviarán de vuelta a la cárcel. Ya sé que a veces se extralimita, pero...

—Ya lo creo que se extralimita —se burló él.

—Si tienes un poco más de paciencia, yo hablaré con él.

—Hablar con él es tan difícil como defenderse de un tanque con un matamoscas. No servirá de nada, Rachel, créeme. Si tú no quieres o no puedes despedirlo, yo me marcho. Ya me han hecho una oferta para administrar la sección de ferretería del Wal-Mart.

Por un momento, Rachel miró a Ben fijamente, sin decir nada. A juzgar por su expresión apesadumbrada pero obstinada estaba claro que hablaba en serio.

—Espero que tengas la amabilidad de darme dos semanas de tiempo —dijo ella.

Ben apretó los labios.

—Ya sabes que sí —aceptó él. Desvió la mirada y luego volvió a mirarla—. Lo lamento de verdad, Rachel.

—Sí, yo también —respondió ella.

Se volvió y salió del despacho con el sobre. Al pasar cerca de la escalera que subía al piso de Johnny, dudó un momento sin saber si debía llamar, aunque sólo fuera para comprobar si estaba allí. Ben no tenía por qué saber que no había visto a Johnny en toda la mañana. Bien podía subir ella para ver si había vuelto después del funeral.

—Harris no está arriba —dijo Ben a sus espaldas—. Prácticamente derribé la puerta a golpes hace diez minutos. Pensé que tal vez estaba descansando.

—Oh, bueno, yo...

Antes de que pudiera continuar Ben le puso una mano en el brazo.

—Mira, ya sé que esto no es asunto mío, pero he visto cómo te mira Harris, y me preocupa. Ese individuo es peligroso, Rachel, y por tu propio bien deberías despedirlo. Si lo envían de vuelta a la cárcel, ¿qué le vas a hacer? Al menos estarás a salvo.

—Ben, eres muy amable al preocuparte —repuso la joven, y le dio una palmadita en la mano que él apoyaba en su brazo, sintiendo que se disipaba gran parte de su animosidad hacia el gerente—. Pero no temo a Johnny. Puede que parezca peligroso, pero no lo es, y nunca me haría daño ni a mí ni a nadie.

—Son las célebres palabras finales —mascculló Ziegler cuando ella se alejaba.

Rachel lo oyó y el comentario le arrancó una sonrisa irónica.

No sonrió cuando, unas doce horas más tarde, pasando por enésima vez en su coche frente a la tienda para ver si había vuelto Johnny, vio una luz en la ventana del piso de arriba. Del alivio pasó a la indignación, y de ésta a una ira desatada. Ardiendo de furia, aparcó el coche, subió la escalera exterior y llamó a la puerta.

Le respondió una explosión de furiosos ladridos. Rachel se estaba recuperando apenas de su sorpresa cuando se abrió la puerta. En el umbral, frente a ella, Johnny se tambaleaba, con una mano en el picaporte, al que se agarraba para mantener el equilibrio. Sin duda no faltaba mucho para que se desmoronara, completamente borracho.

CAPITULO 16

—Vaya, si es la señorita Grant —dijo Johnny, mirándola de pies a cabeza con una sonrisa burlona torcida por el alcohol—. Pasa, pasa.

Abrió más la puerta y se apartó con un gesto de hospitalidad exagerada. Johnny tropezó con la alfombra y casi se derrumbó. Salvado por la puerta donde se apoyaba, se enderezó y blasfemó por lo bajo. A sus espaldas, un enorme perro color pardo dejó de ladrar, enseñó los dientes y le lanzó un gruñido a Rachel. Ella se estremeció, disipada su ira en un abrir y cerrar de ojos debido a una mezcla de asombro y miedo. Johnny siguió su mirada cargada de aprensión.

—No le hagas caso —dijo Johnny, señalando al animal que no dejaba de babear—. Es *Lobo*, nada más. Quieto, *Lobo*.

Sin hacer caso de la orden, el perro siguió gruñendo, con sus ojos negros y redondos clavados en Rachel, que retrocedió un paso. Johnny puso mala cara.

—Perro malo —dijo él, sin mucha convicción.

Soltó el picaporte, cogió al animal por el pelo del cuello y lo arrastró hasta la habitación. Sus pasos eran vacilantes, y a veces se inclinaba a un lado. Parecía que los poderosos cuartos delanteros del perro lo sostuvieran. A Rachel no le costó nada imaginar al perro zafándose, girándose y saltando para morderle el cuello. Se quedó apretada contra la barandilla del rellano de fuera hasta que el perro quedó encerrado en la habitación. Sólo entonces entró en el piso.

—¿Qué era eso? —preguntó a Johnny, mientras éste, con una mano apoyada en la pared para afirmarse, cruzaba el salón hacia ella.

El perro no emitía sonido alguno, lo que a Rachel le pareció aún más enervante que los ladridos frenéticos.

—¿Eso? Ah, ¿te refieres a *Lobo*? Es mi herencia. Es lo único que me dejó el viejo —dijo, y se echó a reír, presa de una ebriedad que habría hecho huir a Rachel si hubiese tenido dos dedos de frente.

Luego se desplomó en el sofá.

—Estás borracho —dijo Rachel.

Cerró la puerta y entró en el salón mirando a Johnny con semblante severo. El olor a whisky le llegó repentinamente. Descubrió una botella, vacía en unas tres cuartas partes, sobre la mesa junto al sofá.

—Pues, sí.

Harris reclinó la cabeza en el sofá y extendió sobre la mullida alfombra gris las largas piernas, enfundadas en vaqueros. Llevaba unos calcetines deportivos sucios, sin zapatos, y una camiseta blanca sin mangas, fuera de los pantalones. Tenía el pelo suelto. Los negros mechones, que casi le llegaban a los hombros, le caían sobre la cara, ondulantes. Sus ojos azules e inquietos relucían al mirarla. A juzgar por la barba, Rachel dedujo que no se había afeitado desde la última vez que lo viera. Tenía aspecto de vagabundo, pero de un vagabundo muy sexy.

Era curioso, pero Rachel no lo temía en absoluto, estuviera sobrio o borracho. En la profundidad de sus ojos advirtió un dolor auténtico.

—¿Supiste lo de mi padre? —inquirió Johnny, con la mirada perdida. Echó mano a la botella, se la llevó a los labios y bebió un largo trago. Luego se secó la boca con la mano. Por fin, con cuidado exagerado, depositó de nuevo la botella sobre la mesa—. Una hamburguesa cruda. Eso es lo que es ahora, una hamburguesa cruda. Un jodido tren lo ha convertido en una hamburguesa cruda.

—Esta mañana fui al funeral —dijo Rachel, observándolo—. Fue una ceremonia muy bonita.

Johnny volvió a reír, y el sonido que emitió era extraño. —Ya lo creo que sí. ¿Eras la única presente?

Rachel negó con la cabeza.

—Había otras personas. ¿Has comido algo recientemente?

Johnny se encogió de hombros.

—¿Han cantado himnos y han rezado? —preguntó.

Rachel asintió con un gesto.

—¿Quieres comer algo? ¿Unos huevos con tostadas?

Johnny hizo un ademán violento.

—¿Quieres dejar de parlotear sobre la maldita comida? Quiero saber quién estuvo allí. ¿Apareció Buck?

Rachel pasó junto a sus piernas extendidas, recogió discretamente la botella de whisky y fue hacia la cocina.

—No.

Rachel desapareció y durante los diez minutos siguientes se ocupó en preparar huevos, tostadas y café con las provisiones que había a mano. En la última de sus visitas, la noche anterior, Rachel había silenciado su propia conciencia y había usado su llave maestra para entrar. Temía lo que hubiera podido encontrar, pero el piso estaba vacío. A juzgar por la hogaza de pan y los alimentos frescos que había en la cocina, parecía como si el ocupante acabara de salir y fuera a regresar en cualquier momento. Sólo que Johnny había tardado dos días en volver.

Cuando Rachel salió de la cocina, sostenía con cuidadoso equilibrio un plato lleno en una mano y una taza de café en la otra, Johnny estaba como ella lo había dejado, repantigado en el sofá con la cabeza hacia atrás. Pero tenía los ojos cerrados. Por un momento, Rachel pensó que estaba dormido.

—Fui a Detroit para decírselo a Sue Ann —dijo de pronto Johnny, y abrió los ojos cuando ella depositó el plato en la mesa y le ofreció la taza.

Harris la cogió, pero le temblaban tanto las manos que parte del líquido caliente se derramó y le salpicó el muslo. Johnny lanzó una maldición y se frotó con la mano libre la humedad que se extendía en una mancha.

Rachel logró apenas salvar de un desastre similar el resto del café quitándoselo de las manos.

—Ella no tiene teléfono. No se lo puede pagar— dijo—. Verás, recibe ayuda social, tiene tres hijos. Y está embarazada —dijo, haciendo un gesto ante su propio vientre plano para demostrarlo—. Tiene un piso de dos habitaciones, y el váter no funciona. Su novio, el que la dejó preñada, llegó cuando yo estaba allí. Es una mierda de tío, una porquería, y la trata a ella y a los chicos como si fuesen mierda también. Tenía ganas de darle una buena zurra, pero no lo hice. ¿De qué serviría? Dios mío, ella sólo tiene veinticuatro años...

Johnny hablaba con frases rápidas, inconexas, con palabras apenas comprensibles, la cabeza apoyada en el respaldo del sofá, los ojos clavados en el techo. Rachel emitió un sonido tranquilizador y le llevó la taza de café a los labios.

—Toma, bebe esto.

Johnny no le prestó atención.

—Le di todo el dinero que tenía. Joder, no era mucho. Se les veía tan mal, a ella y a los chicos... Estaban tan delgados… y ella también, salvo ese vientre enorme, abultado. Y había moscas por todas partes porque la rejilla de la ventana estaba agujereada y hacía un calor infernal. Y pensar que yo creí que lo pasaba mal en chirona. Comparado con el nido de ratas donde ella vive, lo mío era una jodida colonia de veraneo —dijo, y rió con amargura.

Rachel comprendió que hablaba de su estancia en la cárcel. Le tocó el brazo. Por el momento, su principal preocupación era devolverle la sobriedad y hacerle comer. Sospechaba que no había comido nada en todo el día, y quizá tampoco el sábado, aunque su hermana seguramente le había preparado algo.

—Johnny, bébete esto, por favor. Es café y lo necesitas.

Johnny desvió la mirada hacia ella. En los ojos le brillaba una turbulencia de tormenta eléctrica.

—Tú no sabes una mierda de lo que yo necesito. ¿Cómo podrías saberlo? ¿Acaso alguna vez te ha faltado algo? ¡No, maldita sea! Tú y tu mansión y tus palabras delicadas y tus padres refinados... ¿qué sabes tú de la gente como yo?

—Sé que sufres —alegó ella.

Aunque su voz fue muy suave, las palabras parecieron sacudir a Johnny, que torció la boca en una mueca furiosa.

—Sí, sufro. Sí, maldita sea. ¿Por qué no? Soy humano, como todos los demás. Sufro.

Con una blasfemia, se incorporó de un salto y derribó la mesita que había junto al sofá con un empujón furioso. Al caer la mesita, se volvió a mirar a Rachel con expresión violenta. Ni siquiera el hecho de que se tambaleara un poco disminuyó su aire amenazante cuando se irguió, enorme, con los puños apretados a ambos lados del cuerpo.

Rachel lo miró con una calma que era fingida sólo a medias.

—¿Te sientes mejor?

Johnny la miraba fijamente. En sus ojos la cólera se convertía rápidamente en otra cosa. Masculló una maldición y se pasó las manos por el pelo.

—¡Joder!, ¿por qué no me tienes miedo? Deberías temerme, como todos los demás —dijo.

De pronto, al extinguirse su ira, pareció que las rodillas ya no podían sostener su peso. Se inclinó hacia delante y se desplomó. Quedó sentado pesadamente en el suelo a los pies de Rachel, medio de espaldas a ella.

—No te tengo miedo, Johnny. Nunca te he tenido miedo —dijo Rachel, porque era verdad, y porque pensó que era lo que él necesitaba oír.

Entonces, Johnny se volvió para mirarla. Por un instante, una sonrisa fatigada asomó a sus ojos. Dejó ir hacia atrás la cabeza para apoyarla en las rodillas de la joven.

—No entiendo por qué —murmuró.

Al contemplar aquella negra cabeza desgreñada, al sentir su peso y la huesuda dureza del cráneo, el pelo sedoso apoyado contra sus piernas desnudas, Rachel sintió una compasión tan intensa que le causó dolor. Colocó la taza de café sobre la mesita, posó una mano suave en la cabeza de Johnny y le acarició el cabello.

—Me da mucha pena lo de tu padre, Johnny.

Él volvió a reír con aspereza.

—Sue Ann dijo que no iría al funeral aunque viviese al lado. Dijo que odiaba al miserable viejo. Buck también lo odiaba. Lo odio, quiero decir. ¡Que se lo lleve el diablo!

De pronto la voz de Johnny se ahogó. Rachel, apenada, siguió acariciándole la cabeza, alisando con dedos tranquilizadores los mechones enredados que le caían sobre la rodilla. Ni siquiera sabía si él sentía su contacto. Seguía hablando con voz ronca y chirriante, como si lo estuvieran estrangulando.

—Grady ... Grady. A él solía castigarlo más. Buck era demasiado grande, yo era demasiado fuerte, y Sue Ann era una niña. Aún me parece ver al pobrecito Grady... Verás, no era muy grande, apenas un chico delgado con una mata de rizos negros... Aún me parece ver al viejo bajarle los pantalones a Grady y azotarlo con el cinturón. Me parece oír a Grady gritando, y luego no decir nada cuando el viejo lo levantaba y lo lanzaba contra la pared hasta que se callara. Nunca pude entender por qué el viejo lo odiaba más que a los demás. Nada más verle la cara, lo golpeaba. Él se escondía en el ropero si no le daba tiempo a salir antes de que el viejo llegara a casa.

Johnny hizo una pausa para respirar. Rachel no dijo nada. Seguía acariciándole el pelo y escuchaba. Por el modo en que él clavaba la vista en el espacio, Rachel ni siquiera sabía con certeza si recordaba que ella estaba allí.

—Ah, Grady. Estábamos muy unidos, ¿sabes? Ni siquiera me dejaron ir a su funeral. Ahogado. Yo no podía creerlo —dijo, y rió entre dientes, con un sonido tan áspero y lleno de congoja como un sollozo—. Ese chaval siempre nadó como un pez. Era el único deporte para el que servía. Creo que tuvo deseos de morir. Yo leía mucho en la cárcel... Joder, no había mucho más que hacer... y tropecé con muchas historias de psicología. En la mayoría de los casos, no valían más que el papel higiénico, pero algunas cosas tenían sentido. Grady siempre se lastimaba cuando era pequeño. Se rompió más huesos que todos nosotros juntos. Hasta se prendió fuego una vez que jugábamos con un encendedor y estuvo a punto de freírse como una patata. Claro que al viejo no le importaba. Tuvo siempre las piernas y la espalda llenas de cicatrices hasta el día en que murió, pero mi padre nunca lo llevó al médico. Pienso que Grady sufría porque mi madre se había marchado y mi padre lo odiaba, y por eso quiso morir. Joder, a mí me encerraron por asesinato, y al viejo no le hicieron nada, aunque era mucho más culpable de lo que he sido yo en mi vida. Nunca. Nadie hizo nada. ¿Sabes que Grady le tenía tanto miedo al viejo que a éste le bastaba con mirarlo de cierta manera para que él se orinara como un crío en los pantalones? Alguien debería haberlo ayudado, ¿ sabes? Alguien habría debido llevárselo lejos del viejo canalla. Pero a nadie le importaba una mierda.

De pronto, Johnny se interrumpió, apretó la mandíbula y cerró los ojos. Su cabeza reposaba sobre las rodillas de Rachel. Ella, horrorizada por lo que acababa de oír, permaneció en silencio, con la mano inmóvil sobre el pelo de Johnny. Ya había sospechado la existencia de abusos, pero aquella cruda confesión los convertía en algo inmediato, terrible y distinto de todo lo que ella había imaginado. Abuso era un término clínico que ella había aprendido en la universidad. Aquel dolor, en cambio, era espantosamente real.

—Dios mío, creo que en parte fue culpa mía. Nunca se lo dije a nadie. Ninguno de nosotros lo contó jamás. ¿Recuerdas cuando me preguntaste si mi padre nos castigaba? Me reí en tu cara, ¿verdad? Me reí porque me avergonzaba demasiado reconocer la verdad. Todos pensaban que éramos un desecho. Yo no quería admitir que tenían razón. Detestaba que todas esas personas tan amables y bien educadas nos despreciaran. Si hubiesen sabido la verdad, sólo nos habrían despreciado un poco más. Mi padre era un maldito borracho y nos golpeaba, y nosotros no queríamos que lo supiese nadie. Maldito puñado de chicos cobardes.

Su respiración se alteró y se volvió más pesada. De pronto se sentó, alzando la cabeza de sus rodillas y girándose para mirarla a los ojos. Hipnotizada por el poder de la escabrosa confesión de Johnny, muda porque no se le ocurría nada que decir, Rachel sólo pudo mirarlo a su vez con una mezcla de horror y piedad en los ojos.

—¿Sabías que fuiste la única profesora que al menos lo preguntó? Joder, teníamos más morados que un árbol de Navidad tiene estrellitas, y nadie más se atrevió jamás a preguntamos. ¿Sabes por qué? Porque éramos un desecho, por eso, y a nadie le importaba una mierda. Pero tú sí preguntaste. Dios, ¡cómo odié que supieras que mi padre me golpeaba! Tú eras tan ... —balbuceó y entrecerró los ojos. Parpadeó y se interrumpió bruscamente, como si acabara de advertir lo que estaba diciendo. Tardó unos segundos en continuar—. Ese día me fui a casa, y cuando él le pegó a Grady yo lo ataqué. Tuvimos una pelea de cuidado ... ¿Recuerdas que falté a clase casi toda la semana siguiente? ... Y no podría decir que gané yo. Pero él vio que yo estaba decidido a pelear, y a partir de entonces ya no fue tan rápido con sus puños o con su cinturón. Sólo con la boca, y a veces dolía más. A los chicos solía llamarnos jodidos maricas, a Ann la llamaba ramera. Yo era capaz de cualquier cosa para que él no me creyera afeminado.

Volvió a interrumpirse. Luego respiró hondo, entrecortadamente. Levantó las manos para coger la falda de Rachel a cada lado de sus muslos, apretando la tela en sus puños. Sus ojos se clavaron en los de Rachel, encendidos, como si tras ellos se consumiese el infierno.

—Era un imbécil y un miserable, y todos lo odiábamos. Sólo que yo, no. Creía odiarlo, pero cuando lo vi sobre aquella mesa, despedazado ... —Dejó escapar otro suspiro. Consternada, Rachel se percató de que era un sollozo—. Descubrí que, después de todo, sentía algo por aquel viejo miserable. ¡Pero ¡ojalá se pudra en el infierno! —exclamó.

Apretó la mandíbula, presa de un gran dolor. Sus ojos refulgían con violencia, y luego inclinó la cabeza. Apoyó la cara en el regazo de Rachel, sujetando y retorciéndole la falda como si no quisiera soltarla jamás.

Aquellos anchos hombros se estremecieron. Unos sonidos desesperados, apagados por la falda que apretaba, desgarraron el corazón de Rachel. Sintiendo que le asomaban las lágrimas a los ojos, ella le acarició la cabeza, los hombros y la espalda, murmurando palabras tranquilizadoras, inconexas, que no lograban mitigar su dolor.

—Vamos, todo se arreglará, ya verás —decía ella, una y otra vez.

Johnny Harris no parecía oírla, pero acomodó mejor la cabeza en su regazo y le cogió las manos con fuerza. Siguieron unos sonidos roncos, ahogados. Rachel inclinó la cabeza para apoyar una mejilla en su pelo. Le rodeó la espalda con los brazos y lo apretó contra ella, intentando consolarlo.

Finalmente, Johnny se calmó y apoyó la cara en el regazo de Rachel, que seguía acariciándole el pelo, luego la oreja y después una mejilla, áspera por la barba crecida.

Johnny permaneció así largo rato, cálido y pesado contra las piernas de Rachel. Entonces ella sintió que se reanimaba. Johnny levantó la cabeza. Sin que se lo esperara, Rachel se sintió penetrada por dos ojos azules, sospechosamente humedecidos en los bordes. Aquella mirada la quemaba y se hundía en ella con toda la intensidad de un alma atormentada. Ella mantenía las manos apoyadas en sus anchos hombros. De pronto, intimidada por aquella mirada ardiente, dejó caer las manos en el regazo.

—¿Sabes con qué solía soñar cuando estaba en chirona? —preguntó Johnny. Su voz era ronca, las palabras graves, rápidas, levemente guturales—. Soñaba contigo. Eras la única persona limpia, buena y decente que aún quedaba en mi vida, y solía soñar contigo. Solía imaginar que te quitaba la ropa, prenda tras prenda, y cómo te vería desnuda, y qué sentiría al darte un buen revolcón. También soñaba con eso en el instituto. A decir verdad, durante los últimos catorce años me he masturbado casi todas las noches pensando en ti.

Rachel entreabrió los labios, asombrada. Sin decir palabra, clavó en él sus grandes ojos durante una eternidad, mientras el corazón le latía acelerado y se le secaba la garganta.

—Estoy jodidamente cansado de soñar —dijo él, vehemente.

Le deslizó las manos por los muslos hacia arriba, le sujetó las caderas y la atrajo hacia sus rodillas.

CAPITULO 17

Johnny Harris estaba de rodillas, y de pronto ella se encontró a horcajadas encima de él, con las manos abiertas contra su pecho, las piernas dobladas y abiertas, mientras él la sujetaba firmemente contra él. Rachel tenía la falda subida hasta la cintura, un vestido de algodón verde claro estampado con fresas enormes y absurdas. Solamente el nailon delgado y sedoso de sus bragas rosadas la protegía de la aspereza de los vaqueros de Johnny, del duro metal de su cremallera y del bulto grueso e hinchado que latía debajo.

—Bueno, profe, dime que eso no se hace —dijo él cuando sus miradas se cruzaron.

La sostuvo por las caderas con las manos endurecidas por la tensión, los muslos rígidos bajo las nalgas de Rachel. Ella sentía bajo su mano el acelerado vigor de los músculos del pecho... y la rigidez tentadora, obsesionante, sobre la cual descansaba.

Fue incapaz de negarse. Fue incapaz de decir no. Lo deseaba demasiado. Al parecer, durante casi toda su vida lo había deseado. Era una idea escandalosa, vergonzosa ... Pero sentía que su cuerpo ardía.

—Johnny —murmuró, desvalida.

Bajó los ojos como si ya no pudiera sostener su mirada. Pero entonces su vista se detuvo en su boca, lo cual fue un error. Una boca grande, masculina, bella, con una curva que le quitó el aliento al contemplarla.

—Rachel —susurró él a su vez.

Cuando se le acercó y los brazos de Rachel se apretaron contra su pecho sin intentar siquiera resistirse, la hermosa boca masculina se acercó más, se tornó borrosa ... Luego se detuvo a escasos centímetros de la suya.

«Oh, Dios.» Era incapaz de negarse. Ni siquiera pudo oponer una resistencia simbólica a la feroz oleada de deseo que la arrastraba. Sus labios, secos y calientes, se entreabrieron, aspirando el aire abrasador con jadeos irregulares. Bajo las bragas rosadas, el cuerpo le temblaba, sollozaba.

—Es la última oportunidad.

Johnny pronunció las palabras como si le costara articularlas, en voz baja y ronca. Se inclinó más hacia ella, tan cerca que Rachel sintió la respiración junto a su boca. Pero no la besó. Rachel alzó los párpados y por voluntad propia su mirada encontró la de él. Los ojos de Johnny eran ardientes, oscuros y violentos, y brillaban con la promesa de actos indecibles y placeres inconfesables. Rachel no pudo apartar la vista cuando él deslizó las manos por sus caderas hacia abajo, hasta introducirse bajo el borde elástico de su ropa interior y cerrarse sobre sus nalgas.

Ahora la tenía cogida con una mano en cada nalga, las palmas lisas y los dedos abiertos, apretando suavemente la carne bien torneada. Rachel pensó que nunca en su vida había sentido nada tan erótico como las manos de Johnny en su trasero desnudo.

Johnny apretó las manos, y frotó a Rachel contra él, moviéndola hacia atrás y hacia delante sobre el bulto de sus vaqueros, y el calor y la fricción, separados de su propia carne estremecida por una sola capa de fino nailon, la volvieron loca. Rachel gemía y hundía los dedos bajo la camisa de Johnny, arqueando la espalda.

—Eres mía, profe —murmuró él en tono casi triunfal, pero Rachel estaba tan enloquecida de deseo que no le importó. Si entonces él hubiese intentado apartarla de sí, ella se habría abrazado a él gimiendo de deseo.

Johnny la sujetó contra él, cambió levemente de posición, y cuando la inclinó hacia atrás ella quedó con la espalda apoyada contra el sofá. Johnny le apretó las caderas, colocó una mano abierta y ardiente contra la temblorosa suavidad de su vientre, para luego penetrar en la oscuridad húmeda y caliente entre las piernas.

Cuando Johnny le acarició los rizos crespos, el tierno montículo y la hendidura más abajo, ella emitió un quejido gutural. Rachel oyó su propio quejido como si proviniera de otra persona, de alguien que ella no conocía ni había conocido nunca. Era casi como si fuera dos personas a la vez y pudiera ser testigo de lo que le estaba sucediendo, su cabeza se nublaba de pasión y su cuerpo entregaba su voluntad a una fuerza más grande, más necesitada y ávida.

En su mente vio, como si mirara desde una atalaya neutral, qué aspecto debían de tener los dos juntos. Ella, sentada en el regazo de él, con las rodillas desnudas muy abiertas a cada lado de las caderas de Johnny forradas por la tela de los vaqueros, ella, menuda y delgada, vestida con esa curiosa combinación de camiseta rosada y falda verde, que ahora tenía levantada hasta la cintura. La falda levantada y su posición reclinada dejaban al descubierto su ombligo, un vientre de piel lisa y blanca color vainilla ... y unas coquetas bragas con vivo de encaje bajadas hasta revelar la línea superior de un triángulo de vello castaño oscuro. La mano de Johnny, morena y de dedos largos, oculta a la vista por el nailon rosado, acariciaba y exploraba.

Una imagen escandalosa. Especialmente si le sumaba el rubor que le subía a la cara, y el deseo que daba a sus ojos castaños un brillo luminoso tan intenso como los de una gata, entreabriendo los labios, arqueando la espalda, estremeciéndose y retorciéndose cuando él la tocaba donde ella quería que la tocara, donde tenía que tocarla, o morir.

También lo vio a él, la mirada dura e intensa clavada en su rostro, la boca torcida apasionadamente al concentrarse en su placer, en su necesidad de mujer. El calor que ambos generaban flotaba en el aire y volvía más rizado el negro cabello de Johnny, hasta que le brotaron gotas de sudor en la frente, agregando así su propio perfume al leve aroma de flores blancas que ella siempre usaba.

Johnny sin afeitar era rudo, grosero. Ella estaba primorosamente arreglada hasta el lustre rosado de las uñas de sus pies, descubiertas por las sandalias de cuero marrón. Desde su sencillo corte de pelo que le llegaba al mentón, sus discretos toques de rimel en los ojos y el lápiz de labios rosado, y hasta las bragas rosadas, delicadas y caras, todo en ella destilaba dinero, buena crianza y buena familia. En él, el pelo demasiado largo, los músculos abultados contra la vulgar camiseta blanca sin mangas, los vaqueros demasiado ceñidos, la beligerancia insultante que él usaba como escudo, todo proclamaba su origen marginal, su condición de peligroso ex reo.

Era Johnny Harris, y tenía las manos metidas en sus bragas. Rachel no habría cambiado ni un ápice aquella situación por nada en el mundo.

De pronto él intentó arrancarle la camiseta y quitársela por encima de la cabeza. Cogida por sorpresa, Rachel se llevó instintivamente las manos al sujetador rosado de encaje. No por pudor, sino para que él no viera lo escasamente dotada que estaba. Recordó a Glenda Watkins en su opulencia y un estallido de celos, tan violento como repentino, hizo que lo mirara negando con la cabeza cuando él quiso desabrochárselo.

—Vale, está bien —dijo con una docilidad que sorprendió a Rachel y, ante su asombro, Johnny cerró las manos sobre su cintura y la levantó sin esfuerzo alguno, depositándola luego de modo que ella quedó torpemente instalada en el borde del sofá. Al empujarla suavemente, Rachel cayó de espaldas y retiró las manos de los pechos para contener la caída sobre los cojines del viejo sofá. Antes de que se diera cuenta, Johnny le estaba quitando las bragas, que se habían retorcido en torno a sus muslos, y luego las estaba tirando a un lado.

—¿Qué ... ? —preguntó ella, apoyándose en un codo. Pero no terminó la frase porque las intenciones de Johnny eran muy claras. Se arrodilló delante de ella, frente a sus rodillas, que Rachel había apretado instintivamente al caer de espaldas. En los ojos de Johnny asomó un breve destello cuando empezó a acariciarle los muslos. A Rachel le costó entender su tono ronco.

—Solía estar sentado en clase —dijo, y su mano subió por el muslo, debajo de la falda, que al menos volvía a cubrir la parte más delicada de su anatomía —, y me preguntaba si llevabas medias o bragas debajo del vestido. Siempre me gustó imaginarte allá arriba, dando clase con ligas y medias negras, y sin bragas.

—No puede ser —dijo ella, escandalizada por la sola idea.

—Sí puede —dijo él, sosteniéndole la mirada.

Sus ojos ardían y tenía las pupilas completamente dilatadas. Con una sensación temblorosa en la boca del estómago, Rachel comprendió que decía la verdad. El pensar que ella había inspirado las fantasías sexuales del adolescente Johnny Harris mientras daba su clase bastó para que se estremeciera. Él intuyó su reacción, porque volvió a mirarle las piernas y sus manos se juntaron de pronto mientras las bajaba hacia sus rodillas por el interior de los muslos. Cuando llegó a las rodillas, la cogió, atrayéndola hacia abajo hasta que su trasero quedó en el borde del sofá. Entonces le separó las piernas.

—Johnny ...

Rachel susurró su nombre casi sin aliento, turbada por la fatal entrega de su cuerpo. Pero eso no sonó como una protesta, ni siquiera para sus propios oídos. En aquel momento no habría podido protestar aunque de ello hubiera dependido su vida. Una excitación creciente y palpitante la dominaba.

—Solía imaginar que te hacía esto. Me imaginaba cómo sería tu aspecto, y tu sabor, y qué sonidos emitirías.

—Oh, por favor ...

Rachel casi no sabía qué estaba pidiendo. La confesión de Johnny, y las imágenes que conjuraba con ella, le hacían aflojar los músculos. Con los ojos vidriosos de deseo, observó temblando cómo él volvía a subirle las faldas hasta arriba, desnudándola por debajo de la cintura ante la mirada de ambos. Sus manos fuertes de dedos largos, con la piel bronceada y el dorso salpicado de vello negro, dibujaban una imagen erótica difícil de creer mientras se deslizaban sobre su vientre para posarse, ardiendo, en la parte interior de los muslos. El deseo que despertaron en Rachel y el insoportable anhelo la hicieron respirar profunda y temblorosamente. Johnny bajó la cabeza e hizo lo que ella sabía que iba a hacer, lo que deseaba ardientemente que hiciera y que la avergonzaba al mismo tiempo.

Al contacto de su boca, Rachel se puso tensa, gimió y luego se volvió a desplomar sobre los cojines. Cerró los ojos, clavó los dedos en la tela y se aferró a él como si en ello le fuera la vida. Era tan gentil, tan delicado, explorando con su lengua ardiente su intimidad hasta hacerla temblar entera... Cuando la tuvo loca de excitación, doblando los dedos de los pies contra las suelas planas de sus sandalias, el trasero arqueándose hasta levantarse del sofá, Johnny introdujo su lengua dentro de ella y eso la enloqueció más que cualquier otra cosa.

Con las manos enredadas en la melena de Johnny, intentó apartarle la boca, pero luego volvió a hundirse en el negro pozo insondable que se abría ante ella. Él ya no se detendría. Rachel lanzó un grito antes de perder el último vestigio de control sobre sí misma.

Cuando regresó al mundo, fue para comprobar que él aún tenía la boca entre sus piernas y que su lengua seguía realizando sus íntimas tretas con su cuerpo. Ahora se sentía saciada. Un deseo feroz y ardiente había explotado en su interior, dejándola exhausta, pero ahora volvía a gozar de lo que Johnny le estaba haciendo. Ante la vívida imagen mental del cuadro que debían de presentar, Rachel enrojeció y procuró sentarse y apartarlo, cerrando sus piernas contra él. Las mejillas sin afeitar de Johnny, ásperas como papel de lija, le rasparon los tiernos muslos cuando él se negó a que lo desalojara.

—Ah, no —murmuró Johnny, y le lanzó una mirada breve y sensual mientras la tomaba por las caderas y la sujetaba.

—Pero, yo ... —empezó ella; luego se interrumpió, y su rubor se intensificó al pensar y luego descartar diversos modos de decirle que, en cuanto a ella, ya no hacía falta continuar.

—¿Que te has corrido? Ya lo sé —dijo él en su lugar, con voz ronca y jadeante al levantar la cabeza. Rachel oyó el timbre de su voz, vio el feroz resplandor en sus ojos, la humedad en su boca, sus hombros anchos y su enorme pecho entre sus muslos, y sintió que volvía a nacer el deseo. ¿Crees que no me doy cuenta? Quiero que te vuelvas a correr, una y otra vez, para mí.

La sujetó por la cintura, la atrajo a sus rodillas y se dio vuelta junto con ella de modo que Rachel quedó tendida de espaldas sobre la alfombra gris, las manos aferradas a los hombros de Johnny, abriendo las piernas mientras él se arrodillaba entre sus muslos. En su sorpresa, Rachel se olvidó de sus pechos, y antes de que pudiera remediarlo le introdujo una mano bajo la espalda, le desabrochó hábilmente el sujetador y se lo quitó.

—¡No hagas eso!

Rachel se cubrió instintivamente con las manos, mientras intentaba alejarse de Johnny, pero él no quiso soltarla y la sujetó un momento por la cintura hasta que ella dejó de retorcerse. Luego volvió su atención hacia la falda de Rachel, enredada en torno a su cintura. Salvo eso, sus sandalias y las manos cubriéndose los pechos, vio que estaba desnuda como un bebé, mientras que él aún estaba totalmente vestido. Esa repentina turbación la hizo sonrojar tan intensamente que sus mejillas se tiñeron del color de las fresas de su falda.

—¿Cómo se quita esta maldita cosa? —preguntó Johnny, observando la falda de Rachel con visible perplejidad, mientras sus manos buscaban a tientas y en vano algún tipo de cierre por la espalda.

—Tiene un botón... delante —dijo ella.

En realidad, había dos grandes adornos en forma de fresa. Rachel no entendía cómo Johnny los había pasado por alto.

—Enséñamelo.

Rachel se inclinó hacia delante para complacerlo... y comprendió que había caído en la trampa de Johnny cuando él la soltó para buscar sus pechos, ahora desprotegidos.

—¡No! —exclamó, y sus manos volaron para sujetarlo por las muñecas, tratando de apartarlas.

Sus pechos eran tan pequeños que las manos de Johnny quedaron casi planas al cubrirlos.

Johnny dejó que le apartara las manos, pero entrelazó sus dedos con los de ella y la sujetó contra la alfombra con la mirada fija en ella, le miró los blancos frutos con las aréolas rosadas. Rachel casi se encogió, temiendo que él la encontrara pobremente dotada.

—¿Te sientes tímida, Rachel? —inquirió él, y la curva tierna de su boca hizo que el corazón le diera un vuelco.

Con la respiración en suspenso, permaneció tendida, inmóvil, mientras él se inclinaba para besar primero un pezón, dejándolo endurecido, y luego el otro. La cálida humedad de su boca la hizo estremecer y sus ojos se cerraron solos cuando él introdujo un pezón lentamente en su boca. La sensación la hizo vibrar de la cabeza a los pies. Luego siguió entregándose a las atenciones de Johnny, mientras gemía y se arqueaba, consumida por el placer.

Johnny se inclinó, rozándole los pechos con la boca y con los dedos entrelazados en los de ella, y Rachel quedó tan a su merced como si la hubiese atado. Estaba tendida debajo de él, con las piernas y los brazos separados, nada de ella oculto a sus ojos, a su boca o a sus manos, y tan temblorosa de placer una vez más que era incapaz de negarle lo que él pidiera. Johnny le recorrió los pezones con la lengua, los chupó, los mordió ligeramente hasta que ella empezó a retorcerse, maravillada, hasta que ignoró toda vergüenza, tan necesitada de alivio que se contoneaba contra la dureza de hierro de su entrepierna.

—Ah, Rachel —le oyó decir, y entonces se tendió sobre ella por primera vez.

Rachel sentía su peso aplastándola contra la suave alfombra, y el roce de su ropa contra su desnudez, y luego la aspereza de su barba contra sus mejillas al buscarle la boca, y volvió a sentirse invadida por el placer mientras le rodeaba el cuello y le devolvía cada uno de sus besos.

Esta vez, Rachel sólo tuvo unos segundos de relativa lucidez para registrar impresiones más claras. Él era pesado, mucho más pesado que ella, y asombrosamente fuerte. El bulto de sus pantalones vaqueros, duro como el hormigón, era tan sólido que le hacía daño al aplastarse contra ella. El sabor a whisky, que ella siempre había aborrecido, era dulce y excitante en sus labios y en su lengua. Johnny la besaba con voracidad, penetrando en su boca con la lengua y apoderándose de ella, estimulándola a que hiciera lo mismo. Y así lo hizo Rachel. En un instante, abandonó toda una vida de inhibiciones, se abrazó a su cuello y le rodeó la espalda con las piernas, gimiendo de impaciencia mientras él se bajaba la cremallera de los vaqueros, se liberaba por fin y penetraba en ella. Al sentirlo, enorme, duro, caliente, y llenándola hasta estallar, Rachel le hundió las uñas en su espalda y lanzó una exclamación. Luego ya no pudo pensar, no pudo hacer otra cosa que sentir mientras él la montaba con desenfreno y ella se arqueaba, arañaba y gemía como un animal en celo.

Al final fue ella la que gritó, y él hizo rechinar los dientes con una salvaje liberación contenida.

Se desplomó encima de ella, aprisionándola con su peso. Rachel cayó en un sueño profundo, abrazada a Johnny, acariciándole el sedoso pelo negro.

CAPITULO 18

Rachel se sentía como una cualquiera. Dos minutos tendida bajo Johnny Harris, oyéndolo roncar ruidosamente en su oído, bastaron para que se sintiera como una perdida. Estaba desnuda, salvo por la falda, que tenía enrollada en torno a la cintura, y las sandalias, que ninguno de los dos se había molestado en quitar, empapada por el sudor de él, y pegajosa con sus jugos. Tenía el sabor agrio del whisky en la boca, y el aire de la habitación apestaba a licor y a sexo. No había manera de saber cuánto tiempo había dormido, tal vez quince minutos, tal vez varias horas. Sólo sabía que estaba muerta de cansancio, que le dolían los músculos y que se sentía sucia.

Se avergonzaba al pensar en lo que él le había hecho, y cómo ella se lo había permitido y había gozado.

Johnny Harris. Su ex alumno. Varios años menor que ella. Ex reo. Amante de Glenda Watkins y Dios sabía de cuántas otras mujeres.

Él mismo Johnny había confesado que fantaseaba con la idea de hacerle el amor desde la época en que ella era su profesora de inglés en el instituto. Ahora lo había ayudado a convertir en realidad un sueño de adolescente en un interludio tan ardiente que probablemente no se repetiría. Sin duda, aquella única vez era todo lo que él quería, y era todo lo que ella podía esperar. En cualquier caso, ¿qué quería ella? ¿ Una relación? ¿ Con Johnny Harris? La sola idea era como una broma de mal gusto.

Él había llorado en sus brazos. Al recordarlo, el corazón le dio un vuelco. Por mucho que se negara a reconocerlo, sentía algo más que compasión y lujuria por Johnny. Sentía cariño. Y mientras él no viera en ella más que un hombro sobre el que llorar —tal vez como figura materna— no podría quererla de la misma manera que ella a él.

Lo ponía «cachondo», había dicho. Rachel temía que su interés por ella se limitara a eso. Ahora que había conseguido lo que quería...

No la respetaría por la mañana.

Esa frase tan trillada, sacada de sus lecturas, le vino de pronto a la memoria. La habían criado para ser una dama... otra frase trillada, un auténtico anacronismo, pero no podía evitar pensarlo. Era la verdad. En los pueblos del sur aún había damas, además de mujeres que no eran damas, y esas damas sabían que si una joven era fácil, el hombre tomaría lo que pudiera y luego pasaría a la próxima conquista como una abeja volando de flor en flor. Fácil era un término demasiado moderado para describir su conducta. Ni siquiera disoluta bastaba. Aunque amaba las palabras, ni siquiera a ella se le ocurría una que retratara su desvergüenza.

Rachel no quería tocarlo, ya que podía despertarse, y si tenía que hacerle frente, en aquel momento, tal como ella estaba, tal como estaba él, pensaba que no lo soportaría.

Pero tenía que moverlo. Su peso se tornaba cada vez más insoportable, y a ella empezaba a dolerle la espalda de permanecer aplastada tanto tiempo contra el suelo duro. Además, quería irse.

Tras mucho retorcerse y empujarle el hombro izquierdo, Rachel logró finalmente liberarse. Johnny seguía durmiendo, un peso inerte, cuando ella se incorporó. Con las rodillas temblando, se quedó mirándolo mientras hacía lo posible por alisar su falda arrugada. Los ronquidos de Johnny se habían vuelto más sonoros y ahora eran más bien estertores. Rachel comprendió que su sueño no se debía a la saciedad del sexo sino al aturdimiento por exceso de whisky.

Por un momento, tuvo que resistir el impulso de propinarle una patada aprovechando que dormía.

Johnny tenía los brazos estirados y los dedos doblados sobre la alfombra. Tenía las largas piernas muy juntas, probablemente debido a lo apretado de los vaqueros y los calzoncillos, que tenía bajados hasta medio muslo. Sus nalgas estaban desnudas, bellas nalgas apretadas y redondas. Rachel había comprobado que eran tan duras como parecían. Nalgas lisas, sin vello, y de tono mucho más claro que la parte superior de sus musculosas piernas, oscurecidas por un leve vello negro. La hendidura de los muslos atrajo la atención de Rachel, y al recordar que había hundido los dedos en esa parte de su anatomía se sonrojó y apartó la vista.

Johnny tenía la camiseta apenas retorcida en la estrecha cintura. Espiando por debajo de sus hombros, vio una tira rosada delatora: su sujetador. Al inclinarse para recuperarlo, Rachel tuvo que levantarle el hombro. De no haberlo experimentado ella misma, jamás habría pensado que un hombre tan enjuto y de musculatura tan prieta pesara tanto.

Descubrió que le temblaban las manos al intentar por dos veces abrocharse el sujetador. Finalmente lo consiguió y, deslizándose las tiras por los hombros, se puso la prenda. Recordó de pronto que Johnny no se había mostrado decepcionado por el tamaño de sus pechos. Por el contrario, los había acariciado y besado con un entusiasmo que llegaba a ser humillante.

Al recordarlo, Rachel dio un respingo, sintiendo que el rubor le inundaba el cuello y la cara. ¿Cómo podría volver a enfrentarse a él con el espectro de esa noche como un recuerdo entre los dos?

La respuesta era que no podría. Al menos, no durante un tiempo.

Si bien era poco práctico pensar que podría eludirlo siempre, y ella lo sabía, tal vez podría hacerlo durante unas semanas. Las clases empezaban el jueves... ¿Sólo faltaban dos días? Después, estaría demasiado atareada durante una temporada para detenerse en la ferretería. Tenía que contratar a un gerente nuevo, pero tal vez Olivia podría ocupar aquel cargo un par de semanas. O tal vez fuese posible persuadir a Ben Ziegler para que se quedara unos días más.

¡Al diablo con Johnny Harris! Las cosas se le habían complicado desde que había vuelto a aparecer en su vida.

Rachel sabía por experiencia que el tiempo curaba hasta los recuerdos más dolorosos, y esperaba que así sucedería antes de que tuviera que volver a encontrarse con aquellos ojos azules.

Su camiseta color frambuesa estaba en la otra punta del sofá, cerca de los pies de Johnny. Pasó junto a él, recogió la camiseta y se la puso por encima de la cabeza. Se la metió dentro de la falda con toda rapidez y buscó la única prenda que le faltaba por recuperar, a saber, las bragas.

Al recordar cómo las había perdido, deseó que se la tragara la tierra. No aparecían por ninguna parte. Tras una minuciosa búsqueda, llegó a la conclusión de que Johnny debía de estar encima de ellas. No había otro lugar donde pudieran estar.

Por un momento, quiso dejarlas. Por su apariencia se diría que iba decentemente vestida. Podía irse a casa tal como estaba sin que nadie se diera cuenta.

Hasta que Johnny Harris decidiera devolverle las bragas, lo cual, conociéndolo, era capaz de hacerlo muy públicamente.

Rachel no podía correr ese riesgo. La sola idea la ruborizó hasta que le ardió la cara.

Se arrodilló junto a él, lo cogió por un hombro y lo empujo. No ocurrió gran cosa, excepto que Johnny gruñó, interrumpiendo brevemente sus ronquidos. Era demasiado pesado para moverlo, y ni hablar de darle la vuelta.

De pronto Rachel oyó un resuello y un suave gimoteo. Aquella bestia babeante acechaba en la habitación, con apenas una frágil puerta de por medio. El ruido la sacó de su abstracción. Johnny estaba inconsciente, y era improbable que despertara aunque ella fuese despedazada a dentelladas encima de él. Si el perro llegaba a salir, aquello podría convertirse en una tragedia.

Empujó de nuevo el hombro y logró levantarlo del suelo tal vez dos centímetros antes de que volviera a caer con un ruido sordo. Johnny volvió a gruñir y el perro gimoteó. Al oírlo, Rachel dio la causa por perdida. Sería imposible mover a Johnny en el estado en que se encontraba.

Volvió a oír el resuello, y el gimoteo se convirtió en gruñido. Era evidente que el animal la había olido, y expresaba su desagrado en términos inequívocos. Rachel decidió marcharse mientras aún podía hacerlo, con o sin bragas.

Cuando se dirigía hacia la puerta, las vio hechas una bola bajo la mesa de la lámpara. Con un murmullo de alivio las sacó de su escondite y se las puso.

Después, sin mirar siquiera a Johnny, salió de la habitación. Aunque la noche era cálida, Rachel temblaba al volver a casa. Aquellas últimas horas habían sido las más agotadoras de su vida. Primero, Johnny había tomado por asalto sus emociones, le había desgarrado el corazón hasta hacerlo sangrar; después había tomado su cuerpo por asalto. La capitulación de Rachel había sido una rendición en cuerpo y alma, una verdadera explosión mental. Era natural, por lo tanto, que no fuese del todo la misma persona.

Tylerville de noche era tan oscuro como un camposanto. Ni siquiera la tenue luz de la luna en cuarto menguante bastaba para disipar las sombras misteriosas del estrecho y sinuoso camino. De vuelta a casa en el coche, Rachel pasó frente a campos desiertos entre las dobles hileras de enormes pinos, siguiendo la carretera que había recorrido durante casi toda su vida varias veces al día, y procuraba no dejarse dominar por la imaginación. Había tantos relatos de terror acerca de diversos lugares cercanos a Tylerville que si una les daba crédito jamás se atrevería a salir sola de noche. El problema era que, como ella sabía, algunos de esos relatos eran ciertos.

Su tía abuela Virginia, por ejemplo, solía relatar un suceso acerca de la antigua iglesia baptista, abandonada hacía años, que Kay Nelson y otros miembros de la Asociación para la Conservación tanto anhelaban restaurar. Su campanario apuntaba al cielo desde una colina, no lejos de la casa de Rachel. Ella solía pasar delante de la iglesia cada vez que iba al pueblo o regresaba, y pocas veces pensaba en el fantasma de la organista que aún tocaba allí, según contaban. Pero esa noche, mientras se aproximaba, la leyenda acudió a su pensamiento. Era probable que pensara en ello porque estaba muy nerviosa, se dijo Rachel, y apretó el acelerador. Pero el pequeño templo de madera con su fachada blanca, restaurada periódicamente por la Asociación, casi parecía resplandecer en la oscuridad. Rachel no pudo evitar que su mirada lo buscara y lo encontrara al pasar por el camino.

Según la historia, la organista de la iglesia, una joven cuyo nombre había quedado olvidado en las brumas del tiempo, tenía relaciones con el reverendo. La esposa del reverendo, que cuidaba los jardines del cementerio que Kay tanto ansiaba reparar, se enteró y acechaba a los dos. Lo más escandaloso era que la pareja se daba cita en la mismísima iglesia. Una noche, el reverendo se ausentó para ir a velar a uno de sus fieles que estaba enfermo, y la bella organista esperó en la iglesia al amante que no llegaba. Sin embargo, acudió la esposa, que asesinó a su rival por medios desconocidos y se deshizo del cuerpo. Es posible que el pastor sospechara algo, pero fue el único.

La desaparición de la joven organista fue uno de esos misterios que alimentaron el caudal de chismes en Tylerville durante años. La esposa del pastor siguió llevando una vida aparentemente intachable con su descarriado cónyuge, y mientras vivió nadie se enteró jamás del crimen. Su único error fue llevar un diario donde escribía religiosamente todos los días. Había en esas páginas recetas de cocina mezcladas con problemas relacionados con la iglesia, además de la narración del asesinato y sus consecuencias. Pero el diario desapareció misteriosamente más tarde.

La única prueba acusatoria fue el descubrimiento, en los años treinta, del esqueleto de una mujer joven, sin ataúd, en una cripta subterránea situada detrás de la iglesia. Para ese entonces, el reverendo y su esposa habían muerto hacía tiempo, y el espantoso relato de adulterio y asesinato fue considerado más escandaloso que horripilante. Los dignatarios del pueblo confirmaron que habían hallado el esqueleto. Todo lo demás, como sabía Rachel, eran sólo hipótesis.

Los lenguaraces del pueblo afirmaban que durante las noches de lluvia como aquella en que se había perpetrado el asesinato, aún podía oírse a la desdichada organista tocando su instrumento, a la espera de que su compañero en el pecado se reuniera con ella.

La tía Vir, que hasta donde Rachel sabía nunca había mentido en su vida, afirmaba haber oído ella misma la música fantasmal cuando era niña. Ella y algunas amigas habían entrado furtivamente en el cementerio, asustadas y en medio de risitas, para ver al fantasma con sus propios ojos... y cuando se acercaron a una ventana, sigilosas, llegó a sus oídos una melodía de órgano llamada *Gracia admirable.* Las chicas huyeron espantadas.

Años más tarde, cuando la tía Vir repetía la historia por enésima vez para sus atónitas sobrinas, el relato seguía siendo tan aterrador que a Rachel se le erizaban los cabellos de la nuca.

Ahora la luz de la luna iluminaba el campanario de la iglesia y lo hacía resplandecer. En las sombras, junto al edificio, parecía moverse una figura espectral. Rachel miró una vez, volvió a mirar, convencida de que había visto algo. Pero la verdad es que no había nadie. Rachel sabía eso con la misma certeza con que sabía su nombre. Aun así, casi rozó un árbol al girar velozmente en un recodo del camino. «Es la imaginación», se dijo con firmeza, mientras el sudor se le secaba en las manos. Sólo la imaginación.

Cuando Rachel llegó a las puertas de *El Nogueral* y entró por el camino que conducía a la casa, los latidos de su corazón casi habían recuperado su ritmo normal. De pronto se percató de que la casa estaba totalmente iluminada. Había luz en casi todas las ventanas de la planta baja y en la mayor parte de las de arriba. Sólo estaba a oscuras la habitación que daba al frente, donde habitualmente dormía su padre.

Algo había ocurrido. Rachel se sintió presa del pánico. Con un chirrido de frenos detuvo el coche, bajó de un salto y corrió hacia la puerta principal, que se abrió cuando iba a tocar el timbre.

—¡Dios mío! ¿Dónde has estado? —susurró su madre con vehemencia, mirando a Rachel con ojos que no cabían en sí de asombro.

—¿Qué ha pasado? ¿Es papá? —preguntó a su vez Rachel, pasando junto a Elisabeth, con el rostro pálido y aterrorizada al pensar que se enfrentaba a lo peor.

—Tu padre está perfectamente —respondió Elisabeth, severa, y volvió a mirar a Rachel. Gracias a la luz del salón, no perdió detalle del aspecto de su hija, desde la arrugada falda verde hasta el cabello revuelto y el labio inferior levemente hinchado—. Es Becky. Desde que llegó a casa hace una hora con sus hijas ha estado llorando a mares y no he logrado entender nada de lo que dice, y ni sospecho lo que le sucede. Tal vez tú puedas saberlo.

—Becky —repitió Rachel, con sensación de profundo alivio.

Puede que algo le sucediera a Becky, pero nadie había muerto. Se le había helado la sangre al pensar en aquella posibilidad. Pese a que sabía muy bien que su padre nunca se recuperaría, que seguiría decayendo física y mentalmente hasta que la muerte se lo llevase, lo cual sería como un alivio misericordioso, aún se estremecía de espanto al pensar que hubiera dejado esta vida.

—¿Dónde está? —preguntó Rachel, apartando de su pensamiento aquella deprimente reflexión.

—En la biblioteca. He encendido el fuego y le he preparado chocolate caliente. Pero no quiere hablar conmigo. Y no para de llorar.

—Iré a verla.

—Espera un momento —advirtió Elisabeth, cogiéndola por el brazo—. Antes quiero saber dónde has estado. Es más de medianoche. En el pueblo no hay nada que esté abierto hasta tan tarde, y no me digas que has estado con Rob, porque ha llamado para invitarte a la merienda del día del Trabajo. Y le lanzó una mirada tan penetrante a su hija que eso le insufló fuerzas a Rachel al tiempo que la hacía sonrojarse.

—Mamá, ya soy mayor. Si quiero volver después de medianoche, es asunto mío.

A Elisabeth el rostro se le volvió tenso, revelando la delicada estructura de los huesos. Parecía más vieja de lo que era.

—No te comprendo, Rachel—dijo—. Siempre has sido tan sensata, tan responsable, tan perspicaz en todo. Pero estos últimos días tengo la sensación de que ni siquiera te conozco. Es culpa de ese joven Harris... Desde que volvió al pueblo, has cambiado. Has estado con él esta noche, ¿verdad? —inquirió Elisabeth, y miró a su hija a los ojos como si pudiera leer en ella los secretos ocultos.

—¿Y si así fuera, mamá? —repuso Rachel, con calma—. ¿Acaso sería tan terrible? —le espetó. Y sin esperar la respuesta de su madre, fue a buscar a su hermana a la biblioteca.

CAPITULO 19

Al detenerse un instante en la puerta de la biblioteca, Rachel constató que Elisabeth no había exagerado. Becky estaba acurrucada en un extremo del sofá amarillo con las delgadas piernas recogidas bajo el cuerpo, la negra cabellera rizada contra el brazo tapizado, sollozando con la cara hundida en un cojín. La luz trémula del fuego y el suave resplandor de la lámpara de porcelana que adornaba el escritorio, proporcionaban la única iluminación. En aquella estancia, que había sido el dominio privado de su padre, el mobiliario era aparatoso, bien tapizado y diseñado para la comodidad de un hombre corpulento. Contra ese telón de fondo, Becky, que a sus treinta y un años era tan menuda como su madre y su hermana, se veía diminuta, casi una niña.

Al ver aquella figura pequeña con camisa de seda de estampados exóticos y pantalones cortos, Rachel sintió una punzada de inquietud. Becky siempre había sido propensa a dramatizar hasta la situación más banal. Sin embargo, algo grave tenía que haber ocurrido para que su hermana llorase.

—¿Qué sucede, Becky? —inquirió, y le acarició la espalda con una mano tranquilizadora.

—Ra... Rachel.

Becky alzó la vista. Tenía los ojos hinchados y llenos de lágrimas. Sin embargo, se incorporó en su asiento e intentó dirigirle una sonrisa. Su vacilante esfuerzo tuvo un efecto muy diferente del que ella visiblemente pretendía. Alarmada por la expresión en el rostro de su hermana, Rachel se dejó caer en el sofá junto a ella. Desde la puerta del estudio, Elisabeth seguía la escena con mirada ansiosa.

—¿Les sucede algo a tus hijas? —preguntó Rachel.

Tal vez a una de ellas le habían diagnosticado alguna enfermedad grave. Pero las hipótesis eran tan inútiles como absurdas, ya que las posibilidades eran infinitas.

El encantador rostro de Becky, asombrosamente parecido al de Elisabeth más joven, volvió a ensombrecerse cuando sacudió la cabeza.

—No —dijo. Las lágrimas le corrían por las mejillas y le temblaba la boca.

—¿Es Michael?

—¡Oh, Rachel!

Becky se tapó la cara con las manos y se echó a llorar con sollozos desgarradores. Rachel, consternada, abrazó a su hermana y la apretó contra sí. Aunque a veces Becky podía ser una persona irritante, en momentos como aquél Rachel sólo veía a la hermana menor de cabello rizado que la seguía a todas partes desde que fue capaz de caminar.

—¿Becky, qué pasa? Dímelo, por favor —dijo Rachel, meciendo a su hermana, mientras ésta lloraba sobre su hombro.

—Michael... Michael quiere divorciarse —dijo, en un susurro tembloroso, murmurando contra el hombro de Rachel, en voz tan baja que al principio ésta no supo con certeza si había oído bien.

—¿Quiere divorciarse? —repitió, atónita.

—¿Quiere divorciarse? —Desde la puerta, Elisabeth se llevó una mano al cuello mientras repetía las palabras de Becky.

—Me lo dijo hoy por teléfono. Está en Dayton por negocios, me llamó a casa y dijo que quería divorciarse. Así, sin más. ¿Te lo puedes creer? —preguntó, y levantó la cabeza. Miró a su madre y luego a su hermana.

—Pero... ¿por qué? —inquirió Elisabeth, con voz débil.

—Creo que tiene una... una amiga. Supongo que quiere ... casarse con ella. —¡Oh, Becky!

Becky parecía tan conmovida que Rachel sintió dolor por ella. Becky levantó la mirada.

—Estoy simplemente... harta. No se lo he dicho a las niñas, pero ellas saben que pasa algo. Oh, ¿qué voy a hacer? —preguntó Becky, en un lamento, y hundió la cara en el hombro de Rachel.

Ésta, que de pronto se sintió impotente, le dio unas palmaditas en la espalda.

—Te quedarás aquí con nosotras y te cuidaremos —declaró Rachel, mientras su madre, que se había desplomado en el sillón de trabajo de Stan, daba su aprobación con un gesto de la cabeza.

—Oh, Rachel, ¡Os he echado tanto en falta, a ti, a mamá y a papá! Es duro vivir tan lejos de casa, intentando criar a las niñas yo sola. Michael se ausentaba con frecuencia, yo sabía que algo andaba mal, pero no sabía por qué.. . luego hoy... —dijo, y volvió a estallar en sollozos.

Rachel la abrazó con más fuerza.

—Cariño, ¿por qué no nos lo dijiste antes? —intervino Elisabeth, acongojada.

—No quería que os preocuparais. Y... y sabía qué ideas tienes con respecto al divorcio.

Las opiniones de Elisabeth sobre el divorcio eran radicales. Condenaba la tendencia a separarse por cualquier motivo. Pero el vigor con que negó con la cabeza revelaba que aquellas opiniones no se aplicaban a su querida hija menor. —Qué desatino —dijo firme, renunciando a los principios de toda su vida ante el dolor de su hija —. Ya sabes que papá, Rachel y yo te daremos apoyo, cualquiera que sea tu decisión. Sólo queremos lo mejor para ti. Y para las niñas.

Becky temblaba.

—Ellas adoran a su padre. Odio tener que decirles la verdad.

—No hace falta que se lo digas aún —dijo Rachel—. Al menos hasta que tú y Michael hayáis tenido ocasión de volver a hablar... Puede que no lo dijera en serio... O puede que esté alterado por algo, nada más.

—Creo que lo dijo en serio —respondió Becky, y en su voz había un temblor tan patético que Rachel sintió una punzada en el corazón. Aspiró profundamente y se irguió en el asiento, apartándose de los brazos de su hermana mayor—. Oh, Rachel, ¡ojalá se hubiera casado contigo!

Este sentido comentario provocó en Rachel una sonrisa irónica.

—Vaya, muchas gracias.

Becky se secó los ojos con ambas manos y lanzó una risita contenida. —Parece terrible decir eso, ¿verdad? Pero tú sabes a qué me refiero. Eres ... eres tan fuerte. Habrías podido lidiar con esto mejor que yo. Me siento como una estúpida. Estos últimos años ha estado viajando tanto ... Pensé que se estaba viendo con alguien, pero él me decía siempre que yo estaba loca. Casi ... casi lo creí... Quiero decir, que estaba loca. Pero no, era yo la que tenía razón todo este tiempo. Me ha estado engañando durante años, y yo tolerándolo siempre, fingiendo que no lo sabía, hasta que dejé de armar alboroto. Y ahora resulta que quiere el divorcio, he arruinado mi vida por él y no valía la pena. No valía nada.

Volvieron a brotar las lágrimas.

—Tu vida no está arruinada —dijo Rachel con firmeza—. Pase lo que pase, estarás bien. Volverás a ser feliz y encontrarás a otro hombre... Esta vez será mejor. Y tendrás muchos momentos maravillosos. Sólo tenemos que ayudarte a superarlo. Verás como lo conseguimos.

Becky sonrió a Rachel. Su intento de congraciarse, aunque inseguro, estaba lleno de afecto. —¿No te alegras de haberte librado de algo así?

—Sí —dijo Rachel, y fue sincera—. Sí, me alegro.

Sin proponérselo, pensó en Johnny Harris y en la profunda y oscura pasión que despertaba en ella. Casi con asombro, se dio cuenta de que Michael jamás había logrado lo mismo. Por primera vez desde que Michael Hennessey había elegido a Becky en lugar de a ella, Rachel comprendió qué tipo de amor había sentido por él, un enamoramiento de muchacha que pertenecía al pasado. Desde entonces, ella había madurado.

En la cocina, el reloj que estaba sobre la despensa dio la hora.

—¡Válgame Dios! ¡Son las dos de la madrugada! ¡Tenemos que irnos a la cama! —exclamó Elisabeth.

—Sí, es verdad —asintió Rachel, y al incorporarse ayudó a Becky a hacer lo mismo.

—Katie se despertará en cuanto amanezca —predijo Becky, en tono lúgubre, refiriéndose a la menor de sus hijas. Y Loren y Lisa no tardarán mucho más.

—Tilda, Rachel y yo nos ocuparemos de ellas. Tú necesitas dormir más —dijo Elisabeth antes de salir de la biblioteca con sus hijas.

—Cuánto me alegro de estar en casa —dijo Becky, y abrazó a su madre. Luego abrazó a Rachel. Por un momento, las tres mujeres permanecieron inmóviles, unidas en aquel momento de crisis, con las frentes juntas, rodeándose con los brazos—. Os quiero mucho.

Rachel se apartó.

—Basta ya —dijo con firmeza—. Dentro de un momento estaremos las tres llorando. Mamá, tú y Becky podéis subir. Yo cerraré las puertas y apagaré las luces.

CAPITULO 20

El vigilante estaba ausente mientras el cuerpo que habitaba viajaba en la oscuridad, con las manos aferradas al volante, mirando sin ver la noche que todo lo envolvía. Recuerdos que no tenían relación alguna con su vida actual aparecían y desaparecían.

Traían consigo dolor y una rabia cada vez más poderosa, pero ninguna comprensión real de lo que sucedía. Eran imágenes caleidoscópicas de un tiempo situado por lo menos cien años atrás, que de pronto parecían más reales que los altos robles que flanqueaban el sinuoso camino. A la izquierda, apareció la Primera Iglesia Baptista, que atrajo irresistiblemente su mirada. Luego el coche giró por la curva y la iglesia se perdió de vista. Sin embargo, la visión del edificio desencadenó en aquel ser un estallido de actividad cerebral y pronto regresó al presente.

En la noche, fugaz, silencioso, invisible y desconocido, se apresuraba para exigir, no venganza, sino una justicia terrible. Pero la morada a la que se dirigía estaba a oscuras, abandonada. No había nadie en casa.

Esa noche no se derramaría sangre. Otra frustración se sumaría a la cólera del vigilante. Y aunque esa noche tuvo que volver al pueblo, sabía que regresaría. Otra noche. Pronto.

En busca de su presa.

CAPITULO 21

Durante dos días, la presencia de su hermana y de sus tres sobrinas mantuvo a Rachel tan ocupada que le resultó fácil no pensar en Johnny Harris. Pasaba las mañanas jugando con las niñas, de siete, cinco y dos años. Lisa, la mayor, era como un hada de cabello negro que le recordaba mucho a Becky cuando niña. Loren y Katie eran calcadas de Michael, que era alto y rubio. Las tres niñas estaban emocionadas por estar en casa de sus abuelos y su tía. Si alguna de ellas conocía la razón de su visita, nadie, ni siquiera Lisa, lo demostró en lo más mínimo.

Rachel, Becky y Elisabeth comieron aquellos días en el club. Luego Rachel iba en el coche al instituto para preparar los programas del nuevo año escolar. Recientemente, la escuela había sido objeto de amplias reformas —una de las cuales era la instalación de aire acondicionado— y llevaba mucho trabajo diseñar un aula que pudiera ofrecer todo lo necesario y crear al mismo tiempo un ambiente de aprendizaje óptimo del que se jactaba la junta directiva del establecimiento.

Llegó el primer día de clase. Como solía ocurrir por esas fechas, había un entusiasmo generalizado. Después de tantos años, Rachel continuaba sintiendo aquella sensación ese día. La perspectiva de ampliar las mentes juveniles la llenaba de un fervor casi evangelizador. Si tan sólo pudiera lograr que sus alumnos conectaran con los libros, ¡podría abrirles todo un mundo!

Sus alumnos (Rachel tenía cuatro clases de lengua) ya le eran bien conocidos. No sólo conocía a los chicos sino también a sus hermanas, hermanos, padres y abuelos, a sus primos y hasta a sus animales domésticos. Sabía quiénes tendrían problemas y quiénes cursarían el año sin tropiezos. Sabía quiénes venían a la escuela para hacer deporte, quienes sólo para relacionarse y quienes tenían realmente ganas de aprender. A estos últimos, que eran pocos, los cuidaba porque eran casos excepcionales.

Al final del primer día, Rachel estaba exhausta. Oyó la campana de salida con un silencioso suspiro de gratitud y, por un momento, se sentó en su escritorio para recoger libros y papeles mientras los alumnos, con un coro de adioses, pasaban frente a ella corriendo hacia el pasillo y la libertad.

—Señorita Grant, ¿nos pondrá un examen sobre Elizabeth Browning este semestre?

Eran Allison O'Connell y sus dos inseparables amigas. Se acercaron a Rachel cuando salía del edificio.

Rachel negó con un gesto de cabeza.

—Ya hicimos a Elizabeth Barrett Browning el año pasado. Esta vez haremos algo diferente.

—Oh, qué lástima —se enfurruñó Allison.

—¿Te agrada Elizabeth Barrett Browning? —preguntó Rachel, mirándola con un gesto de sorpresa.

Allison, una muchacha bonita y popular, un poco más alta que ella, no era una gran lectora. A decir verdad, Rachel encontró un tanto sorprendente que Allison supiera quién era Elizabeth Barrett Browning.

—Es que tiene el examen de Brian Paxton del año pasado —explicó Gretta Ashley con una sonrisa diabólica.

Allison le dio un codazo.

—¡No es verdad! —exclamó Allison, y se sonrojó. Miró a Rachel una sola vez y se corrigió—: Bueno, puede que lo haya mirado, ¡pero seguro que no pensaba usarlo!

—Estoy segura de que no, Allison —dijo Rachel muy seria, mientras Gretta y Molly Fox, que completaba el trío inseparable, soltaban una risita.

—Me gustaría hacer algo sobre alguien interesante, como Michael Jackson —dijo Molly.

—Michael Jackson no es poeta, ni siquiera es un autor —alegó Gretta, escandalizada.

—Sí que lo es. Yo he leído su libro. ¿Recuerdas? Tú lo pediste prestado en la biblioteca.

—Quiero decir que no es un autor importante. No es alguien sobre quien la señorita Grant nos dejaría escribir un trabajo. ¿Verdad, señorita Grant?

—Es probable que no —dijo Rachel, sonriendo.

—Será alguien aburrido —dijo Molly, agobiada.

Caminaban por la acera semidesierta y pasaron junto a los tres autobuses amarillos del instituto, que ya estaban repletos de chicos vociferantes. El primer autobús se puso en marcha y los demás lo siguieron.

—¿Cómo volveréis a casa? —preguntó Rachel.

—Allison tiene un coche para todo el verano —anunció Gretta—. Ahora tiene permiso.

—Qué bien —dijo Rachel, entendiendo ahora por qué la acompañaban al aparcamiento.

Había dos sitios: uno grande para los alumnos y otro más pequeño para los profesores, situados el uno junto al otro frente al instituto.

—Sí, ojalá que... —empezó Gretta, y de pronto se interrumpió, mirando hacia delante con los ojos abiertos de par en par.—¿Quién es ése?

—¿Dónde? —preguntaron a coro las otras dos, mientras Rachel, que seguía la mirada de Gretta, titubeaba. Estuvo a punto de girar sobre sus talones y escapar corriendo.

Al borde del aparcamiento de los maestros esperaba una moto enorme, roja y cromada. Las ruedas rozaban la línea amarilla brillante de no aparcar. Y allí estaba Johnny Harris, con sus vaqueros ceñidos y una chaqueta negra de cuero, los brazos cruzados sobre el pecho y el pelo negro recogido en una cola de caballo. No sonreía. Tenía la mirada clavada en Rachel.

Recuperando su aplomo y consciente de que las miradas de las chicas se volvían hacia ella, Rachel apretó los dientes y siguió caminando. Le vinieron a la memoria los vívidos recuerdos de su último encuentro con Johnny. Inquieta, respiró hondo y procuró desterrar los recuerdos. No podía hacerle frente mientras unas imágenes tan desgarradoras ocupaban sus pensamientos.

—¡Qué guapo! —suspiró Allison. Gretta le dio un codazo en las costillas.

—¿Es que no sabes quién es? Es Johnny Harris —dijo Gretta con un silbido de voz.

—¡Ay, Dios! —exclamó Allison.

Molly parecía asustada.

—¿Qué hace ése aquí?

Rachel se quedó rezagada, esperando con toda su alma que la pregunta de Molly quedara sin respuesta para siempre. Pero no tuvo suerte. Johnny se incorporó, descruzando los pies y los brazos, y se apartó de la moto. Era evidente que había visto a su presa. Las chicas pasaron rápidamente a su lado por la acera, a unos seis metros, mirándolo de reojo. Después de saludarlo con una sonrisa y un ademán casi imperceptible, Rachel habría querido seguirlas, pero Johnny la interceptó.

—Oiga, señorita Grant… —dijo Harris, con voz dulce y armoniosa, y le hizo una seña.

Rachel sabía que las chicas tenían los ojos clavados en ella. Comprendió que, salvo que quisiera hacer una escena, no tenía escapatoria.

CAPITULO 22

Rachel se dirigió hacia él.

—Hola, Johnny —dijo, con todo el aplomo del que pudo hacer acopio. Johnny estaba guapo y el sol brillaba sobre su cabello oscuro. Sus ojos azules resplandecían en agradable contraste con el bronceado de su piel. Rachel sintió que le temblaban las rodillas—. ¿No deberías estar trabajando?

—Me he tomado la tarde libre. Ziegler se alegró de librarse de mí —dijo Johnny.

Entrecerró los ojos al ver su mirada impasible. A Rachel le costó no bajar la vista ante aquella mirada calculadora. Se sentía como una adolescente, como Allison, Gretta y Molly, que en aquel momento asomaban las cabezas por encima de un Subaru amarillo, que Rachel supuso que sería el coche nuevo de Allison. No paraban de hablar y de mirar a su profesora junto al indeseable más famoso del pueblo.

En ese momento, era Johnny quien parecía más maduro y quien más controlaba la situación. Rachel se puso nerviosa cuando comprendió que acostarse con él había cambiado la naturaleza de la relación.

—¿Qué pasa que no atiendes las llamadas de teléfono últimamente? —preguntó él, con tono muy amable, aunque su mirada delataba lo contrario.

—¿Qué dices? —inquirió ella, mirándolo con el entrecejo fruncido.

—Te he llamado al menos seis veces desde que me desperté y vi que te habías escapado. No estabas en casa ni siquiera a las diez de la noche, lo cual me resulta un poco difícil de creer, a decir verdad.

—No sabía que hubieras llamado —repuso ella, y no mentía.

—Me alegra saberlo —contestó Harris. La tensión de su rictus se aflojó levemente—. Me da la impresión de que no le gusto a tu madre.

—¿Has hablado con mi madre?

—Si se puede decir que eso sea hablar. Nuestras conversaciones han sido más o menos así: yo decía «Soy Johnny Harris. ¿Puedo hablar con Rachel?», y ella contestaba «Rachel no está», con tono bastante frío, y luego colgaba. Pensé que tú le habías pedido que dijera eso.

—No.

—¿De modo que no me has estado eludiendo deliberadamente?

Rachel alzó la vista, se miró en esos ojos azules, penetrantes, vaciló y suspiró.

— Bueno, un poco, puede que sí.

—Eso es lo que pensaba —dijo Johnny, movió la cabeza afirmativamente, se cruzó de brazos y se quedó mirándola con aire pensativo—. Ahora me pregunto ¿por qué? ¿Porque la otra noche me porté como un idiota o porque hicimos el amor?

Su lenguaje abierto, acompañado por una mirada inquisitiva que parecía ver dentro de su propia alma, hizo que Rachel se sonrojara. Aunque las palabras y la actitud de Johnny tenían un tinte casi de indiferencia, parecía profundamente avergonzado al recordar que había llorado en su presencia, apoyando la cabeza en su regazo. Y ella no podía soportar la idea de que Johnny se sintiera avergonzado por esa razón.

—Tú no te portaste como un idiota —dijo Rachel con gesto de firmeza.

—Ya. —Johnny la miró con una sonrisa lenta, cálida y sensual que la emocionó. Acto seguido, extendió una mano y le quitó de los brazos el montón de libros y papeles antes de que ella advirtiera lo que se proponía.

—¿Qué haces? —preguntó Rachel.

Johnny dejó las cosas de Rachel en un soporte, detrás del asiento tapizado de cuero de la moto, y los sujetó con unas correas elásticas de vivos colores.

—Sube —dijo, y se volvió para ofrecerle un reluciente casco plateado.

—¿Qué? ¡No!

Rachel cogió el casco, pero se quedó mirando a Johnny como si pensara que estaba loco.

—Sube, Rachel. La alternativa es acabar esta conversación tan interesante aquí mismo, ante esas alumnas tuyas que no paran de soltar risitas.

—De ningún modo voy a salir volando contigo en esa... esa cosa.

—Es una moto, no una cosa. ¿Nunca te has subido a una moto?

—¡Claro que no! —exclamó Rachel, y lo miró sacudiendo la cabeza mientras tomaba su propio casco, que colgaba del manillar.

—La profesora reprimida. Qué lástima... Pues podrías verlo como una experiencia pedagógica. Venga, sube.

—He dicho que no y lo he dicho en serio. Llevo vestido, ¡no podría!

—Ya lo he notado, y muy bonito, por cierto. Aunque pienso que deberías acortarte un poco la falda. Tienes unas piernas estupendas —dijo Johnny, mientras se ponía el casco.

—Johnny...

—¿Señorita Grant? ¿Se encuentra bien? ¿Quiere que pidamos ayuda a alguien? —preguntó Allison.

Las tres chicas miraban desde el coche amarillo. Observaban a Johnny y Rachel con expresión ansiosa.

— Piensan que trato de raptarte.

—¿Y acaso no es eso lo que intentas? —replicó Rachel en tono seco.

Johnny pareció sorprendido. Luego una lenta sonrisa fue apareciendo en sus labios.

—Supongo que sí. ¿Quieres subir, Rachel, por favor? Piensa cómo saldrá favorecida mi imagen ante la opinión pública cuando vean que reapareces sana y salva.

—No pienso ir a ningún sitio en esa moto. Aunque lo quisiera, y aunque llevara la ropa adecuada, no podría sentarme detrás de ti aquí mismo, en el instituto, y partir como un rayo frente a mis alumnas. La junta directiva no lo toleraría, por no hablar del señor James.

—¿Sigue como director?

—Sí.

—Es lógico. Sólo los buenos mueren jóvenes. Rachel...

Rachel dejó escapar un suspiro.

—Vale. Reconozco que debemos hablar de ello. Pero no subiré a esa moto. Allí está mi coche. Saldré de aquí en mi coche o no saldré.

Johnny la miró, se encogió de hombros y se quitó el casco.

—Claro, donde habrán cuatro ruedas que se quiten dos —dijo Johnny. El comentario arrancó a Rachel una sonrisa irónica.

—Para ser uno de los mejores alumnos que he tenido, tu gramática es horrible.

—La gramática nunca fue mi fuerte, ¿recuerdas? Me iba mejor en... otras cosas.

Rachel sintió que se sonrojaba ante la insinuación que su mente incorregible entendía en esas palabras. Afortunadamente, él ya se giraba para retirar las pertenencias de Rachel de detrás de la moto, de modo que no se percató de la confusión de ella.

—¿Sigues escribiendo poesía? —le preguntó, por encima del hombro, mientras desataba las correas.

Rachel miró fijamente la espalda de Johnny y se quedó helada. Había olvidado que le hubiera contado tantas cosas de sí misma años antes, cuando él era su alumno preferido.

—Me sorprende que lo recuerdes —dijo lentamente.

Con los libros de Rachel en sus manos, Johnny se volvió hacia ella.

—¿Ah, sí? Pues no debería sorprenderte. Recuerdo cada una de las cosas que alguna vez supe acerca de ti, profe.

Por un instante, las miradas se cruzaron. Luego Rachel, más aturdida de lo que recordaba haber estado en toda su vida, se volvió y fue hacia su coche, alejándose de Johnny.

Era consciente de la presencia de Harris a sus espaldas mientras la seguía con los brazos cargados de libros, y consciente también de las miradas absortas de las tres jóvenes que observaban todos sus movimientos. Afortunadamente, el aparcamiento de los profesores estaba casi tan desierto como el de los alumnos. Rachel habría odiado la perspectiva de tener que presentar a Johnny a algunos de sus adustos colegas.

Respiró hondo varias veces para recuperar el equilibrio.

Puso el coche en marcha mientras Johnny dejaba los libros en el asiento trasero. Se quitó la chaqueta y también la lanzó dentro del coche, revelando una de sus habituales camisetas de algodón sin mangas. Luego subió y se deslizó en el asiento a su lado. A Rachel le habría gustado tener un momento para pintarse los labios y ponerse los polvos que llevaba en el bolso porque sabía por experiencia que, al terminar el día, ya no le quedaba rastro del maquillaje matutino. Pensó que realmente no tenía importancia. Un poco de lápiz de labios y de polvos no borrarían ni un día de sus treinta y cuatro años, ni la harían ni un ápice más hermosa para él. Tal vez la manera en que vestía, un jersey blanco de mangas cortas con rosas de color rosado en el pecho, y una falda de algodón plisada que le llegaba a la pantorrilla, no fuese la última moda, pero era enormemente práctico para su trabajo. Lo eran también sus zapatos de tacón bajo y los pendientes de perla que lucía en sus orejas. Hasta su peinado era adecuado porque no requería de ningún adorno. Rachel parecía lo que era, una profesora de instituto en un pueblo cualquiera, de unos treinta y tantos años. A su lado, Johnny Harris estaba tan fuera de lugar como su moto aparcada junto al discreto Máxima azul de Rachel.

Ambos saludaron con ademanes a las chicas. Ellas, boquiabiertas, los siguieron con la mirada al salir del aparcamiento.

—No deberías haber venido al instituto —dijo Rachel, cuando salían a la carretera, a sabiendas de que los chismes los perseguirían durante toda la mañana.

—Si Mahoma no viene a la montaña... —dijo Johnny, y se encogió de hombros. En un tono cuidadamente ligero que no ocultaba del todo la gravedad de la pregunta, agregó—: ¿Es que te da vergüenza ir conmigo, Rachel?

Ella lo miró. Algo en su tono de voz la había conmovido y le indicaba que su respuesta era muy importante. Visto de perfil, a contraluz, era tan guapo que Rachel se quedó sin aliento. Hasta entonces, no había advertido cuán perfectas eran sus facciones. La frente altiva, los pómulos altos, la nariz larga y recta con su puente angosto, las líneas cuadradas de la mandíbula y la barbilla, eran rasgos clásicos por su elegancia. Si a eso se agregaba su boca, sensual y bellamente delineada, y la ardiente vitalidad de sus ojos azules, unas gruesas cejas negras y rectas, resultaba que Johnny era un joven muy guapo. Y no sólo porque Rachel lo comparaba con los hombres de Tylerville que conocía.

—¡Para! —vociferó de pronto Johnny, desviando la mirada que mantenía fija en su rostro y apoyando las manos en el salpicadero.

El grito rompió el hielo de los pensamientos de Rachel y la obligó a apretar los frenos con tanta fuerza que no salieron impulsados hacia delante sólo gracias a los cinturones de seguridad que se bloqueaban automáticamente.

—¿Qué pasa? —inquirió Rachel, molesta.

Miró alrededor y descubrió que habían frenado en un cruce de cuatro calles, no lejos de la escuela. Sobre ellos se abalanzaban coches que venían en todas direcciones, entre ellos un autobús escolar y un camión cargado de carbón.

—Es un milagro que no nos hayamos matado —dijo Johnny con los dientes apretados —Venga, apártate. Desde ahora conduciré yo.

—Este coche es mío y...

—Apártate —repitió Johnny, y se bajó del coche.

Cerró la puerta con fuerza y dio la vuelta. Rachel le lanzó una mirada de irritación a través del cristal. Pensó en todos los conductores que observaban desde los coches que los rodeaban, se desabrochó el cinturón de seguridad y cambió de asiento. Si Johnny se quedaba en la calle discutiendo mientras ella se aferraba tercamente a su asiento, era probable que algún entrometido llamara a la policía.

—¿Quieres beber algo? —preguntó Johnny al subir, y señaló el bar del Seven-Eleven.

Se les había pasado el momento de cruzar y los conductores, indignados, hacían sonar el claxon.

—No, gracias —dijo Rachel, resentida al verse apartada del volante de su propio coche.

Quería a toda costa que él se diera cuenta.

—Pues yo sí —dijo él.

Volvió a cambiar el semáforo para que pasaran. Johnny cruzó rápidamente, entró en el aparcamiento del Seven- Eleven y detuvo el coche. La maniobra fue tan veloz que Rachel tuvo que agarrarse bien.

—¿Y tú te atreves a criticar mi manera de conducir...? —empezó a decir, indignada.

Pero él ya bajaba del coche.

Rachel lo vio desaparecer dentro del local. Minutos más tarde, observó a través del cristal que Johnny se acercaba al mostrador para pagar. Vio cómo bromeaba con el empleado y su irritación se disipó al admirar su porte alto, atlético, y luego observó los vaqueros ajustados que llevaba. De pronto, apareció en la actitud de Johnny cierta tensión indefinible. No estaba bromeando con el empleado.

Johnny arrojó algo sobre el mostrador, recogió sus provisiones y se dirigió a grandes zancadas hacia el coche. Sin decir nada, Rachel cogió las cosas que él introdujo por la ventanilla —dos latas de Coca-Cola y dos paquetes de twinkies rellenos de crema— y se abstuvo de hacer comentarios hasta que volvieron a salir. Johnny hizo retroceder el coche describiendo un semicírculo y luego salió a la calle con un chirrido de neumáticos que hizo dar un respingo a Rachel.

—¿Qué ha ocurrido? —preguntó Rachel.

Corrían a gran velocidad por el camino, que en ese tramo era afortunadamente recto.

—¿Por qué piensas que ha ocurrido algo? —le espetó él, mirándola de reojo y con la mandíbula contraída con tanta fuerza que Rachel vio los músculos apretados debajo de su oreja.

—Llámalo intuición femenina, si quieres.

El tono seco de Rachel hizo que Johnny la volviera a mirar. Esta vez su expresión era menos feroz.

—El muy capullo no quiso aceptar mi dinero.

—Oh —murmuró Rachel.

De pronto recordó que el empleado era Jeff Skaggs. Rachel lo habría reconocido de inmediato si lo hubiera mirado atentamente y si toda su atención no se hubiese concentrado en Johnny. Desde luego, no pensaba decirle que era Jeff Skaggs, y era probable que él ya lo supiera. Johnny era un tipo orgulloso, y ya se había enemistado con los habitantes del pueblo, con un carácter irritable y feroz que ella había visto manifestarse un par de veces, hacía años. El trato que le estaban dando en todas partes era atroz, aunque él lo había aceptado hasta ese momento sin rencor. Sin embargo, Rachel empezaba a pensar que tal vez su paciencia estaba llegando al límite. Temía que un día estallara y deseaba estar cerca cuando ocurriera, controlar los daños cuanto pudiera.

—Yo no maté a Marybeth —dijo Johnny, y en su tono asomó la violencia. Tenía la mirada fija en el camino—. Soy tan inocente como ese cabrón del colmado, y ¿sabes una cosa? A nadie le importa un cuerno si era inocente o no. ¿Sabías que obtuve un diploma universitario mientras estaba en la cárcel? Así es, un título de literatura. Para lo que me ha servido. Además, hice negocios con mucho éxito mientras estaba dentro. ¿Recuerdas que antes fumaba? Pues dejé de hacerlo porque tener cigarrillos en la cárcel es como tener divisas fuertes. Yo guardaba mis cigarrillos, los vendía, compraba más con lo que obtenía y volvía a venderlos. Muy pronto, todos me llamaron el Hombre del Humo, y me iba bien. Ganaba dinero y lo ahorraba, de modo que, al salir, tendría algo para mantenerme. Sobreviví a lo que me hicieron. Pero eso no tendría por qué haber pasado, y no habría pasado nada, salvo que l agente no mira más allá de sus narices. Soy un Harris, por lo tanto soy un inútil. Por lo tanto, soy capaz de asesinar a alguien. Por lo tanto, ya que era el último que reconoció haber estado con Marybeth, tenía que haberla matado. Sólo que no lo hice.

Se alejaron del camino y se internaron por una senda más angosta que serpenteaba y bajaba al atravesar un bosque denso. Pocos minutos después, salieron del bosque y Johnny detuvo el coche con un frenazo brusco a la orilla de un pequeño lago en cuyas aguas nadaban plácidamente unos patos. El azul fresco y cambiante del agua, el verde y el marrón tornasolado del plumaje de los patos, el verde manzana brillante de las copas de los árboles, empapadas de sol, y el misterio de las sombras más abajo dibujaban un panorama tan encantador que fue una lástima que ninguno de los dos reparara en ello, más allá de una somera observación.

Johnny mantuvo la mirada fija delante, las manos apretadas en el volante. A su lado, en silencio, Rachel lo observaba con ternura, pero él ni siquiera miraba hacia ella.

—Tenía diecinueve años cuando ingresé en prisión. Era un muchacho. Un muchacho engreído y asustado, tan asustado que temí vomitar la primera vez que crucé por el bloque de celdas y oí aquellas puertas metálicas cerrándose a mis espaldas con tanto estruendo. Todos los presos me llamaban, o silbaban, o golpeaban el suelo con los pies cuando yo pasaba, como si fuese carne fresca. ¿Sabes que solía recibir correspondencia de admiradoras mientras estuve preso? Mujeres. Me ofrecían de todo, hasta matrimonio. Una tía que firmaba «eternamente tuya» me escribía todas las semanas. Sin duda pensarían que ir a la cárcel por asesinato era algo con mucho atractivo. Creo que algunas de ellas tienen que haberme confundido con una estrella de rock.

Johnny hizo una pausa y respiró profundamente, y siguió mirando hacia el lago sin verlo. Rachel se mordió los labios pero guardó silencio, sabiendo que él quería seguir hablando, que necesitaba seguir hablando.

—¿Sabes qué es lo peor de estar en la cárcel? El reglamento. Desde que nos levantábamos hasta el momento en que nos encerraban en nuestras celdas y apagaban las luces. Había una hora para tal cosa y otra para tal otra, y siempre había algún cretino que nos decía lo que teníamos que hacer. Y nada de intimidad. Nada de intimidad, jamás, por ningún motivo.

Esta vez la pausa fue más larga. Cuando Rachel estaba a punto de inclinarse para ponerle una mano en el hombro, o en la rodilla, o donde fuera, con tal de tocarlo, con tal de que él recordara su presencia, su cariño, él le lanzó una mirada rápida y velada. Luego volvió a desviar la vista y miró hacia el lago.

—Joder, no, eso no era lo peor. ¿Quieres saber qué era lo peor? Yo creía que era un tipo duro cuando llegué a la cárcel. Pues me equivocaba. Al tercer día, cuatro sujetos me arrinconaron en la ducha. Me sujetaron y me violaron. Después me dijeron que a partir de ese momento yo sería su puñetera mujer. Quedé muy lastimado, porque antes de violarme me dieron una paliza, ¿sabes? Y estaba enfermo, enfermo del alma, como sólo puede estar enfermo un chico cuando le sucede algo que lo despoja de todo orgullo, de toda virilidad. Y estaba asustado. Pero mientras me curaba decidí que aquello no volvería a suceder, que antes tendrían que matarme. Entonces perdí todo el miedo. Tenía que vencer o morir. Así de sencillo, y en aquel momento no me importaba mucho. Robé una cuchara de la cocina y la limé hasta sacarle filo como una navaja. Luego esperé. Cuando volvieron a arrinconarme... Los miserables se reían y me llamaban cosita bonita, cariño y cosas así... Yo estaba preparado. Los pinché como si fueran un globo. Y los muy cabrones jamás volvieron a molestarme. —Aspiró de nuevo y miró a Rachel, con las manos aún apoyadas en el volante—. Así que ahora ya lo sabes.

Hablaba calmadamente, pero lo que había en sus ojos no era tan sencillo de calmar. Tenía una mirada de dolor y vergüenza, y de una especie de orgullo cansado y cauto. Rachel lo miró y sintió que el corazón se le desgarraba por él. Todo su sentido común, todos sus instintos de supervivencia se disiparon en aquel momento.

Se desabrochó el cinturón de seguridad, recogió una rodilla, se incorporó y se volvió hacia Johnny. Mantuvo el equilibrio con una mano sobre su hombro, ladeó la cabeza y apretó los labios contra los de él en un beso suave y torpe.

Cuando Johnny quiso abrazarla, ella levantó la cabeza para mirarlo de lleno a los ojos.

—Así que ahora ya lo sabes —dijo Rachel.

CAPITULO 23

—¿Qué es lo que sé? —Había cierto tono de humor en su pregunta, además de tensión. Estaban tan cerca que las caras casi se tocaban, las miradas cruzándose en una postura que habría debido parecerles ridícula, pero no lo era, porque lo que sucedía entre ambos era muy serio.

—Que estoy loca por ti. —La confesión de Rachel fue casi un murmullo. El volante le apretaba la espalda, pero ella ni siquiera se percató. Entre los dos asientos, tenía parte del cambio de marchas hundido en el muslo, pero tampoco lo sentía. Todo su ser estaba concentrado en descifrar lo que pasaba tras el opaco velo de los ojos de Johnny Harris.

—¿A pesar de todo? —La leve ronquera de su voz indicó a Rachel que Johnny no sabía lo que su confesión había significado para ella.

Las manos de Johnny hallaron la cintura de Rachel, y de pronto ella se encontró sentada en sus rodillas, con la espalda contra la puerta y los brazos colgados de los hombros de Johnny.

—También yo estoy loco por ti, profe —dijo él, suavemente, y la besó.

Su boca estaba muy tibia y sabía un poco a menta. Rachel se apoyaba en los músculos de su brazo, situado entre su cabeza y la puerta. Sintió la barbilla de Johnny apenas un poco áspera al rozarle la mejilla, y advirtió, con esa pequeña parte de su mente que aún era capaz de percibir algo, que él se había afeitado no muchas horas antes. Bajo los brazos y las manos de Rachel, los brazos de Johnny eran fuertes y robustos. Olía a jabón, a menta y a hombre.

El corazón de Rachel latía apresurado. Cerró los ojos al besarlo. Sus dedos encontraron la goma que sujetaba los cabellos de Johnny en la nuca, y se la quitó para pasar los dedos entre los mechones negros.

—Ay —protestó él, apartándose un poco cuando los dedos de Rachel se enredaron en la maraña de pelo.

—Te hace falta un corte de pelo —dijo Rachel, y cerró los ojos al volver a inclinarse buscando su boca.

—¿Ah, sí? Pues yo pienso que tú deberías dejarte crecer el tuyo. Me gusta que mis mujeres tengan el cabello largo —dijo Johnny, y continuó besándola, con besos breves, sensuales, primero en plena boca, y luego a uno y otro lado.

—Así que te gusta el pelo largo. —Rachel se enfadó, pero no tanto como para apartarse de la boca de Johnny, que ahora buscaba su mejilla—. ¿Acaso quieres decir que ahora puedo considerarme una de tus mujeres?

—No —negó él, con voz un tanto apagada mientras exploraba con la lengua una oreja de Rachel y luego estampaba un beso ardiente en el hueco delicado justo por debajo.

—¿No? —Se volvía cada vez más difícil seguir el hilo de la conversación. Rachel sentía que el cuerpo entero se le aflojaba, que casi se mareaba, que las piernas y los brazos se le hacían muy pesados, y su cuerpo iniciaba ya las rítmicas contracciones del deseo.

—Puedes considerarte mi mujer. En singular. Si quieres. Johnny le besó el cuello hasta morderlo. Rachel inclinó la cabeza a un lado y alzó la barbilla para facilitarle la incursión.

—Johnny...

A su cerebro acudían en tropel las objeciones de convertirse en su mujer. La diferencia de edad, la diferencia de estilos de vida, la profesión respetable de ella, su familia, la mala fama de Johnny. Pero así como acudían objeciones a su mente, así se disipaban al pensar que él la conocía hasta el fondo del alma. El beso de Johnny fue lento, sensual, embriagador. Cuando deslizó la boca bajo la barbilla de Rachel, ella quedó tan confundida que apenas si sabía dónde estaba.

—Sí —murmuró, como en un ensueño.

—¿Sí, qué? —Johnny le apartó el cuello del jersey para rozarle la clavícula con los labios. Rachel encogió los dedos de los pies y sintió que se le aflojaba un zapato.

—Lo que me hayas preguntado —murmuró ella.

Su facultad de pensar se había anulado.

—Mmmm... Pasemos al asiento de atrás, ¿vale? Aquí no hay mucho espacio.

Antes de que ella pudiera siquiera pensar en lo que le estaba proponiendo, Johnny consiguió abrir la puerta y se deslizo fuera del coche con ella todavía en sus rodillas. El zapato suelto cayó, pero a Rachel no le importó. Se apretó a él y le ciñó el cuello con los brazos. Johnny se incorporó con ella, con un brazo por debajo de los hombros de Rachel y otro debajo de sus rodillas, y la alzó sin dificultad alguna. Rachel experimentó una sensación deliciosamente femenina de fragilidad, de desvalimiento contra la fuerza de él. Se sentía algo avergonzada por caer presa de una emoción tan atávica, y no quería mirarlo a los ojos. Fijó la mirada en su pelo negro que ahora le caía suelto sobre los anchos hombros, el rostro bello y moreno, los antebrazos musculosos que eran la prueba de su vigor.

—Apuesto a que no pesas ni cincuenta kilos —dijo de pronto Johnny, meciéndola de un lado a otro en los brazos para probar su peso.

—Cincuenta y cinco, en realidad.

—Tienes que comer más —sentenció Johnny, y cerró la puerta con el pie, abrió la de atrás inclinándose y buscándola a tientas para abrirla mientras se las arreglaba para sostener a Rachel en brazos.

Luego se volvió a sentar con ella en las rodillas.

—Entonces me pondría gorda y no te gustaría.

Johnny le pellizcó la nariz y la acomodó con la espalda contra su propio pecho. Rachel recostó la cabeza en su hombro mientras él le ceñía la cintura. Rachel se sentía hechizada. Lanzó una mirada de reojo y vio que él la miraba con ojos tan luminosos y ardientes como el cielo despejado de agosto sobre sus cabezas.

—Sigues sin entender, ¿no, profe? Me gustarías de cualquier modo. Creo que serías una gorda guapa. Un budín redondito.

—Qué encantador.

Rachel dejó escapar una risa ahogada ante la imagen que evocaban aquellas palabras. Luego se entregó, por completo, al deleite de dejar que él sencillamente la sostuviera. El calor, el olor y la fuerza tranquilizadora de Johnny la inundaban. Se sentía maravillosamente cómoda en los brazos de Johnny Harris, confortable, íntima, feliz y excitada al mismo tiempo. Sabía que era un disparate. Pero ¿qué había conseguido siendo juiciosa durante toda su vida? Nada parecido a aquello.

El asiento trasero era blando, tapizado de felpa aterciopelada de color azul pizarra. Aunque más espacioso que el de delante, tampoco dejaba mucho sitio para un hombre de la estatura de Johnny. Él dejó la puerta abierta y una pierna colgando fuera. Al escaparse la brisa fresca del aire acondicionado, penetró un calor calcinante. Con la puerta abierta, se oía el roce de las hojas cuando la leve brisa agitaba las copas de los árboles, el graznar de dos patos que reñían y el suave chapoteo del agua contra la orilla pedregosa. Era tan vívido que parecía como si los dos se hallaran entrelazados sobre la hierba.

Johnny siguió acariciándola desde la cintura, subiendo por el vientre, buscándole los pechos hasta que los encontró, acarició y apretó. Rachel reaccionó con un estremecimiento de anhelo, pero su mente, que todavía funcionaba, se amedrentó.

Rachel le sujetó las muñecas. Cuando habló, su voz era un poco jadeante.

—Johnny, no creo que sea una buena idea. En pleno día, podría aparecer cualquiera.

Expresar aquella objeción fue difícil, y se hizo más difícil aún cuando él le besó las cejas, la frente y las mejillas, mientras seguía practicando su exquisita tortura en los pechos de Rachel. Finalmente, una mano soltó su presa, pero, antes de que Rachel pudiera decidir si eso la aliviaba o la decepcionaba, la mano se deslizó bajo el borde de su jersey, subió por su vientre desnudo y volvió a encontrar el pecho. La sensación de aquella mano cálida y fuerte de Johnny cubriéndole el pecho, tan sólo separado de su piel por el sutil encaje del sujetador, le provocó cosquilleos de placer. Bajo la influencia de aquel toque acariciador, Rachel comprendió que estaba perdiendo rápidamente los últimos vestigios de pensamiento coherente que le iban quedando.

—Tienes unos pechos de lo más sexy —le susurró al oído y metió la otra mano bajo el jersey.

Luego dejó descansar un pulgar indolente sobre un tímido pezón, y emitió un sonido de satisfacción cuando éste se endureció. Rachel casi gimió de placer. Le encantaba cómo la hacían sentirse las manos de Johnny sobre su cuerpo. Si hubiese estado mejor dotada, hubiera podido estar segura de que él estaba tan excitado como ella.

—No... no las tengo muy grandes —dijo.

La confesión susurrada se apagó cuando Rachel, incapaz de soportar un instante más esa combinación de tormento mental y placer físico, se giró en los brazos de Johnny y hundió la cara en la curva de su cuello. Le apretó aún más el cuello con los brazos, sintiendo que en las cercanías de su vientre se iniciaban erráticos temblores de anhelo cuando el calor de aquellas manos de dedos largos se deslizo por su espalda desnuda.

—Eres perfecta. Precisamente lo que siempre he ansiado. ¿Nadie te ha dicho nunca que los mejores regalos vienen en envoltorios pequeños?

Le besó la mejilla y le desabrochó el sujetador. Rachel sintió que la prenda se aflojaba y se percató de su maniobra. Dejó escapar un suspiro y se rindió a las atenciones de Johnny porque simplemente carecía de voluntad para resistirse. No podía hacer nada para modificar sus medidas, al menos durante los próximos cinco minutos. Tendría que tomarla tal como era o dejarla.

Johnny no daba señales de querer dejarla. Tiró de su jersey, se lo levantó hasta las axilas antes de que los brazos de Rachel detuvieran el avance. Cuando él dio otro tirón frustrado Rachel desenlazó los brazos y los levantó para que él pudiera quitarle la prenda. Se encogió levemente de hombros y, con una sensación de audaz pecaminosidad, dejo caer el sujetador y quedó desnuda hasta la cintura. Cuando se atrevió a mirarlo nuevamente y lo encontró mirando con fijeza las blancas curvas de sus pechos y sus puntas rosadas, sintió una excitación cosquilleante, producto del tórrido calor reflejado en los ojos de Johnny, y que nada tenía que ver con el tamaño de sus pechos, o con su pequeñez.

Johnny sintió que ella lo miraba y levantó la vista. Bajo el ardor de sus ojos se insinuó un asomo de humor.

—Además, a mí lo que me gustan son los culos —dijo, y sonrió cuando en el rostro de Rachel se pintó una expresión de asombro. Aunque la sonrisa fue algo torcida y su mirada volvió a los pechos de Rachel con inequívoco placer, introdujo la mano bajo su falda para apretarle la parte aludida, tan sólo para demostrar su afirmación—. Y tú tienes el culo más bonito que he tocado en toda mi vida.

—¡Johnny!

Pero su protesta, risueña y escandalizada, fue acallada por una llamarada cuando él capturó un pezón rosado con sus labios. El exquisito placer arrancó una exclamación ahogada a Rachel, que arqueó la espalda. Se recostó sobre el brazo que la sostenía mientras él se inclinaba sobre ella y le lamía los pechos. Al rozarle la piel, el pelo de Johnny le acarició el otro pecho. Cuando él finalmente alzó la cabeza, ella tenía las aréolas rosadas excitadas y anhelantes, suplicando atención, oscurecidas ahora con un tono voluptuoso.

Johnny se movió, se giró y ambos quedaron tendidos sobre el asiento, Rachel apretada contra el respaldo de felpa. Un brazo le sostenía los hombros mientras el otro se internaba bajo su larga falda. Johnny deslizó la mano con un roce exquisito sobre sus piernas. Cuando llegó a la juntura de los muslos, introdujo la mano entre ellos, apretando y frotando con sensual pericia. Rachel lanzó un leve gemido gutural y fue como si las piernas decidieran abrirse por decisión propia.

—Rachel —murmuró Harris, con voz grave, un poco ronca. Estaba inclinado sobre ella con un brazo contra el respaldo para evitar a Rachel toda la carga de su peso.

—Estoy cansado de hacerlo todo yo.

—¿Qué? —replicó ella. No había entendido. Frunció el entrecejo para expresar su perplejidad.

—Desabróchame.

El significado de las palabras y el tono gutural con que las pronunció resultó muy erótico. Rachel contuvo el aliento con temblorosa sorpresa. Por un momento, no pudo hacer otra cosa que mirarlo fijo mientras la orden de Johnny se filtraba en su aturdido cerebro. Luego hizo lo que él le pedía.

El botón metálico de los vaqueros de Johnny era duro, y desabrocharlo no fue tarea fácil. Sus dedos eran torpes al buscar y encontrar el cierre de su cremallera. Lo bajó con lentitud, sin dejar de se consciente siempre del bulto que colmaba la abertura que se agrandaba. Su erección crecía luchando por liberarse.

Llevaba calzoncillos. El algodón blanco contenía su miembro y lo ocultaba a ojos de Rachel, escudándolo de su contacto. Fascinada, Rachel contempló la gruesa hinchazón que asomaba por la bragueta abierta de Johnny. Luego estiró una mano para tocarla.

El algodón era suave. Debajo, el pene de Johnny estaba duro como el acero. Se sacudió convulsivamente cuando pasó la uña por toda su longitud.

Johnny no emitía sonido alguno. Pero algo, tal vez la tensión de su cuerpo, o un súbito movimiento, hizo que ella alzara la vista. Rachel sólo miró una vez sus ojos vidriosos y la áspera intensidad de su expresión, y supo que su caricia lo complacía más allá de todo goce.

—Espera.

Ella lo había vuelto a buscar cuando él profirió su deseo con dificultad. Rachel crispó los dedos por un instante, pero no quiso detenerse, no pudo. Sus dedos se movieron por voluntad propia para cogerlo a través de la tela y apretar...

—¡Por amor de Dios, Rachel, espera!

Con un movimiento brusco, se sentó, y antes de darle la espalda con gesto rápido, ella vio que habían brotado gotas de sudor en su labio superior y en su frente. Confundida por su actitud, Rachel lo observó mientras él buscaba a tientas en un bolsillo. Oyó el leve sonido de algo que se desgarraba.

—¿Qué haces? —preguntó, desconcertada, mientras forcejeaba para incorporarse en el asiento aunque la ancha espalda de Johnny casi se lo impedía.

—Busco un preservativo —contestó él con un gruñido, y se volvió hacia ella y la aplastó contra el asiento de felpa—. ¿Qué clase de miserable sería si te hiciera el amor sin un preservativo? ¿Qué clase de tonta serías tú al permitírmelo? La vez anterior no estaba en condiciones de pensar en ello, pero ahora...

Estaba encima de ella, besándola como si estuviese hambriento del sabor de su boca, mientras le subía la falda en torno a la cintura y se introducía entre sus piernas para tirar de la entrepierna de sus medias hasta desgarrarlas. Luego le quitó las bragas de un tirón. Penetró en ella con una violencia que arrancó un grito a Rachel.

—Oh Johnny, oh Johnny, oh Johnny —sollozaba.

Tenía las piernas apretadas alrededor de las nalgas de él y con los brazos le rodeaba el cuello. El pecho de Johnny la aplastaba y sus brazos la sujetaban con fuerza. Tenía la cara hundida en el cuello de Rachel y su respiración era jadeante, áspera y rápida mientras se alzaba hasta salirse casi totalmente, luego arremetía otra vez, una y otra vez.

—¡Oh Johnny! —exclamó ella, cuando una sensación de placer explotó dentro de ella.

Se abrazó a él con fuerza y dejó que las oleadas de éxtasis la arrastraran en su remolino. Al oírla gritar, él apretó los dientes y embistió por última vez hasta que encontró su propia liberación.

Quedaron inmóviles durante largo rato, agotados por su arrebato de pasión, mientras sus respiraciones se volvían cada vez más lentas y sus cuerpos comenzaban a destemplarse.

Sin poder permanecer inmovilizada ni un momento más, ya que el peso de Johnny amenazaba con sofocarla, Rachel se retorció para zafarse. Johnny alzó la cabeza y, con la cara a pocos centímetros de la de ella, le sostuvo la mirada.

Mirando aquellos ojos azules que tanto sabían, Rachel sintió que le ardían las mejillas. Sin la pasión como impulso, era embarazoso recordar lo que ella —y él— habían hecho. —¿Podrías levantarte, por favor? —preguntó Rachel.

CAPITULO 24

—Eso no es muy romántico.

—Lo lamento, pero me estás aplastando y no puedo respirar.

Una lenta sonrisa se dibujó en el rostro de Johnny.

—Pues hasta aquí ha llegado la parte romántica —dijo, y le estampó un beso en la boca, un beso rápido y posesivo.

Se volvió a un lado y se sentó. Rachel observó las musculosas nalgas de Johnny sobre la suave felpa, y tuvo que reconocer que era muy sexy.

Como él le daba la espalda, Rachel no podía ver qué hacía, y probablemente fuera mejor así. La dura realidad volvía a imponerse, como suele suceder. Rachel era perfectamente consciente de su situación al sentarse y tratar de componer su aspecto lo mejor que pudo. Estaba desnuda hasta la cintura, con la falda arrugada y enrollada en las caderas. Tenía un agujero en las medias y las bragas rasgadas le colgaban de la cadera con un solo trozo de elástico. Estaba descalza, aunque no habría podido decir en qué momento se le había caído el segundo zapato. Tenía la boca magullada e hinchada, y cuando se miró el pelo en el retrovisor vio que parecía un nido de pájaros. Se sentía sucia, sudorosa, maloliente e irritada.

Hasta ahí la parte romántica.

Rachel oyó cómo se subía la cremallera del pantalón mientras ella buscaba su sujetador y su jersey, y advirtió que ahora su aspecto era perfectamente decente, mientras que ella estaba casi desnuda.

—Vamos a nadar en cueros.

—¿Qué?

Aquella sugerencia, acompañada de una sonrisa diabólica, dejó boquiabierta a Rachel. Se tapó los pechos con las manos y lo miró frunciendo el entrecejo.

—Nadar en cueros. ¿Nunca has oído hablar de eso? Ya sabes, es cuando las personas desnudas se meten en el agua.

—¡De ninguna manera!

Johnny rió. Fue una explosión de sonido espontánea, jubilosa, y Rachel vio que sus ojos chispeaban risueños al contemplarla.

—¿Siempre te pones tan cascarrabias cuando acabas de tener buen sexo, profe?

El mohín de Rachel aumentó, pero, aunque a regañadientes, sintió que empezaba a responder al humor de Johnny.

—No sabría decirte —replicó, sacándole la lengua.

—¿Ah, sí? —le sonrió él.

—Ajá. Y ahora, ¿quieres salir del coche y dejar que me arregle tranquila? Anda, vete a comer algo.

—Eso haré.

Introdujo un brazo entre los asientos delanteros, recuperó las Coca-Colas y los twinkies y salió del vehículo. Dirigió una última sonrisa resplandeciente a Rachel y fue a instalarse sobre una mesa del merendero a la orillas del agua.

Rachel admiró en silencio su cuerpo de largas piernas y anchos hombros mientras se alejaba. Luego dedicó su atención a lo que tenía entre manos. Sus medias y sus bragas estaban hechas jirones. Se las quitó, no sin cierto pesar por las bragas. La lencería era su debilidad, y tenía unas prendas de ropa interior exquisitas. Aquellas bragas en particular eran celestes, y hacían juego con el sujetador, que debía de haberse perdido bajo uno de los asientos delanteros. Buscando a tientas debajo uno de ellos lo encontró y se lo puso, lo mismo que hizo con su jersey, que estaba en el suelo hecho una bola. El bolso estaba bajo el asiento delantero. Se estiró por encima del cambio de marchas, lo cogió por la correa y lo levantó. Finalmente, le dedicó unos minutos al maquillaje. Se pasó un cepillo por el cabello, devolviéndole su aspecto liso y brillante. Guardó el cepillo en el bolso, sacó su polvera y su lápiz de labios. Abrió la tapa de la polvera y se observó en el pequeño espejo. Pese a la ausencia de maquillaje —lo poco que había sobrevivido a la jornada había desaparecido gracias a Johnny— se sorprendió al ver que parecía tan joven, aun a la luz intensa del atardecer. Ojos chispeantes, mejillas rosadas y la boca levemente hinchada, todo le transmitía una ilusión de juventud y pensó al empolvarse la nariz y pintarse los labios con lápiz rosado. Ya estaba. Se volvió a mirar, despreocupada, levemente desaliñada, feliz. Cerró con un chasquido la polvera y guardó los artículos en su bolso. Rachel pensó que un romance loco y apasionado con Johnny Harris era el mejor estímulo para su belleza. «Si pudiera embotellarlo, podría ganar una fortuna», pensó, con una sonrisa irónica en los labios. Desvió la mirada hacia donde él estaba sentado en la mesa con los pies sobre el banco, lanzando trozos de pastelillo a los patos, que se los disputaban. ¿Buen sexo? Oh, sí, aunque no pensara reconocerlo. Ante él, no. Ya era bastante vanidoso.

Un zapato azul había quedado en el suelo del coche y, si ella recordaba bien, el otro había caído fuera sobre las piedrecillas. Salió del coche, cogió el zapato, haciendo equilibrios apoyada en un pie, como una cigüeña, y se lo calzó. Luego se apoyó en el otro pie y se puso el otro zapato. Hizo una bola con sus prendas interiores, fue hasta un cubo de basura cercano y las arrojó dentro. Se sintió absurdamente disminuida por la ausencia de ropa interior. Finalmente, fue a reunirse con Johnny.

—Una hogaza de pan, una jarra de vino y tú —sentenció él, volviéndose para mirarla cuando ella se le acercó.

—¿No querrás decir unos twinkies y una Coca-Cola?

Rachel se sentó sobre la mesa y aceptó lo que él le ofrecía.

Johnny sonrió.

—Pierde algo en la traducción, ¿verdad?

—No había comido twinkies desde que era pequeña —declaró Rachel, tirando del paquete con las uñas.

El papel celofán no cedía.

— Venga, dame eso. —Johnny le quitó el paquete, se lo puso entre los dientes y lo abrió sin dificultad. Le entregó uno de los pastelillos dorados y extrajo otro del envoltorio. Le dio un mordisco enorme.

—¡Oye, ése es mío! —Rachel le lanzó una mirada enfadada mientras mordisqueaba delicadamente la punta del pastelillo que sostenía.

—Me muero de hambre. La mitad del mío se lo he dado a los patos —alegó él en un tono plañidero que la hizo sonreír. Luego pasó un dedo por el anillo de la lata de la Coca Cola, la abrió y se la ofreció. Rachel, agradecida, bebió un sorbo.

—Me sentiré mal después de comer esta porquería —dijo, dándole otro mordisco a su pastelillo.

—El peligro es la sal de la vida.

—Y yo que pensaba que era la variedad.

—Eso también.

Johnny dio otro mordisco gigantesco. Luego arrojó las migajas a los patos que se apiñaban en la orilla. Con un graznido y grandes aleteos, tres patos se acercaron para disputarse el premio. Otro, más astuto o más afortunado que sus compañeros, se apoderó del botín y huyó.

Johnny bebió otro trago de refresco, dejó el envase sobre la mesa y se secó la boca con el dorso de la mano.

—Rachel...

—¿Sí?

— Y ahora, ¿qué?

Rachel acabó su pastelillo, se limpió la boca con las puntas de los dedos para asegurarse de que no quedaban migajas y lo miró.

—¿A qué te refieres?
— Me refiero a nosotros.
—¿A nosotros?
—Sí, suponiendo que haya un «nosotros». No quisiera pensar que me ves como otra de tus conquistas.
Aunque una sonrisa le torcía la boca, Rachel percibió seriedad en sus palabras. Hizo una pelota con el celofán de los pastelillos.
—No lo he pensado, en realidad.
—Tal vez deberías pensarlo.
Rachel hundió las uñas en el celofán y se volvió para mirarlo a los ojos.
—¿Estás diciendo que quieres que... salgamos juntos?
—Salir juntos —repitió él—. Vaya, qué modo de decirlo. Sí, algo así.
—Podríamos ir a cenar.
Las palabras, tan difíciles de pronunciar, casi se le atascaron en la garganta. Más que nada en el mundo, deseaba tener una relación con él, una verdadera relación. Pero imaginarse cualquier tipo de futuro compartido con Johnny Harris era imposible.
—Ir a cenar estaría bien. Para empezar —dijo Johnny, y se bajó de la mesa con un salto ágil.
Se volvió, le puso las manos en la cintura a Rachel y la levantó. Al alzarla inesperadamente en el aire y sostenerla con los brazos extendidos, Rachel lanzó un chillido. Se aferró a los robustos antebrazos de Johnny para sostenerse. Johnny le sonreía, y no experimentaba dificultad alguna para sostenerla de esa manera. Rachel recordó una vez más cuánto más fuerte era él. La dorada luz del sol de la tarde jugaba en el rostro de Johnny, dándole a sus ojos azules un cálido resplandor que se reflejaba en su piel morena y en la blancura de sus dientes al reírse de ella. Johnny estaba tan guapo que a Rachel se le cortó el aliento.
Sintió un vuelco en el estómago al darse cuenta de que se estaba enamorando.
—Suéltame —dijo, en tono seco.
—No, no —dijo él, y siguió sosteniéndola en alto. Para demostrar su poder total sobre ella, echó a andar hacia el coche sin bajarla ni siquiera un centímetro.
— Por favor, suéltame —insistió ella.
No podía evitar el pánico. Le aterraba la idea de estar enamorada de Johnny Harris.
—Convénceme.
—¡Suéltame!
Su tono brusco irritó a Johnny, y la dejó en el suelo.
Cuando volvió a poner los pies en tierra firme, Rachel esperaba sentirse mejor, pero no.

—¿Qué pasa? —Se adivinaba la inquietud en la voz de Johnny.

Rachel ya se alejaba de él en dirección al coche. Sabía que estaba actuando mal, pero no podía evitado.

—¡Rachel!

Ella necesitaba estar a solas, necesitaba tiempo para resolver aquella terrible realidad, para considerar sus alternativas y decidir qué hacer. Desear a Johnny Harris estaba ya bastante mal. Amarlo, con todas las complicaciones que aquello traería consigo, era infinitamente peor.

—Es que mi hermana Becky está en casa. ¿No te lo he dicho? No puedo ir a cenar a ninguna parte. Debo irme a casa. Me había olvidado por completo de Becky. —Habló por encima del hombro, con voz temblorosa. Llegó al coche, abrió la puerta y subió.

—¿Qué tiene que ver que Becky esté en tu casa con que vayamos a cenar? —insistió Johnny.

Se asomó por la puerta abierta con una mano en el techo, impidiéndole cerrarla. Rachel miró aquel bello rostro y aquellos ojos azules. Se sintió deslumbrada por la mera fuerza de su impulso de aceptar cualquier cosa que él deseara. Se sentía como un explorador que hubiera caído en arenas movedizas. Ya estaba hasta el cuello y se hundía con rapidez.

—Michael, su marido, le ha dicho que quiere divorciarse. Mi hermana está alterada y tengo que volver a casa para estar con ella.

—¿El mismo Michael del que estuviste enamorada años atrás?

Rachel le lanzó una mirada interrogante.

—¿Cómo has sabido eso?

—Recuerdo aquel verano, cuando lo trajiste a casa contigo. ¿Sabes por qué lo recuerdo? Porque tuve celos. El único momento bueno de aquel otoño infernal fue cuando él te abandonó por tu hermana.

—Eso no lo creo.

—Pues créelo, es verdad —dijo Johnny, apretando los labios mientras la observaba un momento—. Hace mucho tiempo que te deseo, Rachel. Aunque tuviera muchas chicas, siempre pensaba en ti y en lo que hacías. Y ahora, ¿qué pasa con la cena? En el restaurante de Gino el pescado es estupendo.

—No puedo. Becky está tan alterada... —dijo Rachel, y su voz se fue apagando.

La confesión de Johnny sólo había servido para que ella confirmara lo que ya sabía. La situación entre los dos se estaba volviendo mucho más seria de lo que había previsto.

Durante un momento, Johnny la siguió mirando fijamente sin decir nada. Luego se incorporó, cerró la puerta, dio la vuelta al coche y subió junto a ella.

Rachel puso en marcha el Máxima.

—Mentira podrida —dijo él, cuando giró para volver al pequeño camino y luego realizó un gran viraje en círculo para dirigirse a la carretera.

—¿Qué? —Rachel lo miró, nerviosa. Johnny tenía los labios apretados y sus cejas se le juntaron sobre la nariz en una marcada arruga de disgusto.

—Ya me has oído. He dicho que es una mentira podrida.

—Te equivocas, es la verdad. Becky está en casa y...

—Puede que esté en tu casa y que su marido quiera divorciarse, pero eso no tiene nada que ver con que me mires... o no me mires. —La frialdad y el tono de sus palabras fue más cortante de lo que habría sido una furia directa. Mordiéndose los labios, Rachel se concentró en el camino. Al salir a la carretera desde la estrecha senda que atravesaba el bosque, le lanzó una mirada a Johnny.

—Nunca contestaste a mi pregunta, Rachel —dijo él, suavemente, girándose para mirarla a los ojos, antes de que ella pudiera hablar.

—¿Qué pregunta?

—¡Por amor de Dios, no apartes la vista del camino! —exclamó Johnny. Después guardó silencio. Al cabo de un rato, habló, con una voz tan suave que Rachel tuvo que hacer un esfuerzo para oírlo—. ¿Estás avergonzada de andar conmigo, Rachel?

—¡No! —replicó ella, volviendo a mirarlo. Espantada por la idea de que él pudiese creer algo así, repitió con más energía aún—: ¡No!

—No te creo —negó él en tono brusco.

—¡Es la verdad!

En ese momento pasaban frente al supermercado Seven-Eleven y doblaron por el camino que conducía hasta el instituto. Rachel sabía que le debía una explicación, pero antes tenía que poner en orden sus sentimientos. Estar enamorada de Johnny Harris no era una cosa sencilla, sobre todo en Tylerville. Las repercusiones podían ser desastrosas.

—¿Es la verdad?

—¡Está bien! ¡Vale! —exclamó Rachel—. Ésta es una situación complicada. Ya lo sabes. Yo soy profesora. Antes he sido profesora tuya. ¿Sabías que mi contrato dice que me pueden despedir si se me acusa de depravación moral? Y aun así no estoy muy segura de que tener amores contigo no constituya depravación moral. Además, eres cinco años menor que yo. ¿Qué te parece eso? Y tú... y tú...

Rachel fue incapaz de expresar cómo veían a Johnny los habitantes de Tylerville.

—¿Y yo soy un ex reo y me creen el paria del pueblo? —terminó él en su lugar. Al mirarlo, enmudecida por algo que percibió en su tono, Rachel comprobó que sus ojos se clavaban en ella, refulgiendo de ira—. Estoy bien para un polvo de cuando en cuando a escondidas, pero no soy lo más indicado para que a una dama como tú la vean conmigo en público.

Rachel se mordió los labios, angustiada.

—¡Joder, mira el camino! —ladró él, y cogió el volante para enderezar la dirección del coche.

Después de eso, los dos guardaron silencio durante un momento. Rachel tuvo que concentrarse en conducir hasta llegar al instituto y detener el coche junto a la moto de Johnny. Luego, con las manos todavía encima del volante, se volvió hacia él.

—Créeme, Johnny, por favor. No me avergüenzo de ti. Sólo necesito un poco de tiempo, un poco de espacio.

—Espacio —repitió él, torciendo la boca al sostenerle la mirada por un instante. Abrió la puerta y bajó del coche. Una vez fuera, se apoyó en la puerta para mirarla. —Tómate todo el tiempo y todo el espacio que necesites, profe. Después, si decides que puedes manejar lo que hay entre nosotros, llámame, ¿vale?

La ira fría que teñía sus palabras azotó a Rachel como un látigo.

—Johnny... —empezó a decir en tono implorante, sin saber siquiera qué pensaba decir.

Pero él no le dio ocasión de terminar. Cerró la puerta violentamente, abrió la de atrás, sacó su chaqueta del asiento y se la puso. Luego subió a su moto y se colocó el casco. Lo hizo todo en menos tiempo del que Rachel hubiera creído posible.

Estaba todavía sentada en el coche, tratando de pensar cómo expresar exactamente lo que quería decirle, cuando Johnny arrancó y partió sin mirar atrás.

CAPITULO 25

El viernes fue el día más desdichado de la vida de Rachel. En primer lugar, tal como ella había previsto, se hablaba de su escapada con Johnny Harris en todo el instituto. Tan pronto como llegó allí, los ojos fascinados de los adolescentes se clavaron en ella. Rachel sabía que era objeto de chismes, y su convicción se confirmó cuando pasó cerca de varios grupos porque los alumnos y los demás profesores callaban. En la sala de profesores y durante la comida, cuando ella tomó a su cargo varias mesas, sucedió lo mismo. Pero no lo supo con certeza hasta que sonó la campana del final de clase, cuando el señor James se presentó a su puerta al mismo tiempo que sus alumnos salían en tropel.

Rachel estaba reuniendo los ejercicios que tenía que llevar a casa durante el fin de semana festivo, pero se detuvo para mirar inquisitivamente al director, vestido con un traje gris.

—¿Tiene grandes planes para el fin de semana, Rachel? —preguntó el señor James al entrar en el aula.

El director se acercaba a la edad de la jubilación, pero su porte severo lo hacía parecer mucho mayor. Con su espeso cabello gris alisado hacia atrás, su físico robusto y su tendencia a hablar mascullando, siempre le había recordado a Rachel la interpretación que Marlon Brando hacía de Don Corleone en *El Padrino.*

—En realidad, no —dijo ella sonriendo. Él se acercó y observó cómo guardaba en una carpeta las composiciones que era necesario descifrar y luego calificar—. ¿Y usted?

El director se encogió de hombros.

— Pues no. Bess y yo —agregó, refiriéndose a su esposa, una mujer de unos cuarenta años— nos quedaremos en casa a descansar. No vendrá ninguno de nuestros hijos.

—Suena como algo agradable, sin duda —comentó Rachel. Reunió los últimos papeles, la carpeta y algunos libros que debía preparar para las lecciones de la semana siguiente, y se quedó esperando. El señor James nunca entablaba una conversación insustancial. Había ido a verla con algún objeto y Rachel estaba muy segura de qué se trataba.

—Sí, sin duda —replicó James. Se aclaró la garganta y Rachel supo que estaba a punto de contarle el motivo de su visita—. Hoy, algunas de las chicas le contaron una historia algo inquietante al señor Wylie. —Wylie era el consejero de las alumnas. Rachel alzó las cejas. El director continuó—. Dijeron que ese jovencito, Harris, vino ayer al instituto. Y que usted se fue en su coche con él.

—Johnny Harris ha sido alumno mío —respondió Rachel, con calma. Aunque había previsto que tendría aquella conversación, su resentimiento fue instintivo. Le disgustaba que sus actos fuesen puestos en tela de juicio y oír que en todas partes la gente se refiriera a Johnny como «ese jovencito, Harris». Aquello comenzaba a irritarla.

—Entonces, ¿es verdad? —La mirada inquisitiva de James relucía tras sus gafas de montura negra.

—¿Que él vino a la escuela a verme y que salimos de paseo en mi coche? Sí.

—Espero que haya sido algo excepcional. Sin duda sabrá que no podemos consentir que alguien como él merodee por el instituto.

—¿Qué quiere decir con «alguien como él»? —Un deje de ira tornó brusca la voz de Rachel. El director pareció sorprendido por su actitud.

—Un hombre del que se sabe que persigue a las adolescentes, por supuesto. Tenemos una obligación hacia los padres...

—Johnny Harris jamás perseguiría a una adolescente. Lo conozco desde que él mismo era un adolescente, y estoy tan convencida de su inocencia en la muerte de Marybeth Edwards como de... de la suya, puesto que no tengo otra comparación de que echar mano. Él es...

—Un tribunal de justicia lo condenó por ese asesinato y lo sentenció. El que haya pagado su deuda a la sociedad no revoca de ningún modo nuestro deber hacia nuestros alumnos o sus padres. Debemos proteger a los niños que han sido confiados a nuestro cuidado. Aunque esto se oponga a lo que sintamos con respecto a la falta de justicia en su proceso hace diez años.

El tono amable de James mitigó la aspereza de su reprimenda. No obstante, Rachel se puso furiosa.

—¿Corre peligro mi puesto si Johnny vuelve al instituto, señor James?

—Usted sabe tan bien como yo que tiene el puesto asegurado, Rachel. Apelo a su conciencia, antes que a su temor de quedarse sin trabajo.

—Mi conciencia está limpia, se lo aseguro. Y ahora, si me lo permite...

—Desde luego. Lamento si se ha molestado, pero ya sabe lo que se dice sobre los consejos a la gente sabia. Confío en que esta vez será consejo suficiente.

—Que tenga un buen fin de semana, señor James —repuso Rachel, con voz tensa, antes de salir por la puerta, adelantándose al director.

Se había calmado un poco al llegar a casa. Después de todo, la actitud del señor James no era inesperada, y era una de las razones por las que había decidido que no podía dejar que su relación con Johnny Harris continuara sin pensarlo muy en serio. Al ver el Lexus negro aparcado frente a la casa, recuperó su habitual talante plácido.

Había llegado Michael, probablemente para llevarse a Becky y a las niñas.

Tan pronto como entró Rachel, su madre la recibió con un susurro de advertencia.

—Ha venido Michael —informó.

En el patio se oían las risas agudas de las pequeñas. Rachel miró por la ventana de la despensa mientras depositaba sus libros sobre la mesa. Vio que Tilda estaba con las chicas jugando una animada partida de bádminton.

—¿Lo saben las niñas?

Elisabeth negó con un gesto de cabeza.

—Tilda las mantiene entretenidas. Creo que quiere que Becky vuelva con él.

—¿Y Becky? —preguntó Rachel.

Sacó de la nevera un frasco de zumo de naranja. Esas bebidas, compradas para las niñas, habían pasado a ser de inmediato las preferidas de toda la familia. Rachel introdujo la pajita y bebió con deleite. Elisabeth sacudió la cabeza.

—No lo sé. Hace casi una hora que están en la biblioteca y no he oído nada. Quise quedarme cerca por si Becky me necesitaba. Se altera tan fácilmente, ya sabes. Sólo espero que Michael haya recuperado la sensatez. Estoy segura de que si así es, Becky lo perdonará.

Con una mueca de duda, Rachel sorbió otro trago de zumo.

—Subiré a cambiarme y a saludar a papá. Si me necesitas, llama.

Elisabeth asintió con un gesto de cabeza.

—Ah, y de paso, Rob telefoneó anoche, después de que te acostaste. Le dije que lo llamarías hoy. Y también llamó Ben, de la tienda.

Cuando estaba a punto de salir, Rachel se detuvo y miró por encima del hombro.

—¿Ha llamado alguien más? —preguntó.

Su madre negó con la cabeza.

Recordando la conducta anterior de Elisabeth con las llamadas de Johnny, Rachel le dirigió una mirada cargada de severidad.

—¿Estás segura?

—Claro que lo estoy.

—Johnny Harris fue a verme a la escuela ayer. Me dijo que esta semana me llamó varias veces, pero que tú le dijiste que yo no estaba en casa.

—Si he dicho eso, estoy segura de que era cierto —se defendió Elisabeth.

—Nunca te molestaste en decirme que había llamado, mamá.

—Es probable que lo haya olvidado. Ya sabes que suelo olvidarme de las cosas. Especialmente con todo lo que está pasando aquí estos últimos días. Vaya, me asombra que recuerde algo siquiera –siguió justificándose Elisabeth, mientras agitaba las manos con aire desvalido, pero Rachel, que conocía bien a su madre, sabía que era tan desvalida como un toro de lidia.

—Nunca has olvidado nada en tu vida, lo sabes muy bien. Soy una mujer adulta, mamá. Quién me telefonea o con quién salgo es asunto mío, no tuyo. Creí haber aclarado eso.

—¿Acaso esperas que te llame ese jovencito? —inquirió Elisabeth con brusquedad.

—No se trata de eso, madre.

—En cuanto a mí se refiere, sí. ¿Qué clase de mujer sería si no me preocupara por ti? Eres mi hija, Rachel, no importa cuántos años tengas. Detestaría que te metieras en una situación difícil.

—No me estoy metiendo en situaciones difíciles —suspiró Rachel.

—Yo llamaría una situación difícil a acostarte con ese jovencito.

—¡Madre!

Rachel estaba realmente escandalizada, tanto por la franqueza de su madre como por lo que ésta sabía.

—¿Creías acaso que no lo sabía, Rachel? Soy lo bastante lista como para sumar dos y dos.

Aunque sintió que se sonrojaba, Rachel se resistió a bajar la vista.

—¿Acaso lo niegas? —insistió Elisabeth.

—No niego nada —replicó Rachel, recuperando en parte el aplomo perdido—. Ni tampoco reconozco nada. No es un asunto de tu incumbencia, mamá.

—¡Que no es de mi incumbencia que mi hija tenga relaciones con un asesino! ¿Acaso debo ignorarlo también cuando te ataque con un cuchillo?

—Johnny jamás...

—¡Bah! —la interrumpió su madre con indignación—, de eso puedes estar tan poco segura como yo de que tu padre mejorará algún día. Tal vez yo crea que eso sucederá, pero es posible que no sean más que mis deseos. Y probablemente a ti te pasa lo mismo.

Madre e hija callaron unos instantes. Flotó en el aire la innegable verdad de aquella afirmación. Luego Rachel apretó los labios.

—Voy a cambiarme de ropa, mamá —dijo, y se volvió para subir la escalera.

De pronto se abrió la puerta de la biblioteca.

Al volverse, Rachel vio a Michael. Detrás de él estaba Becky, pálida pero sin lágrimas. Elisabeth también se volvió hacia su yerno.

Por un momento, Michael y las dos mujeres se miraron fijamente en silencio. A Michael se le veía más avejentado que cuando Rachel lo había visto en Navidad. Él no había podido venir para Pascua ni para el cuatro de julio, cuando Becky llevó a las niñas para que pasaran una semana con su tía y sus abuelos. En torno a sus ojos, las ojeras delataban noches sin dormir, y detrás de sus orejas el tono de su pelo canoso recordó a Rachel que Michael había cumplido cuarenta años el pasado mes de junio. Tenía la piel pálida como todas las personas que se exponen rara vez al sol. Estaba sin afeitar y la barba incipiente tornaba áspera su cuadrada mandíbula. Alto y delgado, moreno y bien parecido con su traje azul, era la imagen misma del próspero abogado blanco anglosajón y protestante. A Rachel le resultó difícil creer que alguna vez hubiese estado enamorada de él.

A juzgar por la expresión de Michael, era claro que no le agradaba encontrarse ante las miradas escrutadoras de su suegra y su cuñada.

—Hola, Rachel—dijo al fin, ya que presumiblemente había saludado a Elisabeth al llegar.

Rachel lo saludó apenas con un gesto y miró a Becky, que parecía abatida. Estaba claro que no se habían solucionado las diferencias entre ambos. Pese al afecto que había sentido por Michael durante mucho tiempo, en aquel momento de crisis estaba totalmente del lado de Becky.

—¿Quieres que te traiga café, o un bocadillo, Michael? —inquirió Elisabeth, algo nerviosa.

—No, gracias, Elisabeth. Tengo una cita para cenar. Me despediré de las niñas y me iré.

—¿Que te despedirás de las niñas? —rió Becky con un sonido agudo y casi histérico, llevándose las manos al pecho. Michael se volvió hacia ella. Desde donde estaba, Rachel vio la mirada de odio que le dirigió a su hermana. Diez años antes, Becky había amado tan desesperadamente a Michael que resplandecía cada vez que pronunciaba su nombre. El contraste entre cómo habían estado juntos entonces y la situación actual entristeció y enfureció a la vez a Rachel. ¿Acaso no había nada perdurable en esta vida?—. ¡Con qué calma lo dices! ¿No te has detenido a pensar en las consecuencias de un divorcio? —agregó Becky, con voz chillona.

—Los niños se adaptan —alegó Michael, con voz seca. Su postura transmitía tensión. Rachel observó con sorpresa que tenía los puños apretados. El Michael que ella había conocido era muy seguro de sí... No recordaba haberlo visto jamás perder los estribos. Pero, por otro lado, ella lo había conocido sólo durante un verano en su condición de novio. Tal vez el joven de quien ella se había enamorado había sido un producto de su imaginación.

—¡Tú eres su padre! —exclamó Becky, desde el fondo de su corazón.

Michael se puso rígido. Se apartó bruscamente de su esposa, pasó sin decir una palabra frente a Rachel y Elisabeth y salió por la puerta de atrás dando un portazo.

Por un momento, las tres mujeres quedaron paralizadas. Luego Rachel se recuperó y se acercó de prisa a su hermana. Elisabeth se adelantó y abrazó a Becky.

—Vino a preguntarme qué pensaba de la idea de vender la ca... casa —gimió Becky—. Pasará la noche en un hotel y vendrá mañana para hablar de ello. Dijo... dijo que una buena noche de sueño me ayudaría a verlo todo en la perspectiva más correcta.

— Es un hijo de puta. —dijo Elisabeth en tono vehemente.

Rachel, que nunca había oído a su madre decir palabrotas, asintió, expresando su sincero acuerdo. Luego apoyó su cabeza contra la de Becky con silenciosa compasión mientras su hermana rompía a llorar.

CAPITULO 26

La merienda campestre del día del Trabajo, celebrada anualmente en Tylerville, tuvo lugar la noche del sábado y, como de costumbre, acudieron casi todos los habitantes. Era un acontecimiento festivo que empezaba a las seis en punto y terminaba a medianoche con una deslumbrante explosión de fuegos artificiales. La banda local tocaba música country y temas de rock, instalada en la pérgola situada en medio de la plaza del pueblo. Al pie de la tarima había adolescentes sentados en mantas o tendidos en el césped, pidiendo a gritos canciones a la banda. Las calles cercanas estaban cerradas al tránsito; los niños corrían desenfrenados, se perseguían y eludían con segura destreza a sus exasperados padres. Los adultos estaban reunidos para disfrutar de una cena en las instalaciones del nuevo cuartel de bomberos junto a la plaza. Los momentos más destacados de la velada incluían la caza de un cerdo engrasado, auspiciada por el Club Cívico de Tylerville, y un viaje en globo al módico precio de un dólar. Cuando llegó Rachel, a las siete menos cuarto, había unas ciento cincuenta personas esperando en la fila para el paseo en globo. Nadie se desanimaba ante el globo amarrado que sólo se elevaba siete metros antes de que lo devolvieran a tierra para el siguiente grupo de pasajeros.

En el grupo de Rachel estaban Rob, Becky, las niñas y Elisabeth. Había vacilado en aceptar la invitación de Rob, pero al ver que ésta incluía al resto de la familia, ofreciéndoles compañía, no vio motivo alguno para rechazarla. Becky necesitaba salir para distraerse y sus hijas, más agitadas que de costumbre por la crisis que afectaba a su joven vida, tenían que canalizar su exceso de energía. Aunque Rachel lamentaba lo de Johnny, se negaba a entregarse a ese dolor. Desaparecería..., tendría que desaparecer. Las palabras de su madre sobre ilusiones sin fundamento en la realidad —que incluían no sólo el tema de la culpabilidad o inocencia de Johnny Harris sino las perspectivas a largo plazo de cualquier relación que ellos pudieran iniciar— habían caído en terreno bien abonado.

Loren, que tenía cinco años, tiraba entusiasmada de la mano de Rachel.

—Tía Rachel, ¿podemos ir de paseo en globo?

—Después de que comamos —intervino Becky antes de que su hermana pudiera responder afirmativamente.

Rachel había llevado a las dos mayores al cine a primera hora de la tarde, mientras Becky y Michael seguían hablando. Elisabeth, que se había quedado con la pequeña Katie, dio a entender a Rachel que la visita de su yerno no había tenido éxito. A los quince minutos de estar juntos, Becky había salido corriendo y se había encerrado en su cuarto a llorar. Michael había prometido fríamente que volvería al día siguiente. Pero cuando Rob pasó a buscarlas para la merienda al aire libre, Becky ya se había calmado y, salvo la leve irritación de sus ojos, no había indicios que revelaran su angustia. Cuando Rachel le explicó la situación a Rob, que sin duda apreciaba el coraje de Becky, él dedicó gran parte del viaje al pueblo y el paseo hasta la plaza a contar chistes tontos y anticuados con la intención de levantarles el ánimo. Cuando se sumaron al gentío que rodeaba las mesas repletas de comida, Rachel pensó que si escuchaba una más de aquellas idioteces le vaciaría su vaso de té helado en la cabeza.

Pero Becky se estaba tranquilizando y hasta sonreía un poco con los chistes de Rob. A Rachel se le ocurrió que tal vez corría peligro de perder a un segundo hombre por culpa de su hermana. Sin embargo, la verdad era que en este caso no le importaba.

—¡Katie, no, eso está caliente!

Rachel se abalanzó para sujetar a su sobrina menor, que la emprendía con la cafetera de plata colocada en el extremo de una larga mesa. Agarró a tiempo a la pequeña, la alzó y la tranquilizó con un pastelillo robado de la mesa de los postres. Costaban veinticinco centavos cada uno, pero la fila para pagar era larga. Rachel decidió dejar que Katie se comiera en seguida la golosina y pagar por ella más tarde, junto con su propio plato.

—Déjame llevarla a mí, Rachel —murmuró Becky cuando su hermana se acercó de nuevo al grupo.

Katie, que tenía el rostro embadurnado de chocolate, sacudió con fuerza la cabeza, sonriendo a su madre.

Rachel abrazó a su sobrina riendo, sin molestarse siquiera cuando Katie le dio una palmada en la cara con una mano pegajosa. Becky, exasperada, chasqueó la lengua y con una servilleta de papel le limpió la cara a su hija. La servilleta quedó tan sucia que no pudo limpiarle la mejilla a Rachel.

—Te ha llenado la cara de chocolate —le susurró Rob a Rachel.

—No te preocupes, ya me lo quitaré.

Con su propia servilleta, Rob le limpió la cara. Rachel le sonrió para agradecerle su atención.

—Tus sobrinas son muy monas —dijo él.

—¿Verdad que sí?

Rachel besó la mejilla regordeta de Katie. Luego tomó un plato para servirse del aparador. Amigos y vecinos saludaban en voz alta a las tres Grant. Se produjo un gran alboroto en torno a Becky y sus hijas, que no visitaban Tylerville con mucha frecuencia. Becky estaba muy guapa, con un vestido verde hasta los tobillos, sin mangas y escotado por la espalda. Rachel, que había optado por ponerse pantalones cortos y una camisa amarilla también de manga corta, no dejó de advertir el interés que Becky despertaba entre los hombres. Si a Michael ya no le interesaba su esposa, ésta no se quedaría sola. Rachel se alegró al descubrir que la atracción que suscitaba Becky le agradaba en lugar de irritarla, como había ocurrido hacía años.

Rachel charlaba con todos y, cuando se lo pedían, se giraba amablemente para que contemplaran y admiraran a su sobrina Katie. Por alguna razón desconocida, la bendita Katie había decidido portarse bien. Reía, palmoteaba y decía «hola» a todos los que le hablaban. «Angelito», «muñequita» y «mirad qué niña más mona» eran algunos de los comentarios que llovían sobre Katie. En medio de la lluvia de elogios, Rachel descubrió que no era fácil sostener a una niña de dos años que se retorcía en sus brazos y tratar al mismo tiempo de llenar un plato y desviar las manitas pringosas de su sobrina. Afortunadamente, Rob acudió en su ayuda, tomó el plato de Rachel y lo llenó según sus instrucciones. Lisa y Loren ya eran lo bastante mayores como para arreglárselas solas, con una pequeña ayuda de su madre y su abuela. Finalmente, el grupo entero consiguió trasladarse a una de las mesas instaladas bajo los árboles.

Rachel depositó en el suelo a Katie y se sentó con un suspiro de alivio. Pese a ser tan pequeña, era como si la niña pesara una tonelada. Aún había luz de día, y duraría hasta casi las nueve, pero el calor ardiente del día se había suavizado y la tarde era cálida y acogedora. Era agradable conversar con familiares y amigos, escuchar la música que estaba a la distancia precisa, oír a los niños que reían y jugaban al escondite por toda la plaza. Era agradable incluso cortar la comida del plato de su sobrina para complacerla.

—Quiero otro pastelito —anunció Katie, mirando con mala cara el plato lleno en la mesa.

—Después de que comas —dijo Rachel, mientras cortaba en trozos pequeños el jamón de la niña.

—¡No, ahora!

—Pórtate bien, Katie —advirtió Becky desde el otro lado de la mesa.

—Mamá, no irá a tener una rabieta, ¿verdad? —inquirió Lisa en voz baja y con tono de disgusto.

Igual que el resto de la familia, Lisa conocía la propensión de su hermana menor a coger rabietas cuando las cosas no se le daban bien.

—¡Pastelito!

—Mamá...

—Tía Rachel, ya he terminado. ¿Podemos ir ahora de paseo en globo? —Loren se apartó de la mesa y se acercó a Rachel.

—Antes deja que tía Rachel coma, cariño —dijo Becky.

—Tía Rachel...

—Iremos, cariño, te lo prometo. Pero estoy hambrienta, y si no como el viento me arrastrará.

—¡No es verdad!

—Loren, vete a jugar —dijo Becky, levemente irritada.

—¡Pastelito!

—Katie, preciosa, ¿no quieres comerte ese jamón tan bueno que tienes en tu plato? Hazlo por tu abuela. ¿O qué tal un poco de macarrones con queso? —sugirió Elisabeth, ofreciendo a la niña su tenedor cargado.

—¡Pastelito! —insistió Katie, y le lanzó una mirada de animosidad a su abuela.

—Katie, ¡cállate y come! —exclamó Becky con voz tensa, mirando a su hija menor.

Sentada entre Rachel y Rob, Katie estaba adorable con sus trencitas rubias y su delantal azul, con el labio fruncido y sus bracitos cruzados en el pecho en actitud desafiante. Lisa, sentada entre su madre y su abuela frente a Katie, y Loren, que seguía corriendo alrededor de la mesa, fijaron en su hermanita idénticas miradas de disgusto.

—¡Pastelito, pastelito, pastelito, pastelito!

Era un chillido penetrante. Varias cabezas se giraron en las mesas vecinas.

—Mamá, ¿no puedes hacer algo? —inquirió Lisa en voz baja, acurrucándose en su asiento.

Loren se detuvo para observar la diversión.

—¡Basta ya, Katie Lynn Hennessey! Así no se porta una señorita —dijo Elisabeth, intentando apaciguar a su obstinada nieta con tono severo, sacudiendo la cabeza.

—Por favor, mamá, antes de que le dé un ataque.

La súplica de Lisa era apremiante.

—¿Qué quieres que haga? —dijo Becky a Lisa entre dientes—. ¡Rachel, cuidado!

Pero la advertencia de Becky llegó demasiado tarde.

Gritando « ¡pastelito, pastelito, pastelito!» a pleno pulmón, Katie derribó el plato lleno hacia un lado. Éste resbaló por el borde de la mesa y cayó sobre las rodillas de Rob.

—¡Oh, no! —exclamó Rachel, casi sin aliento.

—¡Ay, Dios! —gimió Elisabeth.

—¡Katie Hennessey! —recriminó Becky con un fuerte grito.

—¡Maldita sea! —rugió Rob.

Las exclamaciones de disgusto fueron simultáneas.

Rob se levantó de un salto y limpió lo que pudo de sus pantalones impecablemente planchados. Rachel, que sujetaba a Katie mientras ésta chillaba y pataleaba, observó los desperfectos en los pantalones de Rob y quedó espantada. Había de todo pegado a la elegante y costosa prenda: jamón, puré de patatas, salsa, macarrones y queso, gelatina de cereza y ensalada de fruta.

—¡Qué vergüenza! —dijo Becky, llegando del otro lado de la mesa para llevarse a su hija, que bramaba.

Por un momento, apenas un instante, Rob miró a Katie con profunda ira en los ojos. Al ver su expresión, Rachel quedó pasmada. Después de todo, Katie no era más que una chiquilla, y su acción no tenía nada de sorprendente en una niña de su edad. Era evidente que no había sido un gesto deliberado. ¿Era ése el hombre de quien ella había pensado que sería un padre bueno y paciente?

—Lo lamento mucho —dijo Becky para disculparse ante Rob, y al mismo tiempo hacía lo posible por sujetar a su hija, presa de un berrinche en toda regla.

—¡Mala, mala! —susurró Elisabeth, intentando acudir en ayuda de Becky y sacudiendo un dedo acusatorio ante Katie.

Las hermanas mayores de Katie, avergonzadas por lo que había hecho su hermanita, se escabulleron sin que nadie se diera cuenta.

—No te preocupes. No ha sido culpa suya —dijo Rob, que había recuperado sus buenos modales.

Ahora, entristecido, se pasaba una servilleta por los pantalones sucios. Rachel mojó su servilleta en un vaso de agua y se agachó para ayudarlo.

El estruendo de un motor desvió su mirada hacia las barreras que cerraban la calle, junto al aparcamiento de los bomberos. Le sorprendió haber oído el ruido pese al llanto de Katie, de los agudos compases de la banda, el siseo del globo y la charla animada de los vecinos de las mesas circundantes.

De algún modo, debía de estar sintonizada con la moto de Johnny Harris. Porque era exactamente el ruido de su moto. Ante la barrera, Johnny la desvió haciendo un amplio arco y regresó por la calle abierta, alejándose de todos los vecinos cordialmente reunidos.

En el asiento de atrás iba montada una mujer. Su casco le ocultaba el rostro, pero a juzgar por su cuerpo y los mechones de su pelo rubio rizado agitado por el viento, Rachel comprendió que la acompañante de Johnny era Glenda Watkins.

Se sintió desconsolada al pensar que podría haber sido ella quien ocupara el lugar de Glenda.

CAPITULO 27

—¿Te quedan cervezas?

Repantigado en el desvencijado sofá de la sala de estar de la caravana de Glenda, Johnny estaba inquieto. En la televisión pasaban un programa especial sobre las mariposas venenosas del Amazonas, o algo por el estilo. Con la cabeza apoyada en las manos, Jeremy observaba, absorto. Jake, de cuatro años, sentado muy contento en las rodillas de Johnny, tenía la mirada clavada en el televisor, aunque Johnny estaba seguro de que, al igual que él, el niño no tenía idea de lo que sucedía en la pantalla.

—En la nevera —contestó Glenda, que estaba en el cuarto de baño bañando a sus dos hijas. En la sala de estar se oían chapoteos y risas debido al pequeño tamaño del remolque. Johnny no lograba explicarse cómo podía vivir así, sin enloquecer, en un espacio consistente en dos diminutas habitaciones, una sala de estar donde apenas cabían una butaca, un sofá y un televisor. Una cocina minúscula y un cuarto de baño igualmente pequeño. Y cuatro chicos.

—Jeremy, ¿me harías el favor de traerme una cerveza? La única respuesta fue el silencio. Jeremy estaba tan absorto en el programa que no lo oyó. Johnny pensó en volver a intentarlo alzando la voz, pero decidió no hacerlo. Dejaría al chico mirar la televisión en paz.

—Venga, chaval, que me tengo que ir —le dijo a Jake. Éste, obediente, se dejó depositar encima de la butaca.

Johnny se incorporó, se desperezó y entró en la cocina, descalzo, en busca de una cerveza. Había dejado las zapatillas deportivas debajo del sofá. Se las había quitado Jake, que comenzaba a cultivar una pasión por los cordones.

Abrió la puerta de la nevera y, con sorpresa, vio una sola caja de seis cervezas. Habría jurado que había dos cajas. ¿Cuántas cervezas se había tomado?

«Al fin y al cabo, ¿qué importa?», pensó, mientras sacaba una lata y la abría.

—Oye, Johnny, pásame un refresco —pidió Jeremy mirando por encima del hombro.

—¡Nada de refrescos! —gritó Glenda desde el cuarto de baño.

Jeremy se encogió de hombros. Johnny llenó un vaso de leche y se lo llevó. Era realmente conmovedor el esfuerzo de Glenda por ser una buena madre para sus hijos. Haciéndoles beber leche en lugar de refrescos, por ejemplo. Bañándolos todas las noches. Leyendo libros a los más pequeños, aunque Glenda nunca había leído nada más complicado que un libro de cocina. Se aseguraba de que Jeremy y Ashley, que a sus seis años era la niña mayor, hicieran sus deberes todas las noches. A Glenda no la habían criado con tanto esmero. Johnny sabía que había tenido una infancia casi tan dura como la suya, y apreciaba su esfuerzo por dar a sus hijos una vida mejor.

Al menos, desde que habían empezado a salir juntos, él se ocupaba de que siempre hubiera comida en la nevera. Él mismo había sufrido hambre a menudo, y no soportaba pensar que hubiera niños que no tuvieran comida suficiente.

—Ajj —dijo Jeremy, sin alzar la vista, cuando Johnny depositó el vaso junto a él en el suelo.

—De nada —replicó, seco, Johnny, y se volvió a acomodar en el sofá a beber su cerveza.

Jake trepó de nuevo a sus rodillas y apoyó la cabeza rizada en el pecho de Johnny. Pobre chico, no veía casi nunca a su padre y era evidente que anhelaba que un hombre se ocupara de él.

—¡Cuéntanos un cuento! ¡Cuéntanos un cuento!

Eran Ashley y su hermana, que salieron del cuarto de baño e irrumpieron en la sala de estar. Saltaron sobre las rodillas de Johnny. Recién bañadas, con el cabello rubio recogido y vestidas con unos camisones arrugados, estaban tan monas que él las perdonó por derramarle la cerveza.

—Pero que no sea de miedo —pidió solemnemente Lindsay, de tres años, al instalarse sobre la rodilla que no ocupaba Jake.

Celoso de sus prerrogativas, Jake empujó a su hermana. Lindsay le devolvió el empujón.

—Uno de monstruos —pidió Ashley con mirada pícara, acurrucándose lo más cerca posible de Johnny.

—¡De miedo, no! —insistió Lindsay, gritando y empujando a su hermana.

—¿Por qué no os calláis las dos? —intervino Jeremy alzando la voz.

—¡Bueno, es hora de irse a la cama! —Glenda entró en la sala dando palmadas. Tenía empapada la camisa y la parte delantera de los vaqueros. No llevaba puesto el sujetador. Johnny se percató sin que aquello le despertara interés, aunque Glenda era una mujer de figura voluptuosa. ¡Al diablo con todo eso! ¿Qué le pasaba a él? Conocía la respuesta, y el saberlo no lo hacía feliz. Glenda no era la mujer que él deseaba.

La mujer que él deseaba había pasado la tarde en aquella maldita merienda al aire libre. A él seguramente lo habrían expulsado a golpes si hubiera tenido la osadía de aparecer, y ella estaba con otro hombre. El prototipo del ciudadano respetable e íntegro. Ese cretino.

Johnny bebió otro trago de cerveza.

—¡Ay, mamá! —clamaron a coro las cuatro voces.

—¡Esto va en serio! ¡Todos a la cama! Contaré hasta tres, y el último tendrá que sentarse en medio del asiento de atrás mañana en la iglesia.

La amenaza tuvo un resultado inmediato. Los tres ocupantes del sofá se precipitaron hacia sus camas. Jeremy se incorporó y apagó el televisor.

—No es más que una treta, mamá —dijo Jeremy—. Sabes que siempre soy yo el que tiene que sentarse en el medio para que los pequeños no se peleen —agregó, malhumorado.

—Siempre eres el último en acostarte —replicó Glenda, y le revolvió el pelo cuando pasó a su lado rumbo a la habitación, que comunicaba directamente con la sala de estar. Ella compartía la más grande con las dos niñas.

—¡Tengo miedo, mamá! —llamó Jake quejumbrosamente desde la otra habitación.

—Ve con él, Jeremy—dijo Glenda, mirándolo por encima del hombro.

—¿Por qué tengo que ser yo?

—¡Porque sí!

—¡Mierda! —dijo en voz baja Jeremy.

Afortunadamente para él, su madre no lo oyó.

Johnny acabó la cerveza y abrió otra mientras oía la voz de Glenda leyendo a sus hijas un cuento para dormirse. Desde el otro lado de la caravana, oyó a Jeremy leyéndole un cuento a Jake. Desde que él los visitaba, los había visto hacerlo de esa manera. Glenda les leía cuentos a las niñas y Jeremy hacía lo mismo con Jake.

Cuando Glenda salió de la habitación, le sonrió y se llevó un dedo a los labios mientras cerraba la puerta. Luego, pasó junto al televisor apagado y fue a dar las buenas noches a sus hijos varones.

Johnny bebió su lata de cerveza y fue a buscar otra a la cocina. Al tirar, descubrió que cada vez era más difícil sacar las latas de los malditos anillos de plástico. Los tres que aún quedaban enganchados cayeron de la nevera y le dieron en el dedo gordo del pie.

—¡Aayy! ¡Me cago en la hostia!

La lata que sostenía cayó y rodó por el suelo. Johnny brincaba sobre un pie, maldiciendo mientras Glenda salía de la habitación y lo miraba enfadada.

—¡Calla!

—¡Es que me he dado en el jodido pie!

—¡Sssshhh!

Johnny recogió el envoltorio semivacío. Sosteniéndolo con un dedo, trató de apoyar el pie en el suelo.

—¿Quieres ver un vídeo? —preguntó Glenda.

Sin compadecerse del dolor de Johnny, le mostró desde el televisor una cinta.

Con un gruñido, Johnny volvió a meter las cervezas en la nevera y recuperó la que se había caído y rodado debajo de un armario. Cojeando se dirigió al sofá, donde se desplomó. Se masajeó el dedo a través del grueso calcetín deportivo. Era probable que el maldito dedo estuviera roto. Entre tanto, Glenda introdujo la cinta en el aparato de vídeo y se acurrucó junto a él.

Johnny ya había visto la película. Glenda, que le frotaba con ternura el muslo sin dejar de mirar la pantalla, buscaba algo que él no tenía particulares ganas de hacer. Con un solo pie, buscó sus zapatillas deportivas bajo el sofá. ¡Conque allí estaban!

—Tengo que irme, nena —dijo, agachándose para recuperar las zapatillas. Bebió un último trago después de abrocharse los cordones y dejó la lata en el suelo.

—¿Ahora? —preguntó ella, irritada.

—*Lobo* está solo en casa. Si no lo dejo salir, provocará un desastre.

—Deberías domesticar a ese perro.

Johnny dejó escapar un gruñido y se incorporó. El movimiento lo mareó y lo hizo tambalearse.

—¿Cuantas cervezas te has bebido? —preguntó Glenda, que se incorporó y lo sostuvo poniéndole una mano en el brazo.

Johnny se encogió de hombros. Luego, apartándose de ella, buscó las llaves en el bolsillo.

Glenda fue a la nevera y miró dentro. Regresó donde estaba Johnny sacudiendo la cabeza.

—Tú no irás a ningún sitio, tío —dijo, y se apoderó hábilmente de las llaves que él acababa de sacar del bolsillo.

—¡Devuélveme las llaves!

—¡No! —Glenda retrocedió ocultando las llaves detrás de la espalda—. Oye, estás bebiendo demasiado.

—¡Qué dices! Dame las llaves —dijo Johnny, acercándose a ella. La rodeó con los brazos e intentó arrancarle las llaves de las manos.

—Si te detienen por conducir borracho, sabes que volverás a la cárcel.

La advertencia lo hizo pensar. —No estoy borracho —alegó.

—Sí que lo estás.

Johnny la soltó y volvió a desplomarse en el sofá.

—Pues me quedaré a dormir —dijo, sabiendo qué pensaría ella de aquella proposición.

—No puedes. Tom podría enterarse y lo usaría contra mí en el juicio de divorcio —alegó Glenda.

Tom era su casi ex marido.

—Entonces, dame las llaves.

Glenda se quedó un momento inmóvil, indecisa. Se mordía una uña, mientras las llaves le colgaban de la otra mano. Johnny podía abalanzarse y recuperarlas, pero no tenía ganas de luchar y tampoco quería hacerle daño a Glenda. Se sentía tan mareado en ese momento que tal vez calculase mal su fuerza.

—Pediré que te envíen un taxi —dijo ella al cabo de un rato. Johnny reflexionó acerca de una sugerencia tan sensata. Pensó que sería una buena idea, porque se le venía encima una borrachera de cuidado.

Glenda fue a la habitación a llamar por teléfono. Johnny se reclinó en los cojines. El sofá tenía una pata rota, reemplazada por un diccionario y una novela de bolsillo, y un cubrecama de felpa verde lo cubría como una funda improvisada, aunque era sorprendentemente cómodo. Si no se espabilaba, se quedaría dormido.

—No te duermas —dijo Glenda, y se sentó de golpe junto a él para volver a mirar la televisión con expresión absorta—. Para moverte de ahí habría que usar una máquina excavadora.

—Pues no me dormiré.

Durante un momento, ninguno de los dos dijo nada.

Glenda miraba la televisión y Johnny tenía la vista fija en el vacío. Glenda lo miró de reojo.

—¿Cómo es que no quieres hacerlo?

—¿Hacer qué?

— Tú ya sabes.

Johnny lo sabía. Se encogió de hombros y deslizó un brazo por encima de ella.

—¿Qué te hace pensar que no quiero?

—Me doy cuenta —aseveró ella.

Deslizó una mano por la entrepierna de Johnny. Fue un gesto más distraído que deliberado.

Johnny le cogió la mano, se la dejó sobre la falda y bajó el brazo con que le rodeaba los hombros.

—Puede que haya bebido demasiado, como dices.

—Eso nunca te ha hecho detenerte en otras ocasiones —alegó ella.

—Glenda, yo tenía once años menos entonces. Nada podía detenerme.

Pasaron unos minutos. Ambos callaban. Johnny pensó que tal vez ella estaría absorta en la película. Albergaba la esperanza de que no hablaran más sobre el tema.

—¿Johnny?

—¿Qué?

—¿Puedo preguntarte algo?

— A menos que te tape la cara con un cojín, no creo que pueda impedírtelo —replicó él.

Su respuesta fue agria, porque barruntaba que la pregunta tenía que ver con su falta de excitación, que era algo de lo cual él no quería hablar. Era embarazoso no poder tener una erección instantáneamente. La semana anterior, antes de enredarse tanto con aquella maestra arrogante de cuyo paradero nada sabía, no le había costado ningún esfuerzo hacer el amor con Glenda. Las ganas le habían venido en forma natural, como debía ser.

—¿Tienes algún asunto con la señorita Grant?

—¿Qué?

Johnny casi gritó, y se volvió para mirar a Glenda. Once años atrás aquella chica no había sabido leer los pensamientos.

— Ya me oíste.

Johnny tardó un minuto en recuperar su presencia de ánimo.

—¿De dónde has sacado semejante idea?

— Algo en su tono de voz.

—¿Algo en su tono de voz? —repitió Johnny.

Debía de haber bebido demasiado, porque la conversación empezaba a confundirlo.

—Sí. Me di cuenta de que no le gustaba mucho la idea de que tú estuvieras conmigo. Parecía demasiado tensa. No amistosa, como suele ser.

—¿Cuándo estaba tensa?

—Cuando hablé con ella.

Johnny hizo chirriar los dientes. La sospecha que albergaba era tan horrenda que casi temía expresarla de viva voz.

—¿Cuándo hablaste con ella?

— Hace un momento. Cuando le pedí que viniera a buscarte.

—¡Joder! —Johnny casi saltó del sofá. Le lanzó una mirada furiosa a Glenda. Aunque la sala volvió a oscilar ante sus ojos, él se mantuvo en pie—. ¿Para qué diablos la llamaste? Pensé que ibas a pedir un taxi.

—Sólo hay dos taxis en Tylerville, y lo más probable es que ambos chóferes estén todavía en la merienda campestre. Y eso tú lo sabes.

Johnny lo había olvidado.

—¡Joder! —repitió Johnny, con un deje de amargura.

Se giró, fue hasta el televisor y recogió las llaves que Glenda había dejado sobre el aparato. Luego se dirigió a la puerta.

—¡Para, Johnny! ¡No puedes marcharte!

—Claro que puedo, ¡qué coño!

Glenda salió tras él. Estaba tan alterada que casi se retorcía las manos.

—¡Es que ella viene hacia aquí! ¡Y llegará en cualquier momento! ¿Qué pensará si tú te has ido? Y, de todos modos, aún estás borracho. ¡No puedes coger la moto y largarte así, sin más, borracho!

—¡Me importa un cuerno lo que piense esa engreída Pipi Calzaslargas! ¡Y no estoy borracho!

Bajó de la moto. Por un momento tuvo que apoyarse para sostenerla.

—Sí que lo estás. ¡Dame las llaves!

Glenda lo había seguido hasta el sendero que pasaba junto a la casa rodante. El camino estaba iluminado por una luz tenue, situada en la entrada de la casa, y lanzaba sobre la escena una luz siniestra. Johnny se percató de que Glenda estaba realmente preocupada.

—Oye, no me pasará nada —dijo con voz más suave mientras la cogía por los hombros.

Glenda lo miró fijamente un momento. Sin luz de día que marcara sus defectos, a ella se la veía casi tan joven como años atrás, cuando habían sido más amigos que amantes. «Algo similar a lo que sucede ahora», pensó Johnny, sintiendo una oleada de afecto por ella.

—Ella sí que te gusta, ¿no? La señorita Grant.

Johnny pensó en mentir. Pero estaba demasiado nervioso, achispado y harto de aquel juego estúpido.

—Sí, la verdad es que me gusta.

—Ya. Tiene mucha clase. Pero ¿no es un poco... quiero decir... no es un poco vieja?

Johnny se encogió de hombros.

—Somos dos personas adultas.

—¿Te acuestas con ella?

Johnny dejó de apoyarse en los hombros de Glenda y se apartó.

—No creerás que voy a contestar a eso, ¿verdad? —Sujetó el manillar de la moto, puso el pie en el pedal y montó en el asiento.

—¡Johnny, espera!

Glenda se apretó contra él y le echó los brazos al cuello. Johnny la miró con cierta irritación.

—Suéltame, Glenda —dijo.

—Si te metes con ella, saldrás malparado. No es de tu clase. No es de nuestra clase.

—Eso es problema mío, ¿no? ¿Me sueltas el cuello, por favor?

—Pero... —balbuceó Glenda, y desvió fugazmente la mirada. Cuando volvió a mirarlo, había un gesto de resignación en su rostro—. Sí, creo que es tu problema. Ten cuidado, ¿me oyes? No quisiera enterarme por la mañana de que te han detenido... o de que has tenido un accidente grave.

—Ya me cuidaré —dijo Johnny.

Le sorprendió la repentina capitulación de Glenda. Estampó un rápido beso en su mejilla y, tras introducir la llave en el contacto, puso el motor en marcha.

Quizá estuviera achispado... Bueno, sí, estaba borracho... Pero montado en aquella máquina podía atravesar el infierno con los ojos vendados. Llegaría a casa sin problemas.

Dijo adiós a Glenda con una seña. Partió haciendo crujir los guijarros del camino y se perdió en la noche.

CAPITULO 28

Glenda lo observó alejarse con una expresión de tristeza en el rostro. Johnny no vio el coche azul que se acercaba por una curva del camino, cruzando frente a la luz instalada en el otro extremo del parque de caravanas. Era el coche de Rachel Grant. Aquel tipo de coche extranjero era poco común en Tylerville y, por lo tanto, fácilmente reconocible.

Johnny se había enfadado mucho con Glenda por llamar a la señorita Grant para que fuera ha buscarlo. Pero ¿a quién más podía acudir? Glenda no conocía a mucha gente del pueblo que estuviera dispuesta a dejar que Johnny Harris subiera en un coche con ellos. Muchos pensaban que había matado a aquella jovencita. Glenda, no. Conocía a Johnny de toda la vida, y jamás lo había visto tratar con violencia a una mujer. Estaba convencida de que un hombre que no golpeaba, tampoco mataba. Tal vez golpearía a otro hombre en una riña de borrachos, pero no a una mujer y del modo en que habían matado a aquella chica. Esa clase de violencia era obra de alguien malvado, perverso, desquiciado.

Johnny se enfurecería al descubrir que a pesar de todo no había conseguido eludir a la señorita Grant. El sendero que conducía al parque de caravanas era apenas lo bastante ancho para que pasara un vehículo. Glenda no se imaginaba a la maestra apartándose por cortesía para dejar pasar a Johnny. Glenda le había dicho a Rachel que Johnny estaba borracho como una cuba y que podría matarse antes de recorrer un kilómetro.

Johnny y la señorita Grant acostándose juntos. Ahora que lo pensaba, Glenda se preguntó por qué no se le había ocurrido antes. Él siempre había tenido debilidad por la profesora. Leía libros y escribía cosas para impresionarla, y era muy formal cuando ella estaba cerca. Y desde que había regresado, los dos habían pasado muchos ratos juntos. Y le había dado trabajo a Johnny en la ferretería de su padre.

Rachel Grant era bastante atractiva, tenía su estilo. Pero vestía una ropa verdaderamente pasada de moda, una ropa que no tenía nada del estilo del que se enorgullecía Glenda. Y no tenía pecho. Sin embargo, mantenía un bonito cutis para una mujer de su edad, y se conducía con un aire altivo que un hombre con los antecedentes de Johnny Harris tal vez encontrara atractivo. Algo así como una especie de desafío para él.

Glenda perdió la esperanza de quedarse con él. No se podía decir que estuviera locamente enamorada, pero Johnny era bueno con los chicos.

—¡Glenda!

El susurro la sobresaltó, arrancándola de sus pensamientos. Rígida, con los ojos totalmente abiertos, se volvió y miró a su alrededor. No había más que penumbra, excepto el resplandor mortecino de luz que brillaba a sus espaldas.

—¿Quién es?

Por alguna razón desconocida, tuvo miedo. Y eso era una tontería, porque en Tylerville no había nada que temer. No había delincuencia, salvo uno que otro adolescente estúpido que apedreaba las farolas o derribaba un buzón a golpes de bate. Nada violento, ni siquiera un asalto en once años.

—¿Podrías echarme una mano con esto?

La persona que susurraba debía de ser el señor Janusky, el viejo octogenario que vivía en la caravana situada detrás de la de Glenda. Janusky había estado resfriado y su voz sonaba rara. Pero ¿qué diablos hacía el anciano fuera a esa hora de la noche? Debían de ser casi las doce y él se acostaba habitualmente a las nueve.

—¿Es usted, señor Janusky?

—Sí, date prisa, Glenda.

La voz venía de la oscuridad, a la izquierda de la caravana, donde se encontraba el enorme contenedor para la basura. Tal vez el viejo había salido para tirar los desperdicios y había visto que no podía levantarlos para meterlos dentro del contenedor.

—¿Dónde está? —Glenda había dejado de tener miedo y se dirigió hacia la voz.

—Por aquí.

Glenda salió del espacio alumbrado y dio unos pasos en la oscuridad que la envolvía. Se detuvo de golpe. La invadió una sensación de espanto como una lluvia helada. Pero antes de que pudiera reaccionar, antes de que pudiera correr, gritar o moverse, algo duro la golpeó en la cabeza con tanta fuerza que la hizo caer al suelo. Por un momento, perdió el sentido y vio las estrellas.

Cuando volvió en sí, fue debido al dolor y al miedo, y por fin se percató de que la apuñalaban. La hoja se hundió en su carne una y otra vez furiosamente. Gimiendo, Glenda alcanzó a levantar un brazo en un fútil intento de contener a su atacante, y tuvo apenas un segundo para percatarse del increíble hecho de que la estaban asesinando.

En ese instante, su único pensamiento coherente fue una plegaria enloquecida: «Dios mío, te lo suplico, ¡no quiero abandonar a mis hijos! ¡Por favor, no! ¡Te lo ruego!».

Luego la oscuridad cayó como un pesado velo de terciopelo.

CAPITULO 29

Así era mejor. El vigilante se sentía aliviado, casi purificado, ahora que se había hecho justicia. Había sangre por todas partes. Respiró el olor con un placer que iba en aumento, frotándose las manos teñidas de rojo, disfrutando de la cálida y húmeda viscosidad del líquido de la vida. Al igual que la otra mujer, once años atrás, ésta había merecido morir. El vigilante clavó una mirada de placer en la mujer que yacía inerte en el suelo. Estaba inmóvil, su carne desgarrada y sangrante. Estaba callada, ya no intentaba escapar. No sentía ninguna piedad por ella.

El vigilante se inclinó lentamente para recoger las rosas rojas que sería su tributo al alma que partía. Con movimientos rápidos y las manos aún cubiertas de sangre, esparció unos pétalos aterciopelados sobre el cuerpo aún tibio.

Cletras blancas para la primera, que había sido joven, aunque no inocente. Rosas levemente marchitas para esta otra. «Qué cosa más adecuada», pensó el vigilante. Acabó su tarea y desapareció en la noche.

CAPITULO 30

Rachel apretó los frenos con fuerza. Allí, en el intenso resplandor de los faros de su coche, precipitándose hacia ella como una bestia que huye del infierno, rugía la moto de Johnny. Sin duda, él la vio al mismo tiempo porque la moto se detuvo a medias, luego se desvió a la izquierda bruscamente y pareció volar al salirse del camino.

Cuando Rachel bajó del coche, la moto yacía de costado sobre la hierba, con las ruedas aún girando. Johnny lanzaba imprecaciones en voz baja.

—¡Dios mío! ¿Te encuentras bien? —Rachel corrió a su lado, se inclinó sobre él, le apoyó una mano en el hombro y le escudriñó el rostro bajo el casco plateado.

—No, y es culpa tuya —gruñó él, mientras se incorporaba tambaleándose. Por un momento permaneció allí, manteniendo un equilibrio vacilante. Buscó el cierre del casco bajo el mentón. Por fin éste se abrió y el casco cayó a tierra.

—Sí que estás borracho —dijo Rachel, dando un paso atrás al recibir en la cara el tufo de cerveza—. Cuando me llamó tu amiga, me costó mucho creer que harías algo tan tonto como conducir después de haber bebido nueve cervezas. Es evidente que eres más tonto de lo que pensaba.

—No puedo haber bebido más de seis... o siete —repuso Johnny, malhumorado—. No estoy borracho. Sólo un poco achispado.

—¿Ah, sí? —preguntó Rachel, irritada—. ¿Y cómo es que has destrozado la moto?

—¡Porque tú casi me lanzaste fuera del camino!

—¡Yo tenía los faros encendidos y conducía por debajo del límite de velocidad! ¡Si no me viste hasta que fue demasiado tarde, es porque estás borracho!

—¡No estoy borracho!

—¡Sí que lo estás!

Por un momento, permanecieron tan cerca que sus narices casi se tocaban. Rachel tenía la cabeza inclinada hacia adelante y los brazos en jarras, mirándolo enfurecida. La mirada con que le respondía Johnny era igualmente hostil. Luego desvió la mirada hacia su moto derribada.

—Mira lo que has hecho —dijo en tono quejumbroso, y se apartó para inspeccionar la máquina.

—¡Ha sido culpa tuya, no mía! Tienes suerte de que aún estés vivo.

—Seguro que no lo estaría si no la hubiera lanzado hacia un lado. ¿Ves ese roble grande de allá? Iba recto hacia él.

Rachel miró y se estremeció. Johnny levantó la moto y la apoyó en las patas del soporte central para examinarla con visible ansiedad. El olor de la gasolina derramada era aún más intenso que el hedor de la cerveza.

—Se ha reventado una rueda —dijo, a todas luces contrariado. Se había agachado detrás de la moto, y después se incorporó.

—Qué lástima.

—Tendrás que llevarme a casa —dijo Johnny de mala gana.

—Para eso he venido.

—Regresaré mañana a buscar la moto.

—Bien.

Rachel se dirigió a su coche, detenido en medio del camino con las luces encendidas y el motor aún en marcha. La puerta del conductor estaba abierta. Ni siquiera miró atrás para asegurarse de que Johnny la seguía.

Segundos después, él subió y se instaló junto a ella. Arrojó el casco en el asiento trasero.

Rachel puso la marcha atrás, arrancó y partió en dirección al pueblo sin decir palabra. Le molestaba saber que Johnny acababa de abandonar los brazos de Glenda Watkins. Lo que le sucedía era que estaba celosa..., sí, eso era, celosa. Pero ¿qué otra cosa esperaba de Johnny Harris? Era un mujeriego empedernido.

Pero guardó la compostura. Era tan propensa a adjudicarle estereotipos como los otros habitantes de Tylerville. Le amargaba la vida pensar que él no habría ido en busca de Glenda si ella misma no lo hubiese alejado. Al menos así lo creía ella, o por lo menos no lo habría hecho tan pronto.

Johnny encendió la radio. Era un programa que revivía viejos éxitos, los Rolling Stones se quejaban de no conseguir satisfacción. Giró el dial hasta elegir una emisora de música country, que en ese momento tocaba un tema de los Judds.

—¿Lo pasaste bien en la merienda al aire libre? —inquirió Johnny. El repentino comentario le valió una mirada de reojo cargada de hostilidad.

—Sí.

Silencio.
—Te pido disculpas si he interrumpido tu velada.
—Ya puedes disculparte. Y sí, la verdad es que la interrumpiste.
—Espero no haber causado molestias a tu novio.
—No.
—¿Sigues acostándote con él?
Rachel le lanzó una mirada furiosa.
—Para empezar, nunca he dicho que lo hiciera. ¿Y sabes por qué? Porque no es asunto tuyo.
—¿Que no?
—¡No!
Silencio.
—¿Has tenido problemas en la escuela por mi visita?
—¿Acaso te importa?
—Sí.
Rachel lo miró sorprendida. Había pensado que le contestaría con un comentario burlón, no con esa tranquila afirmación.
—Un poco.
—Lo lamento.
Lo peor de la ira de Rachel se había calmado.
—No es culpa tuya.
Habían llegado a las afueras del pueblo y Rachel giró a la derecha. La ferretería estaba a tres calles de distancia.
—¿Tienes tu llave? —preguntó Rachel al detener el coche.
—Sí —dijo él, y le enseñó un llavero colgado de un dedo con las llaves tintineando.
—Entonces, buenas noches.
Johnny la miraba, pero la oscuridad impedía que Rachel viese la expresión de su rostro. Era evidente que lo único que esperaba para marcharse era que él bajara.
—Rachel, ¿quieres subir? —preguntó, con voz queda.
—No.
—¿Todavía necesitas espacio?
Rachel apretó los labios y con una mirada que refulgía se volvió hacia él.
—Sí, eso es. ¡Como cualquier mujer sensata! ¡Mírate! ¡Estás borracho, y no es la primera vez! ¡Andas a toda velocidad en esa moto como un adolescente resuelto a suicidarse! Te acuestas con cualquiera, llevas el pelo demasiado largo, tus modales son espantosos y tu resentimiento es enorme. Dices que tienes un título universitario. ¿Acaso lo utilizas para algo? ¡No! ¿Tienes planes para hacer uso de él? Por lo que yo sé, no. Acabas de pasar la tarde con tu amiga, que al menos se preocupa por ti y no permite que conduzcas bebido. ¿Y luego tienes el descaro de pedirme que

suba contigo? Dios mío, ¿qué es lo que tienes para ofrecerme? ¿Puedes contestarme?

Se produjo una pausa larga y tensa. Rachel sintió que Johnny se volvía rígido.

—¿Sexo del bueno? —preguntó él, con voz arrastrada. La pregunta flotó en el aire entre los dos. Rachel sintió que la ira crecía en su interior, una ira que en pocos segundos se convirtió en una furia centelleante y feroz, una furia de la que nunca se habría creído capaz.

—¡Baja! —dijo, tan encolerizada que le tembló la voz. Y luego gritó—: ¡Baja! ¡Sal de mi coche! ¡Aléjate de mi vida! ¡Vete, vete de una vez!

Lo empujó por el hombro, haciendo cuanto podía para obligarlo a salir, pero no logró el menor resultado. Estaba tan furiosa que sollozaba, tan furiosa que quería dar patadas y chillar como Katie en una rabieta. No podía decir qué habría hecho si él no hubiese abierto la puerta y bajado en ese mismo instante.

—Cualquier cosa con tal de hacerte feliz, nena —dijo él, con una mueca insolente. Cerró la puerta de golpe y cruzó la calle con aires de bravucón. Cuando lo vio subir la escalera, Rachel, que aún temblaba por su reacción, puso marcha atrás y salió de la zona de aparcamiento dando bandazos.

CAPITULO 31

Se preparaban para ir a la iglesia cuando sonó el teléfono. Rachel, que ya estaba vestida con un traje de lino rosa, le estaba atando a Loren un vistoso lazo azul en el cabello, mientras Becky se empeñaba en ponerle los zapatos a Katie. Lisa se había adueñado del cuarto de baño de arriba. Elisabeth aún estaba en la habitación de Stan, ayudándolo a vestirse y conversando con Jotadé, que había venido con Tilda para ocuparse de él mientras el resto de la familia acudía a los servicios religiosos del domingo.

—Rachel, teléfono —llamó Tilda, desde abajo.

—¿Rob? —inquirió Becky, alzando las cejas.

Rachel se encogió de hombros y bajó corriendo la escalera para atender la llamada. Cuando colgó, parecía preocupada.

—¿Quién era, cariño? —preguntó Tilda, que estaba preparando los platos del desayuno, cuando vio la expresión de Rachel.

—Tengo que ir a la comisaría.

—¿Qué? —Becky bajaba con Katie en brazos y oyó el comentario de su hermana.

—Quieren que vaya en seguida. No quisieron decirme por qué —contestó Rachel. Pero sabía, no le cabía ninguna duda de que tenía algo que ver con Johnny. Apretó los labios. Johnny debía de estar en aprietos por algo. ¿Acaso había vuelto a salir la noche anterior?

—¿Un domingo por la mañana? —preguntó Becky, incrédula—. ¿Y qué pasa con la iglesia?

—Creo que podré llegar a tiempo —dijo Rachel, mirando el reloj. Aún faltaba una hora para el comienzo de la ceremonia religiosa.

—Si quieres, puedes ir conmigo y Jotadé esta tarde —intervino Tilda, echando detergente en el lavaplatos y cerrando la portezuela. Tilda no iba a la misma iglesia que los Grant, pero Rachel y Becky la habían acompañado en otras ocasiones. Aunque la mayoría de los fieles eran negros, todos eran bienvenidos, y todos sabían que las hermanas Grant eran casi tan de la familia de Tilda como sus propios hijos—. ¿Sabes que Tanya canta ahora como solista en el coro?

—¿Ah, sí? —dijo Rachel. Tanya era la hija menor de Tilda—. Me gustaría escucharla... Pero espero poder encontrarme con mamá y Becky en la iglesia.

—¿Crees que se trata de la tienda... o de ese tal Harris? —Becky la miraba inquieta. Por un momento, Rachel clavó la vista en su hermana. Luego dejó escapar un suspiro.

—¿Mamá ha hablado contigo?

—Desde luego.

—Desde luego —repitió Rachel. Tendría que haber supuesto que Elisabeth le contaría todo a Becky—. Es probable que se trate de la tienda. Tal vez un chaval haya arrojado una piedra contra un escaparate o algo por el estilo.

—Tal vez.

Rachel advirtió cierto escepticismo en el tono de Becky. ¿Qué le habría dicho su madre acerca de Johnny y de su relación con él? Rachel prefería no saberlo.

—Será mejor que vaya a ver qué quieren.

Cuando Rachel salió de prisa, Becky y Tilda intercambiaron unas miradas significativas.

Al cabo de unos minutos, con las llaves del coche en la mano, Rachel se asomó a la cocina antes de salir. Para su alivio, Elisabeth aún estaba arriba. Becky y Tilda, que conversaban en voz baja cerca del lavaplatos, dejaron de hablar de inmediato cuando ella apareció.

—Becky, dile a mamá adónde he ido, ¿vale? Dile que procuraré llegar a la iglesia, pero que si no es posible volveré a casa lo antes que pueda. Y si tardo más de la cuenta, procura impedir que vaya a la comisaría, por favor.

—Haré lo que pueda —dijo Becky, mirando a Rachel y asintiendo con un gesto de cabeza—. Pero ya sabes cómo es.

—Lo sé.

Las dos intercambiaron sonrisas irónicas y cariñosas. Rachel salió.

La comisaría era un pequeño edificio de ladrillo situado en la calle Madison, a menos de un kilómetro de la ferretería. Rachel sólo había ido un par de veces, casi siempre para vender o comprar entradas para alguna actividad escolar o cívica. El aparcamiento estaba insólitamente lleno para ser domingo, y cuando Rachel entró en la recepción, con su suelo de linóleo y sus sillas de plástico duro, tuvo la impresión de que había muchos agentes de turno. En realidad, no pensó en esos detalles. Sólo reparó en ellos y los conservó en alguna parte de su memoria para pensar en ellos más tarde.

—Hola, ¿queríais verme? —dijo al joven agente que atendía. El rostro no le era familiar, y supuso que era un recién llegado a Tylerville.

—¿Usted es la señorita Grant?

—Sí.

—Espere un momento, por favor —respondió el policía. Cogió el teléfono que tenía sobre el escritorio de metal, pulsó un botón y dijo—: Ha llegado la señorita Grant.

—¿Puede decirme de qué se trata? —inquirió ella, mientras el agente volvía el auricular a su sitio.

El joven policía negó con la cabeza.

—Eso tendrá que preguntárselo al jefe.

A Rachel le sorprendió que el jefe Wheatley estuviese trabajando un domingo. Wheatley era miembro de la misma iglesia y, junto con su esposa, nunca faltaban a los oficios del domingo. En aquel preciso momento entró por la puerta que comunicaba con las oficinas de atrás y la zona de detenidos.

—Rachel —dijo Wheatley, y sonrió al saludarla.

Pero Rachel, cuya percepción se había ido agudizando con creciente alarma, advirtió que estaba cansado y parecía algo más grave que de costumbre. Estaba ojeroso, y su piel, normalmente rubicunda, había cobrado un tinte grisáceo.

—¿Qué ha sucedido? —preguntó bruscamente Rachel.

—Ven atrás, Rachel. Allí podremos hablar —respondió él, y le sujetó la puerta.

Cada vez más nerviosa, mientras pensaba en diferentes posibilidades, Rachel cruzó el umbral y un pasillo. Una vez dentro del pequeño despacho, se sentó en la silla que él le ofreció frente a su mesa de trabajo.

El jefe Wheatley cerró la puerta y se sentó frente a Rachel. La única ventana del cuarto, que era muy pequeña, sólo permitía un poco de luz natural. Pero el vivo resplandor del tubo de luz fluorescente del techo revelaba el más mínimo detalle. El suelo de linóleo sucio, el metal parduzco del escritorio y el rostro cansado del jefe. Rachel intentó imaginar el aspecto que ella misma tendría bajo aquella luz implacable.

—¿Qué ha sucedido? —volvió a preguntar juntando las manos sobre el regazo.

—Antes debo hacerte algunas preguntas —advirtió él—. ¿Te molesta si grabo esto?

—Pues no...

—Te lo agradezco. Así se evitan confusiones más tarde.

Wheatley abrió un cajón del escritorio y sacó una pequeña grabadora portátil. Luego se reclinó en su silla y miró a Rachel entrecerrando los ojos, las manos plegadas sobre el vientre.

Wheatley tendría unos sesenta años, su pelo canoso y ralo, y los músculos flojos de su mandíbula lo confirmaban.

—Ayer fuiste a la merienda del día del Trabajo, ¿no es así? —inquirió.

Rachel asintió con un gesto. Cuando recordó la existencia de la grabadora, dijo: —Sí.

—¿Qué hiciste después?

—Me fui a casa. ¿Por qué?

—¿Nada más?

—No, más tarde volví a salir. Fui a buscar a un... amigo que había bebido demasiado y que no estaba en condiciones de conducir.

—¿Qué?

Rachel no podría dejar de mencionar su nombre. —Era Johnny Harris —dijo.

—Tú fuiste en busca de Johnny Harris porque había bebido demasiado y no estaba en condiciones de conducir, ¿correcto?

—Es lo que he dicho.

—¿Dónde fuiste a buscarlo?

—A ese parque de caravanas que hay junto al río..., no recuerdo su nombre.

—¿Las Fincas Appleby?

—Sí.

—¿Te llamó Harris para que fueras a buscarlo?

—No. Fue Glenda Watkins.

—Ya... —Wheatley juntó las puntas de los dedos que antes descansaban sobre su vientre—. ¿A qué hora?

—Alrededor de las once, creo. Puede que un poco más tarde. ¿Por qué?

—En seguida llegaremos a eso. Primero necesito saber algunos detalles. Cuando te llamó, ¿Glenda Watkins parecía alterada en algún sentido?

—No.

—¿Y fuiste y recogiste a Harris?

—Sí.

—¿A qué hora dirías que fue eso?

Rachel pensó un momento.

—Es probable que haya tardado una media hora en llegar allá, porque tuve que vestirme. A eso de las once y media, creo.

—Dime exactamente qué sucedió, Rachel. Esto es importante, de modo que procura ser lo más precisa posible. Empieza desde la llamada de la señora Watkins. ¿Qué te dijo ella?

Rachel se lo contó. Luego le dijo que se había vestido, que había ido hasta las caravanas y luego, un poco a regañadientes, su encuentro con Johnny. Si aquello tenía que ver con conducir bebido, como ella sospechaba, no quería causarle a Johnny más líos de los que ya tenía, aunque el muy tonto se lo merecía.

—Así que él destrozó la moto.

—Sí.

—¿Estaba ebrio?

Rachel frunció los labios. —Había bebido, sí.

—Pero ¿acaso estaba ebrio hasta perder el juicio? ¿Sabía lo que estaba haciendo? ¿Parecía normal?

A Rachel se le frunció el ceño.

—Completamente normal. Sólo un poco achispado.

—¿Qué llevaba puesto?

A Rachel le sorprendió la pregunta.

—Unos vaqueros azules, una camiseta de manga corta, zapatillas deportivas.

—¿Estaban..., advertiste alguna mancha o descoloramiento en ellas, o algo parecido?

—No. Supongo que tenía manchas de hierba en los vaqueros por el accidente, pero no me percaté.

—Así, ¿no advertiste nada anormal en su actitud o en su ropa?

—Así es.

—Bien. Después de que fuiste a buscarlo, ¿qué ocurrió?

—Pues... lo llevé a su piso.

—¿A qué hora dirías que llegasteis?

—Hacia medianoche.

—¿Y qué pasó entonces?

—Él entró. Y yo me fui a casa. Harris entró en su piso más o menos a medianoche.

—¿Tú lo viste entrar?

—Lo vi subir la escalera.

—Bien. Veamos, repasaré esto para que quede claro. La señora Watkins te llamó a las once para que fueras a buscar a Harris porque pensaba que estaba demasiado bebido para volver a casa en su moto. Tú fuiste en coche, llegaste a eso de las once y media y sacaste a Harris del camino frente al parque de caravanas. Harris dejó allí su moto, subió al coche contigo y tú lo llevaste a su piso, donde llegasteis alrededor de la medianoche. ¿Es así?

—Sí.

—En ese caso, sólo tengo una pregunta más. Cuando fuiste a buscar a Harris, ¿viste a Glenda Watkins?

—Pues sí, la vi. No hablé con ella, pero la vi desde cierta distancia. Estaba delante de lo que supongo era su caravana, cuando yo llegué al parque. Cuando giré por el recodo de Manslick.

—¿La viste? ¿Estás segura? —inquirió Wheatley.

Luego se incorporó bruscamente en su silla, fijó la mirada en Rachel, apoyando las manos sobre el escritorio.

—Pues sí...

—¿Estás segura de que era ella?

Sorprendida por la repentina intensidad de Wheatley, Rachel asintió con un gesto de cabeza.

—Sí, estoy segura —dijo.

—¿Qué hacía ella? ¿Estaba..., parecía encontrarse bien?

—Por lo que pude ver, parecía estar perfectamente. Estaba frente a la caravana, y miraba cómo se acercaba mi coche.

—¿Cuánto tiempo después de eso estuviste a punto de chocar con la moto de Harris?

—Pues en seguida. Menos de un minuto, diría yo.

—Piensa, Rachel. Es importante. ¿En algún momento después de que la moto de Harris se saliera del camino lo perdiste de vista?

Rachel caviló. Luego negó con la cabeza.

—No, ¿por qué? ¿Qué ha sucedido? ¿Le ha... ocurrido algo a Johnny?

Rachel entendió que una acusación como la de conducir en estado de ebriedad no justificaría las veinte preguntas que el jefe Wheatley le había hecho. Y mucho menos su grave actitud. Temía que fuese otra cosa. Algo muy grave.

El jefe Wheatley suspiró y se desvaneció un poco la rigidez de su postura. Estiró la mano y apagó la grabadora.

—La señora Watkins fue asesinada anoche.

Rachel lanzó una exclamación ahogada.

—¿Queé?

Wheatley asintió con un gesto de cabeza.

—Y eso no es lo peor. Este crimen es casi un duplicado del caso Edwards, hasta las flores esparcidas por el cuerpo. Sólo que en este caso fueron rosas, no capullos de cletras. Cogidas de algún jardín de los alrededores.

—¿A Glenda Watkins la han asesinado? —La mezcla de incredulidad y espanto hicieron que la voz de Rachel se quebrara en la última palabra.

—Fue apuñalada trece veces. En algún momento entre las doce menos cuarto y las doce y diez, que es cuando su hijo salió a buscarla. Dice que al ver que algo se movía en la oscuridad se asustó, volvió corriendo a la caravana, cerró la puerta con llave y llamó a un vecino. El vecino fue a ver qué pasaba y encontró el cadáver.

—¡Oh, Dios mío! —exclamó Rachel, que llegó a sentir náuseas del horror.

—Igual que la vez anterior. Johnny Harris salía con las dos mujeres, y en ambos casos fue la última persona que vio con vida a la víctima.

Aún conmovida, Rachel escuchó las palabras del policía y luego negó con un gesto de la cabeza.

—No, él no fue... Yo la vi allí frente a la caravana y él se había ido un momento antes. En su moto. Yo la vi cuando Johnny ya se había marchado. ¿Me entiende? Él no pudo haberla matado.

El jefe de policía asintió con un lento movimiento de cabeza.

—Eso es cierto. Si tú estás absolutamente segura de que la persona que viste era Glenda Watkins.

—Estoy segura.

—¿Tan segura como para declarar bajo juramento ante un tribunal?

—Sí, estoy absolutamente segura. Estaba de pie bajo la luz de una lámpara y la vi con toda claridad.

Wheatley frunció los labios, juntó las puntas de los dedos y se las miró. Volvió a mirarla a ella con ojos penetrantes.

—Rachel, Harris no se puso en contacto contigo, no te pidió que dijeras esto, ¿verdad? Si es así, dímelo ahora y todo quedará entre nosotros.

Rachel lo miró fijamente con los ojos desorbitados.

—¡No! —exclamó, ofendida—. ¡No!

—Si eso te ha parecido insultante, discúlpame —dijo el policía—. Pero estamos ante un caso realmente sórdido, un incidente que parece idéntico al que provocó la condena de Harris hace once años. Sólo que esta vez él tiene una coartada perfecta. Tú. Entonces, ¿dónde nos lleva eso?

—¡Johnny no asesinó a Marybeth Edwards! ¡Lo sabía! ¡Lo supe siempre! —exclamó Rachel, repentinamente alborozada, y su mirada se cruzó con la de Wheatley.

Éste levantó una mano.

—Bueno, ésa es sólo una de las posibilidades que debemos considerar. La otra es que se trata de un asesinato por imitación, planeado para que la culpa recaiga sobre Harris. Esa teoría tiene tres explicaciones posibles. Una, que alguien..., por ejemplo, su marido, tal vez..., tenía muchas ganas de librarse de la señora Watkins y que, al estar Harris en libertad, decidió que lo más fácil sería matarla y hacer que pareciese que lo hizo Harris. La segunda posibilidad es que alguien odia tanto a Harris que mató a la mujer con la que él salía para que lo volvieran a encerrar en la cárcel, o algo peor. Eso, al parecer, señalaría como culpable a un pariente o amigo de Marybeth Edwards. La tercera posibilidad..., bueno, sería algo muy fuerte.

—¿Que quiere decir...?

—Quiere decir que hay aquí un factor desconocido. Alguien que está totalmente loco o tiene un motivo en el que aún no hemos reparado. Pero lo conseguiremos, no cabe duda de que lo conseguiremos —repitió Wheatley en tono resuelto. Se puso en pie bruscamente, miró a Rachel, vaciló, y luego se apoyó en la mesa con ambas manos—. Rachel, no tengo intención de acusarte de que mientes. Te conozco desde que eras pequeña y siempre he pensado que eres una chica absolutamente honesta y moralmente íntegra. Pero, como sabes, tengo dos hijas. Y he visto lo que les pasa a las muchachas cuando llega un hombre y las cautiva.

Rachel barruntaba el rumbo que tomaban aquellos propósitos. Rachel abrió la boca para refutarlo con indignación. Él jefe alzó una mano para interrumpirla.

—No debería ni siquiera decir esto, pero quiero prevenirte. Sin duda comprenderás que si... digo que si acaso estás mintiendo, te expones a un grave peligro. Tú eres la única persona que impediría que Harris se pase el resto de su vida en la cárcel o, puede que esta vez, sin la atenuante de extrema juventud, fuera condenado a la silla eléctrica. No me gustaría estar en esa situación. No con un hombre que pueda cometer crímenes como éstos.

—No estoy mintiendo —objetó ella con firmeza. El jefe de policía se levantó.

—Muy bien. Creo todo lo que has dicho y empezaremos a buscar al culpable en otro lado. Hemos tomado algunas pruebas de Glenda Watkins y compararemos los resultados con los de Marybeth Edwards. Ya las hemos enviado al laboratorio. En una semana o diez días sabremos si se trata del mismo asesino en ambos casos o de un imitador. Te informaré.

—Gracias.

El jefe Wheatley se dirigió a la puerta. Rachel se puso de pie, comprendiendo que la entrevista había terminado.

—¿Dónde están los niños? ¿Los hijos de Glenda Watkins? —inquirió.

Sentía un nudo en la garganta al pensar en los cuatro pequeños sin madre. Jeremy y Glenda parecían tan compenetrados...

—Lo primero que hemos hecho fue llamar al padre. El mayor de los chicos estaba muy alterado. No paraba de repetir que había visto algo en la oscuridad. Pero no ha podido decimos quién o qué era —dijo Wheatley, y sacudió la cabeza—. Esto es un mal asunto, de lo peor... Vamos a descubrir quién lo hizo, y le he dado mi palabra a ese chico, y también te la doy a ti. ¿Quieres llevarte a Harris, ya que estás aquí, o debo decirle que se vaya a pie?

Rachel, que salía en ese momento, no podía dar crédito a lo que escuchaba. Se volvió hacia él.

—¿Me está diciendo que Johnny está aquí? Wheatley asintió con la cabeza.

—Sí. Lo detuvimos alrededor de las dos de la madrugada. Nos contó lo mismo que tú, pero no pensaba dejarlo libre hasta verificar su versión de los hechos.

—Pues ¡ya puede usted soltarlo! ¡Él no ha matado a Glenda Watkins!

—Así parece —replicó el policía, con desgana—. Espera fuera, Rachel. Ordenaré que lo traigan.

CAPITULO 32

Unos quince minutos más tarde, Johnny Harris salía por la puerta que comunicaba la fachada posterior de la comisaría con el área de espera. Rachel, que hojeaba distraídamente una revista, se incorporó. Johnny iba sin afeitar, despeinado y ojeroso. Sus movimientos espasmódicos y sus ojos relucientes indicaban que estaba furioso. Tenía una magulladura en el pómulo izquierdo y un hilillo de sangre seca le nacía en la comisura de los labios.

—Le han hecho daño —exclamó Rachel, sorprendida, mientras Kerry Yates observaba con cautela a Johnny.

—Pues sí, opuso resistencia al ser detenido. Tiene suerte de que no lo acusemos de agresión. Le dio un buen golpe a Skaggs.

—Vamos, Rachel —dijo Harris.

Se le contrajo un músculo de la mandíbula cuando lanzó a Kerry Yates una mirada asesina.

—¡Pero ellos te han golpeado! Deberías presentar una querella —insistió ella, indignada, mientras él la arrastraba hacia la puerta.

Johnny dejó escapar un bufido.

—Sí, claro. Tú sigues viviendo en el país del mago de Oz, profe. Aquí, en el mundo real, tengo suerte de que no me pegaran un balazo y dejaran las preguntas para más tarde.

Abrió la puerta, esperó impaciente a que ella cruzara y luego la siguió.

—¡Pero tú no has hecho nada! ¡Ahora sí lo saben! ¡Por lo menos te deben una disculpa!

Johnny se detuvo y miró a Rachel, que se había puesto roja de ira alegando en su favor. Se encontraban en el aparcamiento, al pie del breve tramo de escaleras de cemento que conducía hasta la puerta. El sol de septiembre era brillante y cálido, y el cielo estaba teñido de azul hasta donde alcanzaba la vista. Una brisa suave agitaba apenas el aire.

—A veces eres tan ingenua que me cuesta creerlo —dijo él en tono seco.

Le soltó el brazo y empezó a caminar sin ella. Por un momento, Rachel pensó que tal vez quisiera volver a pie a su piso. Pero Johnny se detuvo junto al coche y acabó por subir.

Cuando ella hizo lo mismo, él estaba recostado y tenía los ojos cerrados.

—¿Te contaron lo de Glenda? —inquirió él, mientras Rachel ponía en marcha el vehículo.

—Sí, es horrible. La pobre mujer. Y esos pobres niños.

—Sí —asintió él, y guardó silencio.

Al salir a la calle, Rachel lo miró pero no dijo nada. Se le veía exhausto.

—Era una buena chica. Una buena amiga. Es horrible pensar que haya muerto de esa manera.

—Me da mucha pena.

—A mí también. Mucha pena. Pero eso no le sirve de mucho a Glenda —dijo, y apretó los puños. De pronto se incorporó en el asiento, los ojos brillantes de cólera y dolor—. Dios mío, tuvo que ocurrir en cuanto yo me marché. Si hubiera regresado en lugar de irme contigo, habría podido impedirlo. Por lo menos habría sorprendido al miserable en el acto.

—Y quizá habrías muerto tú también —advirtió Rachel con voz queda.

Johnny negó con un gesto de cabeza.

—Sea quien sea, ataca a las mujeres. Dudo que tenga valor para enfrentarse a alguien lo bastante fuerte para defenderse.

—¿Entonces piensas que es la misma persona que mató a Marybeth?

—Sí... No creo mucho en lo del imitador. En un pueblo del tamaño de Tylerville, no creo que haya dos personas que estén tan enfermas.

—Puede que tengas razón.

Habían llegado a la ferretería. Rachel detuvo el coche.

Johnny fue a abrir la puerta, miró a Rachel y vaciló. Al hablar, había en su voz una suavidad que antes estaba ausente.

—Estás muy guapa. ¿Piensas ir a la iglesia?

—Pensaba ir, sí.

—Aún estás a tiempo. Si te das prisa.

Rachel buscó su mirada. En sus ojos azules encontró soledad, dolor y añoranza. Con un gesto de delicadeza, se encogió de hombros.

—No he faltado a la iglesia en casi diez años. Supongo que podría dejar de ir una vez.

—¿Quieres pasar el día conmigo?

—Sí, me gustaría.

Johnny sonrió, con una sonrisa lenta y tierna que a Rachel le llegó al corazón. Entonces comprendió algo que había estado asomando a los lindes de su conciencia, y que en ese mismo momento cobró una forma precisa. Aunque lo había defendido y había estado segura en su fuero interno de que Johnny no había matado a Marybeth Edwards, siempre había albergado una leve duda. Ahora esa duda se había desvanecido, esfumado por completo. Johnny Harris era inocente, tan inocente como ella misma.

Tuvo la sensación de que su corazón había quedado de pronto en libertad.

Pasaron el día juntos y, por un acuerdo tácito, se negaron a hablar o a pensar siquiera en el horrendo acontecimiento que se había producido tan cerca de ellos la noche anterior. Rachel entró con él y, a regañadientes, fue presentada nuevamente a *Lobo*, que seguía mostrándose poco dispuesto a simpatizar con ella. Rachel esperó mientras Johnny se duchaba, y tuvo que soportar que el perro la mirara con desconfianza. Cuando él salió del cuarto de baño con una toalla alrededor de la cintura, ella fue hacia él y lo abrazó. Fue la primera vez que hicieron el amor estando los dos desnudos y en una cama.

—Te he echado de menos —dijo él al cabo de un buen rato, cuando ella yacía con la cabeza apoyada en su pecho, jugueteando con el vello negro y rizado que lo cubría.

—Yo también te he echado de menos —replicó ella. Levantó la cabeza y apoyó la barbilla en el pecho de Johnny, sonriendo. Estaban tendidos uno junto al otro, ella con una pierna encima de la de Johnny, él con un brazo alrededor de sus hombros, acariciándole la piel. Las mantas habían caído al pie de la cama.

—He pensado en lo que dijiste anoche. Acerca de estar yo borracho y resentido, y todo eso.

—Estaba enfadada.

—Ya lo sé —convino él con una leve sonrisa—. Te sienta bien cuando te enfadas, estabas muy mona.

Rachel le tiró de un pelo del pecho hasta que él lanzó un chillido. Johnny le apartó los dedos y se frotó la parte lastimada, lanzándole una mirada de reproche.

—Me ha dolido.

—Es justo lo que quería. Detesto que me digan que me ven «mona».

—¡Pero si eres mona! De lo más mona que he visto en mi vida. Especialmente tu cu...

Iba a decir «culo», pero ella le tapó la boca a tiempo.

—No digas palabrotas —lo riñó.

Johnny le apartó la mano y la volvió a dejar sobre su pecho.

—¿Acaso intentas reformarme?

—Sí.

—Está bien. Probablemente es lo que necesito. Y eso me lleva de nuevo a lo que te quería decir al principio...

—¿Qué era?

—Tenías razón. Anoche estaba borracho. No volverá a suceder.

—¿Que no? —Rachel casi no daba crédito a lo que acababa de oír. Johnny sacudió la cabeza.

—Claro que no. Estás contemplando a uno que acaba de convertirse en abstemio. —Miró a *Lobo*, tendido en el pasillo y observando jadeante a su amo y luego a Rachel—. Empezaba a parecerme a mi padre. Bebía de la mañana a la noche desde que tengo uso de razón. No pienso acabar así.

—Me alegra saberlo.

—La vida es demasiado breve.

—Sí.

Guardaron silencio un momento mientras los dos, sin proponérselo, recordaban a Glenda. Johnny la miró.

—¿De verdad que quieres verme con el pelo corto? Rachel rió, contenta de disipar el humor sombrío que los amenazaba.

—Si tú no quieres, no. Tienes un pelo bonito.

—Vaya, gracias, señorita —dijo Johnny, y sonrió—. Lo llevo así sobre todo porque jode..., perdón, porque fastidia mucho a la gente.

—Lo sé.

—Pues me lo cortaré, si quieres.

—Gracias, pero no quiero que hagas demasiados sacrificios. Con permanecer sobrio basta.

—¿Entonces no me obligarás a renunciar a la moto? Rachel lo miró con repentino interés.

—¿Lo harías si te lo pidiera?

—No hay nada que no haría si me lo pidieras, Rachel.

Sonó el teléfono junto a la cama. El sonido estridente fue tan inesperado que Rachel dio un respingo.

Johnny estiró la mano y cogió el auricular.

—Hola —dijo, y escuchó con el ceño fruncido, mirando a Rachel—. Sí, señora, está aquí. Es tu madre —avisó a Rachel, en voz baja. Ella recibió el auricular boquiabierta y luego hizo una mueca.

—Hola, mamá —dijo con tono de resignación.

—Rachel Elisabeth Grant, ¿qué haces con ese joven Harris en su piso?

Rachel estaba a punto de decírselo, pero antes de que pudiera hacerlo Elisabeth continuó en una especie de susurro con el que pretendía que Johnny no la oyera, supuso Rachel.

—¿Te has enterado de lo de Glenda Watkins?

—Sí, me he enterado.

—¿Que la han asesinado? ¿Igual que a Marybeth Edwards? ¿Anoche?

—Sí, mamá, es una tragedia terrible.

—¿Y tú estás en el piso de ese Harris? —insistió Elisabeth, insinuando con su tono que no podía creer que su hija fuera tan estúpida.

—Johnny no la mató, mamá.

—Por amor de Dios, Rachel, ¿te puede oír él?

—Sí, claro que puede.

—¡Ay, Dios mío! ¿Acaso te ha tomado como rehén? ¿Crees que debería llamar a la policía?

—No, no me tiene de rehén y no tienes por qué llamar a la policía —contestó Rachel, exasperada, aunque Johnny la miraba con una amplia sonrisa en los labios—. Él no mató a Glenda Watkins, mamá. Sé que no fue él porque cuando ocurrió, anoche, estaba conmigo.

—¿Contigo? ¡Si tú estabas en casa, acostada!

—No, no estaba en casa —suspiró Rachel—. Escucha, te lo contaré todo cuando vuelva, ¿de acuerdo? Por favor, no te inquietes por mí. Estoy bien. Es probable que no llegue a casa hasta la noche. Vamos a salir a comer algo, salvo que... —miró a Johnny, alzó las cejas inquisitivamente y tapó el auricular para que su madre no oyera—. ¿Quieres venir a casa para la cena del domingo? Mi madre es una excelente cocinera.

Johnny negó con la cabeza, con una mirada de cómica alarma pintada en el rostro.

—Vamos a salir a comer algo —repitió ella, sacando la mano para que su madre escuchara. Le lanzó una sonrisa provocadora a Johnny—. Pero adivina quién viene a cenar el próximo domingo —agregó.

—¡Rachel, tú no te atreverías a hacer eso! —exclamó Elisabeth, a todas luces presa del pánico.

—Sí que lo haría, mamá. No te preocupes, él tiene tan pocas ganas como tú, al parecer... Pero me gustaría que los dos os conocierais.

—Oh, Rachel, ¿por qué? —gimió Elisabeth.

—Porque estoy locamente enamorada de él, mamá —contestó Rachel, mirando a Johnny. En el otro extremo de la línea, Elisabeth dejó escapar un grito ahogado.

Para sorpresa de Rachel, Johnny estiró la mano y le quitó el auricular.

—Rachel la volverá a llamar, señora Grant —dijo deprisa y colgó tranquilamente.

Se volvió lentamente hacia Rachel, que se había quedado inmóvil. Se incorporó un poco, juntó las manos bajo la cabeza y se recostó apoyándola en la almohada para verle mejor la cara a Rachel.

—¿Lo has dicho en serio, o sólo fue para enfurecerla?

Rachel le sostuvo la mirada. —Lo he dicho en serio.

—¿Ah, sí? —inquirió él, y sonrió.

—Sí.

—¿Sí?

—Sí.

La sonrisa en sus labios se ensanchó de placer. Johnny se estiró hacia ella, la atrajo hacia su pecho y la colocó de espaldas en la cama. Se apoyó en un codo y se inclinó sobre ella.

—¿Podrías repetirlo? Esta vez sólo para mí.

Rachel levantó la mirada hacia el rostro atractivo de Johnny, sus ojos azules y la boca larga y sensual con un pequeño corte en la comisura. Con un dedo le tocó la magulladura del pómulo.

—Estoy enamorada de ti —dijo suavemente.

—Has omitido el «locamente» —la reprendió él—. Quiero oírlo todo, y que me lo digas en la cara.

—Estoy locamente enamorada de ti —corrigió ella. En sus labios asomó una sonrisa tierna al sentir que en ella brotaba y florecía la felicidad. Había revelado su secreto, que había dejado de ser un secreto, y se alegraba de ello.

—Rachel... —En los ojos de Johnny había asombro y también pasión cuando le tomó la cara entre las manos y se inclinó buscándole la boca.

Fue un beso delicado, dulce e íntimo, que le decía cosas que aún no había formulado con palabras. Extasiada, Rachel le rodeó el cuello y volvió a entregarse a la gloria de Johnny haciéndole el amor.

Más tarde, cuando yacía rodeada de sus brazos, semidormida, satisfecha, oyó un ruido que le hizo fruncir el entrecejo. Por un momento, no podía entender qué diablos lo provocaba.

—Te están sonando las tripas —dijo, mirándolo boquiabierta.

Johnny le hizo una mueca.

—Me muero de hambre —confesó—. No he comido desde casi las seis de la tarde de ayer.

—¡Tendrías que haberlo dicho!

—Tuve que elegir entre alimento para el cuerpo o alimento para el alma, y ganó el alma.

La sonrisa de Johnny la deslumbraba, la hechizaba. Estiró una mano hasta acariciarle la nuca, lo acercó para besarlo, un beso cálido y prolongado.

—Dios mío —murmuró él.

La ciñó con sus brazos y la hizo girar con él hasta que ella volvió a quedar debajo. Sus intenciones eran muy claras.

—Nada de eso ahora —dijo ella, pellizcándole en las costillas—. Nos vamos a levantar y vamos a comer algo. No podemos quedarnos en la cama todo el día.

—A mí me gustaría —confesó él.

La soltó de mala gana y se incorporó. Por un momento, mientras él se erguía, desnudo, en la cama, Rachel se permitió el lujo de mirarlo, sólo mirarlo. Johnny era un tipo verdaderamente atractivo. Alto y delgado, de hombros y brazos musculosos, una verdadera página central de la revista *Playgirl*. Un vello rizado y velludo en «uve» le cubría el pecho, y luego se afinaba hasta convertirse en una línea que se deslizaba hasta el ombligo y bajaba para ensancharse de nuevo en sus genitales. Por un momento, Rachel fijó ahí su mirada con un placer puro. Johnny la observaba. Ella encontró sus ojos y recordó que estaba tendida sobre la sábana, totalmente desnuda. Se estiró lentamente, como una gata perezosa. Cuando Johnny recorrió con la mirada todo su cuerpo arqueado, Rachel se sintió deliciosamente pecaminosa. Y deseable, muy deseable.

—Bueno, basta ya. A la ducha contigo antes de que me desmaye por inanición.

Se inclinó, la cogió en sus brazos y pasó por encima de *Lobo*, que observaba todas aquellas actividades con desprecio. La llevó hasta el cuarto de baño, donde la dejó de pie dentro de la bañera. Abrió ambos grifos, probó la temperatura del agua y entró junto a ella. Luego corrió la cortina.

CAPITULO 33

Rachel tenía treinta y cuatro años y nunca se había duchado en compañía de un hombre. Mientras Johnny le enjabonaba la espalda y luego le pasaba sus manos sensuales por debajo de los brazos para acariciarle y lavarle los pechos, Rachel comprendió lo que se había estado perdiendo. Había todo un mundo esperándola, un maravilloso mundo de los sentidos entre un hombre y una mujer, que ella apenas había vislumbrado. Mientras las manos enjabonadas se deslizaban por su vientre, sus caderas, sus muslos y luego su trasero, Rachel comprendió que estaba tan enamorada de él que se sentía aturdida.

Ella, Rachel Grant, estaba enamorada de Johnny Harris.

La idea era tan absurda que dejó escapar una risa ahogada.

—¿De qué te ríes? —preguntó él con un gruñido.

La reacción de Rachel a la incursión de sus manos no era lo que él esperaba. La hizo girar en sus brazos y la miró a la cara con fingida severidad mientras el agua caliente los cubría.

— De ti, de mí..., de nosotros. ¿Quién lo habría pensado?

Johnny le pasó los dedos por el pelo empapado separando los mechones, de modo que el agua, al caer, le aclarara el cabello. Luego bajó las manos hasta posarlas sobre el delgado talle de Rachel.

—Yo lo he pensado durante años. Durante casi la mitad de mi vida, en realidad.

Rachel se puso seria y lo miró fijamente. Dejó la placentera tarea de lavarle el pecho. Con su pelo mojado y liso, como el de ella, lo veía muy diferente del Johnny al que ella estaba acostumbrada. Era igual de guapo y atractivo, pero mayor, un hombre más maduro. En ese momento, no quedaban rastros del adolescente crecido más de la cuenta. Johnny era un adulto como ella. La diferencia de edades entre los dos no era un obstáculo mayor de lo que podría ser la diferencia del color del pelo.

—Ahora que has conseguido lo que querías de mí, ¿cuándo terminará la luna de miel? —inquirió Rachel en tono jocoso, para que él no sospechara la seriedad que experimentaba ante su respuesta.

Johnny no había hablado para nada de amor, y bastante sobre el deseo y la lujuria. Si lo único que perseguía era cumplir con una fantasía sexual de adolescente, lo había logrado con creces. Rachel volvió a mover sus dedos sobre la piel de Johnny, pero percibió algo en su mirada que le aceleró el corazón. Johnny le tomó las manos para detener su movimiento errático y atrapó el jabón contra su propio pecho.

—Me llevará años conseguir lo que quiero de ti. Puede que me lleve toda la vida. O más que eso.

—¿Ah, sí? —dijo ella, sonriendo, a través de la incesante cortina de agua.

—Sí —confirmó él. El jabón resbaló y cayó al agua que les bañaba los pies sin que ellos se dieran cuenta.

Permanecieron en la ducha hasta que el estómago de Johnny volvió a quejarse.

—¿Qué tal si cocino yo en lugar de que salgamos? preguntó Johnny cuando ambos salieron de la ducha y, tiritando sobre las baldosas frías, comenzaron a secarse.

La pregunta se perdió en medio de la vigorosa frotación con la toalla.

—¿Tú? —Rachel, envuelta en otra toalla, dejó de pasarse el peine de dientes gruesos para mirarlo fijamente por el espejo. En sus ojos había un asomo de incredulidad.

—Sí, yo. ¿Por qué? Sé cocinar —replicó él. Terminó de secarse el pelo y se puso la toalla alrededor de la cintura. —¿Tú sabes cocinar? —Rachel tenía una mirada tan teñida por la duda que él sonrió.

—Rachel, cariño, lamento tener que decírtelo, pero se te notan mucho los prejuicios. Dios mío, ¿qué habrá en mí para que la gente piense siempre lo peor? Claro que sé cocinar. En una familia como la mía, si no sabías cocinar te morías de hambre.

Rachel seguía presa de la incredulidad, porque no podía evitarlo. Contempló su cuerpo, fuerte, masculino. En su casa, era su madre la que cocinaba siempre, y las niñas habían aprendido de Elisabeth. Rachel jamás había visto a Stan ni siquiera revolver una olla de sopa. Pero Johnny tenía razón. El solo hecho de que fuera tan viril no era motivo para pensar que no pudiese preparar una comida. Ella lo estaba encasillando en un estereotipo, como hacían todos los demás.

—¿Y bien...? —insistió él, mirándola por el espejo.

—Cocina tú, desde luego. Estoy impaciente por verlo.

Johnny sonrió y salió del cuarto de baño. Rachel lo oyó rebuscando algo en el dormitorio, y supuso que se estaba vistiendo. Fue a la sala de estar en busca de su bolso y pasó cautelosamente por encima de *Lobo*. Tumbado en el pasillo, el perro miraba a Johnny con rastrera devoción mientras éste se vestía en la habitación. Cuando ella casi saltó por encima, el enorme animal la siguió con la mirada pero ni siquiera emitió un gruñido.

Se aplicó los pocos cosméticos que solía llevar en el bolso, a saber, lápiz de labios y crema hidratante para las manos, se esponjó el cabello y fue a la habitación para vestirse. En la cocina se oía ruido de ollas y sartenes. Rachel pensó que era enternecedor que Johnny cocinara para ella, y la idea la hizo sonreír mientras se vestía.

Al cabo de un rato salió vestida tal como había llegado, con su falda estrecha del traje rosa, su blusa de seda blanca con mangas cortas, un sencillo collar de perlas y zapatos beige, y se encaminó hacia la cocina a ver si podía ayudar al chef.

Tendido junto a la puerta que conducía a la ferretería, *Lobo* la observaba con una mirada concentrada que la puso un poco nerviosa.

En la cocina hervía algo dentro de unas cacerolas, y del horno emanaba un delicioso olor a ajo. Pero no había señales de Johnny.

—¿Johnny? —llamó ella, volviéndose. Debía de haber pasado al cuarto de baño sin que ella se diera cuenta. Dentro del pequeño piso no podía estar en otro sitio.

Desde la puerta, inmóvil, *Lobo* seguía observándola.

Rachel le devolvió la mirada, sin saber qué hacer. El perro bloqueaba la única salida. —Johnny —repitió ella.

En su voz había un atisbo de pánico.

El animal era alto y robusto, y era evidente que sabía cómo librar una batalla. Puede que perteneciera a una raza en particular, pero Rachel no podía identificarla. Por otro lado, tenía escasa experiencia con los perros. Su tía Lorraine había tenido un caniche, pero Elisabeth no toleraba perros en su inmaculada casa.

Dondequiera que estuviese, Johnny no respondió.

Tuvo la impresión de que los ojos del perro se volvían más agudos, y la mirada con que seguía a Rachel parecía casi hambrienta. Dios santo, ¿acaso aquella bestia pretendía devorarla? ¿Sería capaz de atacarla?

Rachel retrocedió un paso. Horrorizada, observó cómo *Lobo* avanzaba.

—¡Johnny! —exclamó a toda voz.

Al oírla, *Lobo* levantó las orejas y avanzó otro paso. Rachel retrocedió con cautela y se encontró de espaldas a la encimera que hacía de *office*. Se movió lentamente para no provocar al animal. Apoyó ambos brazos en el mueble y se incorporó hasta quedar sentada encima. *Lobo* siguió avanzando. Ya estaba en la cocina, a un escaso metro de los pies de Rachel.

—¡Johnny! —Esta vez fue un lamento desesperado. *Lobo* alzó la cabeza. Sus ojos relucían. Rachel se sentó en cuclillas, los pies bajo las posaderas. Acurrucada encima del *office*, echó mano de una cuchara de madera de mango largo que estaba junto al fregadero y la esgrimió como un arma defensiva.

—Pero ¿qué...?

Al oír la voz de Johnny en la entrada, Rachel casi se desplomó del alivio. Estaba tan contenta de verlo que no le molestó su expresión socarrona.

—Socorro —dijo ella con voz apagada.

Johnny sonrió.

—¿Dónde estabas? —preguntó Rachel.

Sin dejar de sonreír, Johnny entró en la cocina, pasó junto a *Lobo*, que bajó las orejas y agitó la cola al ver a su amo. Johnny abrió la puerta de la nevera.

—Abajo, en la tienda. Necesitaba un poco de sal para la salsa de los macarrones y recordé que Ziegler guarda unos sobrecitos del Rey de la Hamburguesa en su escritorio.

Sacó algo de las profundidades de la nevera y se lo arrojó a *Lobo*, que lo devoró ávidamente y agitó la cola pidiendo más.

—Anda, échate —dijo Johnny, apartando al animal con un gesto. Para alivio y asombro de Rachel, *Lobo* se volvió y salió—. Quería una salchicha —agregó Johnny antes de bajar a Rachel del mueble y quitarle la cuchara de las manos.

—¿Una salchicha? ¿Estás seguro? —Rachel todavía estaba asustada. Apoyó la frente en el pecho de Johnny.

—Estoy seguro. ¿Qué pensabas que quería?

—Devorarme —respondió, convencida Rachel.

Johnny soltó una carcajada. Rió hasta que Rachel, disgustada, pasó rozando a *Lobo*, decidida a volver a la habitación.

Tumbado junto a la puerta de la cocina, *Lobo* la detuvo de golpe al salir. Rachel le lanzó una mirada de desagrado. *Lobo* le devolvió la mirada y Rachel habría jurado que se burlaba de ella.

—Toma, dale una.

Johnny se le acercó. Ya no se burlaba y trató de ponerle en la mano una salchicha de aspecto viscoso.

—¡No! Antes preferiría darle de comer a una barracuda —dijo Rachel, y se cruzó de brazos decidida a no dejarse convencer.

—Quiero que seáis amigos. Hazlo, por favor.

Cuando Johnny se ponía a engatusarla con su tono conciliador... Pero ella seguía dudando. Rachel sacudió la cabeza. Johnny dejó escapar un suspiro.

—Haremos un trato. Tú intenta hacerte amiga de *Lobo* y yo intentaré hacer lo mismo con tu madre.

Rachel le lanzó una mirada de incredulidad.

—¿Acaso estás comparando a mi madre con un perro monstruoso, mal enseñado y furibundo?

Johnny se encogió de hombros.

—A mí ella me da mucho miedo, muchísimo.

Rachel se lo quedó mirando, pensativa.

—Está bien —asintió, y estiró la mano para coger la salchicha.

Cuando la cena que Johnny había preparado estuvo en la mesa, Rachel tuvo la sensación de que ella y *Lobo* habían establecido una tregua, aunque lo suyo aún no era amistad. El precio de la paz había sido un paquete y medio de salchichas.

Durante el resto del día comieron, sacaron a *Lobo* a pasear al solar situado frente a la tienda, salieron en coche sin rumbo fijo, luego volvieron para echarse en el sofá. Con la cabeza en el regazo de Rachel, Johnny miraba la televisión y hablaba de cualquier cosa. Ambos eludieron deliberadamente tocar el tema de Glenda. Por suerte, la dicha del amor resultó ser un potente anestésico contra su tristeza.

A las seis, a regañadientes, Rachel empezó a pensar en volver a casa. Cuando le dijo a Johnny que tenía que irse, a él se le velaron los ojos pero asintió con un gesto de la cabeza.

—Sí, se está haciendo tarde.

—Me quedaré a pasar la noche si no quieres estar solo.

Estaban en la cocina vaciando el lavaplatos. Rachel estaba sorprendida por la soltura con que se ocupaban de las tareas domésticas sencillas, tales como cocinar y hacer la limpieza. Era como si lo conociera de toda la vida... Y, en realidad, si lo pensaba bien, era cierto. Rachel sonrió al pensar en ello.

—No hace falta que te quedes.

Rachel guardó una cacerola y se volvió para mirarlo. Él estaba apoyado en la encimera y la contemplaba. Aunque en su rostro no había expresión alguna, Rachel sabía que Johnny detestaba la idea de que se marchara.

—Sé que no hace falta que me quede. Lo que quiero saber es si tienes ganas de que me quede.

Las palabras eran directas, atravesaban la cortina de humo de la orgullosa virilidad de Johnny. Rachel esperó. Johnny había pasado tanto tiempo sin tener a nadie en quien apoyarse que le costaba reconocer que la necesitaba, a ella o a cualquier otra persona.

Johnny hizo una mueca.

—Si te quedas, es probable que tu madre venga a por mí con una escopeta. Si alguien más se entera, todo el pueblo te tratará de ramera. La Junta Escolar invocaría esa... ¿cómo era?.. Esa cláusula de depravación moral, y te despedirían. ¿Crees que quiero hacerte pasar por eso, Rachel? Pues no.

—Nada de eso importa si me necesitas.

—Quiero que te quedes, pero no es necesario que lo hagas. No tanto como para ponerte en una situación así. No, vete a casa esta noche, duerme en tu cama y ven mañana a pasar la tarde conmigo.

—¿Cocinarás tú? —sonrió Rachel.

—Ya te he malcriado, ¿verdad? —dijo él, y le tendió los brazos.

Rachel se entregó a él. A pesar de sus palabras, Johnny la abrazó como si no quisiera soltarla jamás.

Cuando Rachel salió del piso eran casi las ocho. Él la acompañó hasta el coche. Luego se quedó de pie en la acera viendo como se alejaba.

Dejarlo solo con sus fantasmas fue lo más difícil que había hecho Rachel en su vida.

CAPITULO 34

Los días siguientes fueron al mismo tiempo los mejores y los peores que había pasado Rachel en su vida. Por una parte, pasaba las tardes con Johnny, se deslizaba por la parte trasera al piso después de que la tienda cerrara para que no la vieran, y se quedaba cada noche hasta las once, más o menos. Paseaban al perro, bailaban lentamente en la sala de estar, al ritmo de una colección de viejas canciones que Johnny había reunido en su adolescencia y que acababa de recuperar de la casa de su padre. Limpiaban el piso, cocinaban, hacían el amor. Mientras tanto hablaban, de cualquier cosa y de todo, y Rachel redescubría la mente perspicaz, inteligente, ávida de saber que tanto la había atraído en otra época. El que esa mente residiese ahora en un cuerpo de hombre, no un muchacho, un hombre de quien, además, ella estaba honda, apasionadamente enamorada, parecía un don de los dioses. Poder discutir de temas tan distintos como la vida después de la muerte y los vericuetos de la salsa para macarrones con un hombre que citaba al gran poeta Henry Wadsworth Longfellow y al mismo tiempo la enloquecía de lujuria, era más de lo que a ella se le había ocurrido pedirle a la vida.

Pero Tylerville estaba conmocionado por el asesinato de Glenda Watkins... y casi todos sus habitantes estaban convencidos de que el asesino era Johnny Harris. La tendencia a los chismes de los ciudadanos se había vuelto siniestra, y proliferaban los rumores. Las versiones iban desde un culto de adoradores del diablo (con Johnny como demonio principal), hasta Johnny como maníaco sexual homicida. Habría sido fácil despreciar las versiones más absurdas con una simple risa, salvo porque se referían al hombre a quien amaba.

Hasta su propia madre, aunque Rachel le aseguraba que Johnny no podía haberlo hecho, lo consideraba francamente un psicópata. Como dijo a su hija, tenía la esperanza de que él no padeciera cambios de personalidad al estilo del doctor Jekyll y Mr. Hyde mientras Rachel estaba con él.

Sólo Becky comprendía un poco el enamoramiento de Rachel, porque ella también experimentaba sus propios problemas. Michael había regresado a Louisville sin conseguir la firma de Becky en los papeles que le permitirían vender la casa, pero había amenazado con volver a la semana siguiente. Becky, acongojada, dejó de lado su pena para defender a su hermana ante Elisabeth. A su vez, Rachel escuchaba las efusiones de Becky cada vez que su hermana sentía necesidad de hablar. Después de la mutua devoción que se habían tenido cuando niñas, distanciadas por los cataclismos de la adolescencia y por el posterior matrimonio de Becky, las dos volvían ahora a ser íntimas. Rachel descubrió que tener a su hermana como amiga y aliada era una fuente enorme de consuelo, y Becky, al parecer, sentía lo mismo.

El funeral de Glenda estaba previsto para la mañana del domingo, justo una semana después de su muerte. El retraso se debía a que las autoridades habían tenido que efectuar más pruebas en el cadáver. El jueves habían llegado del laboratorio estatal noticias de que el asesino de Glenda y el asesino de Marybeth Edwards parecían ser la misma persona. A los ojos de la ley, Johnny Harris empezaba a parecer inocente. Pero las habladurías lo señalaban como culpable, y la población siseaba de descontento porque un sospechoso tan obvio permaneciera libre.

El jefe Wheatley le había aconsejado que no acudiera al funeral, y él le había prometido a Rachel que escucharía aquella advertencia. Aun así, Johnny se presentó en el funeral de Glenda. Rachel casi se cayó de su asiento cuando lo vio entrar en el mismo saloncito de la funeraria de Long donde había tenido lugar la ceremonia para Willie Harris. En aquella ocasión buena parte de la población había acudido, aunque en su mayoría eran curiosos atraídos por el carácter sensacionalista de la muerte de Glenda. Incluso estaban presentes un cronista del *Tylerville Times* y un fotógrafo. Cuando el fotógrafo empezó a tomar fotos, Sam Munson se le acercó en seguida y le pidió que no lo hiciera. Sobrevino entonces una discusión en voz alta y cronista y fotógrafo fueron expulsados de la ceremonia.

Las cosas se tranquilizaron durante unos minutos. Llegaron más flores. De pronto, el altavoz comenzó a emitir música fúnebre a todo volumen y sobresaltó a los más nerviosos, antes de que lo bajaran a un nivel adecuado. Las miradas se fijaron en el ataúd cerrado cuando alguien se preguntó, en voz demasiado alta, cuán desfigurado estaría el cadáver. La sala bullía de morbosas lucubraciones sobre los detalles exactos del crimen. Todos, al parecer, concordaban en una sola cosa: el sospechoso más probable. El nombre de Johnny Harris corría entre los presentes en medio de susurros.

Trajeron más flores y las colocaron junto a los montones de crisantemos, lirios y claveles que rodeaban el ataúd. No había rosas. Sam Munson había ocultado discretamente los ramos de rosas que habían recibido.

Cuando llegó el reverendo para iniciar la ceremonia, el funeral había adquirido más la atmósfera de un circo macabro que de un rito religioso.

Rachel estaba sentada entre Kay Nelson a la izquierda y Becky a la derecha, y observaba el clérigo que venía por el pasillo. Rachel advirtió de pronto que el cuchicheo había arreciado y cambiado de carácter, adquiriendo resonancias siniestras. Miró alrededor para ver la causa —¿acaso había entrado la familia?—, y entonces divisó en el fondo a Johnny, ataviado con pantalones vaqueros y camisa de manga corta, con un hombro apoyado en la pared. Rachel no sabía exactamente cuándo había entrado, aunque era probable que sólo hiciera unos segundos.

La joven palideció, pero antes de que pudiera levantarse para ir a buscarlo se produjo una segunda oleada de cuchicheos. Eran los cuatro hermanitos Watkins, acompañados por un hombre cuarentón y sombrío, que debía de ser su padre, y una mujer joven. ¿La «puta» a quien había mencionado Jeremy? Y una pareja de más edad, que llegó por el pasillo y se sentó en primera fila. Luego el pastor, con su traje negro, avanzó hacia el altar y empezó a decir :

—Queridos amigos, hoy estamos reunidos para llorar la pérdida de nuestra amada Glenda Denice Wright Watkins...

Ya no había modo de que Rachel pudiera llegar hasta Johnny, sentada como estaba en medio de una fila, sin atraer la atención sobre ellos. Alertadas por su obvia agitación, Becky y Kay miraron alrededor y lo vieron también. También lo vio el jefe Wheatley, que se hallaba presente con varios de sus hombres. Aunque no se mostró muy contento por lo que debía hacer, el jefe de policía abandonó discretamente su asiento y fue a situarse de pie junto a Johnny. Los dos cambiaron miradas de entendimiento, pero Rachel no pudo ver nada más. Se vio obligada a volver la cara cuando el clérigo los exhortó a todos a orar.

La ceremonia fue breve y, al menos para Rachel, sumamente conmovedora. Le corrían lágrimas por las mejillas mientras escuchaba los himnos y las plegarias, pensando en Jeremy y sus hermanos. La pérdida de una madre era tal vez lo peor que podía pasarle a un niño. Rachel estaba tan apenada por los pequeños como por Glenda.

Después, cuando todos estaban de pie y se disponían a salir, Rachel, atrapada entre un mar de gente, vio que Johnny esquivaba el gentío y se encaminaba hacia el ataúd que yacía entre montañas de flores. El jefe Wheatley no dudó en seguirlo, al igual que Kerry Yates y Greg Skaggs. Las expresiones de los dos agentes más jóvenes permanecían impávidas, como si estuvieran cumpliendo con su tarea, aunque no les agradara particularmente hacerlo.

Cuando vio a Johnny y a su escolta de policías, Becky susurró a su hermana:

—Creí oírte decir que él no vendría.

En la escuela, Becky había estado tan sólo dos años por delante de Johnny y por eso lo conocía. Rachel vio cómo Becky estudiaba al hombre a quien ella amaba, pero no pudo descifrar su expresión.

—Mirad, allí está Johnny Harris —dijo Kay, detrás de Rachel, en un susurro bastante audible—. ¡No puedo creer que haya tenido el descaro de venir! ¡Oh, miren, va a hablar con la familia!

Rachel pretendía replicar con firmeza que Johnny había venido porque era inocente, porque le había tenido cariño a Glenda y estaba apenado, pero entonces vio que Johnny se acercaba a Jeremy, que estaba de espaldas a él, y ponía suavemente una mano sobre el hombro del niño. Jeremy se giró, lanzó una exclamación de alegría y de pronto los cuatro niños acudieron al trote, apiñándose en torno de Johnny. Con los brazos le rodearon los muslos, las caderas y dondequiera que podían alcanzar. Visiblemente conmovido, Johnny se apoyó en una rodilla para envolverlos en un abrazo.

—¿Podéis creer eso? —preguntó Kay, mientras en torno de ellas se expresaban sentimientos similares.

Finalmente Rachel llegó al final del pasillo y fue de prisa hacia Johnny, que estaba absorto con los niños, rodeado por la celosa guardia del jefe Wheatley y sus hombres, pero no había nadie que pudiera protegerlo de los murmullos malignos y las miradas llenas de odio que de pronto electrizaron la atmósfera.

«El olor de las flores es tan intenso que da náuseas», pensó Rachel cuando llegó hasta el grupo, al lado del ataúd. Entonces notó que algo, tal vez un desperfecto del aire acondicionado, hacía que esa parte del salón fuera muy fría. Con un gesto de saludo a Wheatley, Rachel se arrodilló junto a Johnny. No le dijo nada, aunque la mirada que le lanzó expresaba su reproche. Sin embargo, al ver su rostro severo y el obvio afecto que sentían por él los niños que le abrazaban —Jeremy le susurraba al oído, mientras el más pequeño de los niños le apretaba la rodilla doblada y las dos niñas apoyaban la cabeza en el pecho de él—, lo perdonó por arriesgarse a un desaire o algo peor. Era evidente que su presencia consolaba a los niños, y ella comprendió que por eso había venido.

Solamente la hija mayor de Glenda, una bonita sílfide rubia que llevaba un vestido blanco que evidentemente había sido comprado para el funeral de su madre, lloraba. Los demás niños estaban pálidos, pero con los ojos secos.

En un tono mucho más cercano a lo normal de lo que podía haber logrado Rachel en aquel momento, Johnny dijo: —Chicos, ésta es la señorita Grant. Ella y vuestra madre eran buenas amigas. Rachel, éste es Jake..., ésta es Lindsay, ésta es Ashley, y ya conoces a Jeremy.

—Mi mamá está muerta —declaró Lindsay, de tres años, metiéndose el pulgar en la boca y contemplando a Rachel con enormes ojos azules.

Rachel sintió un nudo en la garganta que le impedía pronunciar palabra. Lo único que pudo hacer fue acariciar la mejilla de la pequeña.

—Ella ya lo sabe, tonta. Por eso ha venido. —Jake, el robusto varoncito que se agarraba a la pierna de Johnny, le lanzó a su hermana una mirada de reproche.

—¿Queréis dejar de hablar de eso? —exclamó Ashley. Rápidamente se apartó de Johnny con un sollozo y cruzó el salón a la carrera. Se arrojó contra la mujer mayor que había entrado con ella y que en ese momento charlaba con un grupo de allegados. La mujer que, supuso Rachel, era la abuela de los niños, abrazó a la llorosa niña y miró por encima de su cabeza en busca de los demás, que aún rodeaban a Johnny Harris. Luego volvió la cabeza y le dijo algo al padre de los niños, que estaba junto a ella.

Watkins miró a su alrededor y, de pronto, su rostro se volvió rojo como un tomate.

CAPITULO 35

Jake Watkins tironeaba de la mano de Rachel. Ella le sonrió, tomándo sus deditos regordetes y frotándolos suavemente entre los de ella, y le devolvió la sonrisa.

—¿Cómo estás, Jeremy? —preguntó Rachel, mientras sujetaba la mano de Jake y miraba, compasiva, al hermano mayor.

Jeremy, que había dejado de susurrar al oído de Johnny para observar a su hermana, miró a Rachel. En su cara demacrada se notaba la tensión y la tristeza de los últimos días. La expresión de sus ojos era lo más triste que había visto Rachel en su vida.

—Yo estoy bien, y Jake también —repuso Jeremy. Luego hizo una pausa y le tembló el labio inferior antes de apretarlos con firmeza—. Pero, no estando mi mamá, no hay nadie que les lea a las niñas, ni les peine el cabello. Mi papá no sabe hacer trenzas.

—Oh, Jeremy, cuánto me apena lo de tu mamá —dijo Rachel. El hecho mismo de que el niño no llorara le hizo sentir ganas de hacerlo.

—Señorita Grant, yo... —empezó Jeremy en voz baja y rápida, pero se interrumpió bruscamente cuando Becky, que estaba detrás de Rachel, le tocó el hombro. —Cuidado, Rachel —murmuró, pero antes de que pudiera decir algo más el padre de Jeremy cruzó furioso la habitación.

Sin advertir o sin importarle que todos los presentes lo miraran, con una mano apartó a Jake de la rodilla de Johnny, y con la otra le dio a éste un empujón.

—Condenado, ¡no te acerques a mis hijos! —bramó Watkins.

Tomó por un brazo a Lindsay y, con un movimiento de cabeza, advirtió a Jeremy. En instintiva defensa de Johnny, Rachel se irguió y contuvo el aliento a la espera de la riña que preveía. Partiendo evidentemente de la misma suposición, el jefe de policía sujetó a Johnny por un brazo, mientras Greg Skaggs agarraba el otro. Johnny, para mérito suyo, no forcejeó al verse así retenido, sino que permaneció inmóvil, mirando al belicoso Watkins con ira contenida.

—¡Basta ya, Watkins! —ordenó el jefe Wheatley con brusquedad.

—¿Por qué no lo detiene, en lugar de protegerlo? ¡Mis hijos han perdido a su madre y usted se pone de parte del hombre que la mató!

—Según nuestros datos, por ahora Harris no es más culpable que usted, señor Watkins. Ya se lo he dicho.

—¡La mató él! ¡Tiene que haber sido él! ¡Primero aquella otra y ahora Glenda!

Jeremy se precipitó en defensa de Johnny.

—¡Papá, Johnny nunca le habría hecho daño a mamá! Ellos... ¡Ellos se besaban y todo eso! Además, vi..., vi...

Bruscamente se interrumpió, cerrando la boca. Con los ojos dilatados, miró a las personas que lo rodeaban en círculo.

—¿Qué viste, hijo? —inquirió el jefe de policía con voz tranquila.

—Vi algo en la oscuridad. Algo..., no sé —murmuró Jeremy, mirando al suelo. Luego alzó los ojos, que relucían, y recobrando los bríos agregó—: ¡Pero no era Johnny! ¡Sé que no era Johnny!

—Vete con tu abuela, Jeremy, y llévate a Jake —ordenó Watkins.

Jeremy lanzó a su padre una mirada, mezcla de miedo y rencor; luego tomó por la mano a Jake, que lloriqueaba suavemente, y se alejó con el pequeño.

Cuando Jeremy ya no podía oírlos, Watkins, sosteniendo en brazos a Lindsay, que se chupaba el dedo, le dijo a Johnny: —Si lo vuelvo a ver cerca de mis hijos, lo mataré. Juro por Dios que lo haré.

Luego escupió a los pies de Johnny y se alejó. El brillante glóbulo de saliva tembló sobre la alfombra. Rachel lo miró, luego apartó la vista con el estómago revuelto.

—¿Va a dejar que se salga con la suya? ¡Amenazó a Johnny..., ésa ha sido una amenaza, si en mi vida he oído una! —Rachel se volvió hacia Wheatley, temblorosa y escandalizada, antes de que otra persona pudiera decir palabra.

—Déjalo tranquilo. Es el padre de los chicos, válgame Dios. Ellos no necesitan más motivos de preocupación en este momento —intervino Johnny.

Parecía estar cansado. Se zafó de los agentes que lo sujetaban. Primero el jefe, y luego, más lentamente, Greg Skaggs, se apartaron.

Ofreciéndole su callado apoyo sin pensar cómo se vería eso, Rachel tomó la mano de Johnny, entrelazando los dedos con los de él. Unida a la mano de ella, la de él era cálida y fuerte.

Becky, Kay Nelson, que había seguido a las hermanas cuando se dirigieron al frente del salón, y Susan Henley, que acababa de sumarse al grupo, al parecer con la intención de hablar con Rachel, permanecieron mudas, después de presenciar con asombro cómo se desarrollaba el drama. Detrás de Susan, Rachel vio a Rob que se acercaba con Dave Henley, y se sobresaltó. Pero no soltó la mano de Johnny.

Rob no dijo nada, pero con ojos furiosos y asombrados miró primero las manos unidas, luego la cara de Rachel. Susan dijo:

—Rachel, iremos a merendar y pensamos que a ti, Becky... y a Kay, si quiere..., acaso os guste sumaros a nosotros. Y..., y... —Susan calló al observar también dónde estaba la mano de Rachel.

La expresión de Johnny era sardónica. Rachel sacudió la cabeza y le apretó la mano cuando él quiso retirarla. —Gracias, Susan, pero Johnny y yo tenemos otros planes. Conoces a Johnny Harris, ¿no?

—Sí. Oh, sí —repuso Susan, cabizbaja.

—Rachel, ¿puedo verte un minuto? —inquirió Rob con voz tan fría como su expresión.

Rachel miró a Johnny, sin saber bien cómo reaccionaría él, pero él apartó la mano de la de ella. Al oír a Rob se había puesto rígido y sus ojos lo miraban relucientes, de un modo nada amistoso. Pero no hizo nada para disuadir a Rachel.

Sintiendo que se acercaba otra escena desagradable si permitía que los dos hombres permanecieran cerca unos pocos segundos más, Rachel le lanzó a Becky una mirada implorante. Luego permitió que Rob la tomara del brazo y la condujese a un rincón donde, bajo una higuera grande, encontraron cierta intimidad. Antes de que el follaje del árbol le impidiera ver, la alivió comprobar que su hermana se acercaba más a Johnny. Becky, leal en una crisis, cubriría a Johnny con el manto protector de su buen nombre y su impecable reputación mientras Rachel estuviera ocupada en otra cosa.

—No he podido creer lo que veían mis ojos —empezó Rob en voz baja y furiosa, volviéndose hacia ella—. ¡Verdaderamente, estabas cogida de la mano de ese asesino delante de todo el mundo! ¡En el funeral de la mujer a quien él probablemente haya matado a puñaladas! ¿Acaso estás loca? —Cuando Rachel quiso contestar, él tomó aliento y alzó la mano para impedírselo. Luego continuó en un tono más conciliador—. Rachel, no he querido oír los chismes y he atribuido tu interés por Harris a un corazón bondadoso y a tus impulsos como profesora. ¡Pero esto es llevar las cosas demasiado lejos! O dejas ahora mismo de relacionarte con él, o tú y yo hemos terminado.

—Entonces creo que hemos terminado —repuso Rachel. Para su propia sorpresa, casi disfrutó al decirlo.

—¿Qué? —exclamó Rob, atónito. Evidentemente no era ésa, ni mucho menos, la respuesta que él había previsto—. ¡Rachel, debes de estar chiflada! Me dijiste que era imposible que él hubiera matado a Glenda Watkins porque tú estabas con él, ¡pero yo pienso que son patrañas! ¡No sé cómo, él tiene que haber encontrado un modo de cometer ese crimen! ¡De lo contrario, es demasiada coincidencia! Aunque no te quisiera, te haría notar algo evidente: ¡pones tu vida en peligro cada vez que estás con él! ¿Quién sabe qué hace falta para hacerlo estallar?

—Johnny no estalla, y jamás me haría daño.

—Johnny —repitió Rob con amargura—. ¡Qué estúpida eres, Rachel! ¡Iba a casarme contigo!

Rachel lo miró desde lo alto de su bien peinada cabeza hasta los zapatos lustrados. Su mirada no se perdió ningún detalle. Sin pesar alguno, revisó la cara madura y atractiva, el traje discreto, la corbata correcta, la imagen de prosperidad que emanaba de él. Rob era la encarnación misma del marido que ella había decidido tener. Sólo que ahora, al parecer, sus sueños habían cambiado.

—No creo que nos hubiera ido bien, Rob —dijo Rachel, con más dulzura de la que quizá él merecía, después de sus comentarios nada bondadosos acerca de Johnny.

Pero no era culpa de Rob que, gracias a Johnny, ella hubiera descubierto un aspecto de sí misma, el valor, el hedonismo y la desinhibición, cuya existencia jamás había sospechado. No era culpa de Rob si hablaba de golf, de la bolsa de valores y de su jornada en la farmacia, cuando de lo que ella quería hablar era del sentido de la vida y de la poesía de William Blake. No era culpa de Rob que su idea de una velada entretenida en casa fuera una mujercita dulce que cocinara para él y después limpiara la cocina mientras él miraba el fútbol en la televisión. No era culpa de Rob que ellos fuesen fundamentalmente incompatibles. A decir verdad, él no había tenido razones para sospechar siquiera tal cosa, puesto que nunca había dejado que se manifestara la mujer romántica llena de sueños que había en ella.

—Es evidente que no —replicó Rob. Ahora en su voz había cólera. Cólera en su actitud controlada y en sus ojos—. Me he equivocado con respecto a ti, Rachel, y sólo puedo decir que me alegro de haber descubierto tu verdadera naturaleza antes de que fuese demasiado tarde.

—También yo —admitió ella, tal vez con demasiada cordialidad para el gusto de él.

La respuesta de Rachel pareció enfurecerlo. Enrojeció y Rachel casi pudo oírle rechinar los dientes. Aquello era habitual en él cuando estaba irritado y Rachel descubrió cuánto aborrecía esa costumbre.

—Has cambiado —dijo él—. Es Harris quien te ha cambiado. Tienes una relación con él, ¿verdad?

—Somos almas gemelas —dijo Rachel, queriendo ser frívola. Sólo cuando esas palabras llegaron a sus propios oídos, comprendió que eran ciertas. Rob lanzó un resoplido.

—¿Nos vamos, Rachel?

Al oír la voz calmada de Johnny a sus espaldas, Rachel casi dio un salto. Cuando se volvió, descubrió que él observaba a Rob con mirada dura y firme. La mano de Johnny, al tomar el brazo de Rachel, fue posesiva. Al sentir que le presionaba el brazo, Rachel fue consciente de una repentina oleada de dicha, tan fuerte que casi sonrió. Le encantaba pensar que él estaba anunciando en público que ella era suya. Ya estaba harta de escabullirse por la escalera de atrás.

—Estás loca, Rachel —dijo Rob con aspereza.

Por un instante, su mirada se apartó de Johnny Harris para fijarse en ella. Luego apretó los labios y pasó junto a ellos.

Rachel vio que Dave y Susan Henley iban tras él. Becky, Kay, el jefe Wheatley y los dos jóvenes agentes, que habían observado esta escena impasibles, se encontraban a poca distancia de ellos.

Por suerte, el salón se había vaciado. Sólo quedaban Sam Munson y sus hombres merodeando discretamente en torno al ataúd, que sería trasladado al coche fúnebre después de que todos se hubieran ido. La familia debía sobrellevar aún el sepelio, pero para los demás el funeral había concluido.

Avergonzada de su propia dicha repentina en aquel lugar de dolor, Rachel inclinó la cabeza y dejó que Johnny la condujese fuera del edificio.

CAPITULO 36

En el funeral de Glenda Watkins, el vigilante se había movido con aparente normalidad, pero en su interior un tumulto de emociones se disputaba la supremacía. Por primera vez, la personalidad dominante afloraba a la superficie, emergiendo de su propio cuerpo la presencia de su alma monstruosa. La personalidad superficial y cotidiana que conocía a todos y era conocida por todos era muy diferente de la verdadera personalidad del vigilante. La personalidad cotidiana era agradable y simpática, ocupada en las mil y una pequeñas tareas que constituían la vida diaria. El vigilante no tenía edad ni sexo. Era pura maldad. Hervía de furia y de odio, y esas emociones lo impulsaban a matar.

Hasta entonces, su personalidad cotidiana no había tenido conocimiento de haber participado en los asesinatos de Marybeth Edwards y Glenda Watkins. Pero la imagen de aquellos cuatro niños desconsolados, en particular el mayor, a quien el vigilante percibió la noche del asesinato de Glenda Watkins, había desencadenado el recuerdo de aquella noche en la personalidad superficial. Ese recuerdo parecía muy real: sangre por todas partes, su aspecto, su sensación al tacto... y el olor. La personalidad superficial tuvo vahídos de horror y de miedo... Pero la personalidad superficial no quería recordar. Se resistía a los recuerdos. Rechazaba por completo las imágenes, los sonidos y los olores de aquella noche.

El vigilante y su personalidad superficial se aliaron en una dulce amnesia. El vigilante, desconfiando de lo que pudiera suceder cuando la personalidad superficial advirtiera su existencia, se cerró. Por un breve período, fue como si los pensamientos, sentimientos y recuerdos independientes del vigilante dejaran de existir.

La personalidad superficial se concentró en la realidad: el borde del asiento contra las piernas tensas, la reconfortante cadencia de la voz del reverendo, la tibieza de los cuerpos de los amigos que estaban sentados a cada lado. Las imágenes horrendas, que debían de provenir de alguna película de horror olvidada mucho tiempo atrás, cesaron. Afortunadamente, la realidad ganó.

Momentos más tarde, con la personalidad superficial adormecida, con cautela, el vigilante volvió a cobrar vida. Atisbando por los ojos del cuerpo, presenció con satisfacción la ceremonia fúnebre de la mujer a quien él había asesinado. Pero, antes de que salieran los deudos, el vigilante volvió a enfurecerse. Porque el asesinato de la Watkins, como el anterior, había sido en vano.

Johnny Harris había encontrado una nueva querida. Y al vigilante se le presentaba ahora una nueva presa a quien dar caza y destruir.

Pero antes, la personalidad superficial tenía que encerrar el recuerdo del asesinato de Glenda Watkins. Luego debía eliminar aquella pequeña amenaza que asomaba de forma tan inesperada.

¿Así que entonces el niño había visto algo en la oscuridad? De pronto el vigilante pensó, presa de un humor negro, que ya llegaría el momento en que lo viera más de cerca.

CAPITULO 37

Pese a la evidente reticencia de Rachel a dejarlo solo, Johnny le dijo que pasaría el resto de la tarde con su hermana y su amiga. Luego partió en su moto, que ahora tenía neumáticos nuevos. Tenía cosas que hacer y cosas en que pensar. Lo perseguía obsesivamente la imagen de Glenda y las caras de sus hijos. No paraba de pensar en lo que él habría podido hacer, o habría debido hacer, para evitar lo sucedido. Él no había matado a Glenda, como tampoco había matado a Marybeth, pero de algún modo se sentía culpable, como si aquellas muertes fuesen de alguna manera responsabilidad suya.

Aún no había desentrañado la razón de esas muertes, ni sabía quién era el autor de los crímenes. Pero un instinto profundo y misterioso le sugería que, de alguna manera inexplicable, los asesinatos tenían relación con él.

Recordó tiempos de un pasado muy lejano y pensó en Marybeth, años atrás. Era una chica guapa, delgada, rubia y menuda, como siempre le habían gustado las mujeres. Sus padres eran destacados miembros del Club de campo y un auténtico pilar de la comunidad. A Marybeth, que era la hija menor, la habían malcriado. Marybeth tenía todo lo que deseaba... hasta que quiso tener a Johnny Harris.

Por primera vez en su vida, supuso Johnny, los padres le habían dicho que no. Pero Marybeth se había negado a aceptar aquella prohibición.

Había sido una chica dulce, joven y necia, con la cabeza llena de sueños para convertirse en actriz o modelo, o incluso azafata de una línea aérea. Esta última profesión, pensaba Marybeth, era casi tan atractiva como las otras dos. En aquel entonces, Johnny había quedado avasallado por su belleza y por su disposición a escabullirse a espaldas de su padre para verlo. Y admiraba su sexualidad, inocente pero fogosa, una sexualidad de la que él se había aprovechado plenamente con el egoísmo ciego de la juventud.

Mirándolo desde esa perspectiva, él había sido el objeto de la primera rebelión de Marybeth contra la educación indolente de los padres. Un rito adolescente tan típico no tenía por qué haberle costado la vida... Pero así había sucedido, por alguna oscura razón.

Glenda, en cambio, era diferente. Johnny jamás estuvo enamorado de Glenda, ni tampoco ella lo había estado de él. Habían sido amigos y compañeros de juego desde la infancia, pequeños cómplices desde la escuela primaria y en los primeros años del instituto. Más tarde, amantes esporádicos en su primer y segundo año de estudios, cuando los dos tenían ganas y no había nadie más disponible. Al salir Johnny de la cárcel, continuaron siendo amigos y amantes esporádicos. Ella había gozado tanto como él de esos momentos, pero nunca hubo entre ellos ilusiones de amor. Sin embargo, ambos se tenían cariño a su manera.

Glenda, al igual que Marybeth, no merecía morir. Y tampoco esos niños merecían que les arrebataran a la madre.

¿Cuáles eran, entonces, los hechos? Había dos mujeres muertas, víctimas del mismo asesino. Un asesino que había atacado dos veces en once años. Los años transcurridos entre uno y otro crimen correspondían al período que él había disfrutado del hospedaje del Estado. ¿Qué tenían en común aquellas dos mujeres? Él se había acostado con ambas. Johnny sintió que se le helaba la sangre.

Porque ahora estaba Rachel, la mujer por quien él iría en busca de la luna, metería las estrellas en un saco y domaría al mismísimo sol. Rachel era más de lo que él había soñado. Su fantasía de adolescente haciendo el amor con su profesora era sólo eso, una fantasía. Esta Rachel era real, una mujer buena, dulce, valiente, intachablemente leal, una mujer que lo hechizaba y que con su amor había abierto la prisión fría de su corazón. Rachel lo amaba. Esas tres palabras eran el poema más bello que Johnny había escuchado en su vida.

¿Acaso Rachel estaba en peligro por eso? ¿Acaso había un demente suelto que mataba a las mujeres que él quería? ¿O había algún otro vínculo entre las víctimas, un vínculo que él desconocía? Todo aquello era imposible, una loca pesadilla que él no lograba explicarse.

Pero al pensar en Rachel en peligro, estuvo a punto de dar la vuelta con su moto y correr a su lado, como un ciervo que oye el disparo del cazador en el bosque.

Lo detuvo sólo un razonamiento lógico. Entre un asesinato y otro habían pasado once años. No era probable que ocurriese otro antes de que transcurriera una semana. Tal vez los asesinatos cesarían. Tal vez Marybeth había sido víctima de un psicópata errante (la teoría preferida de Rachel) y el de Glenda no era más que una buena copia del primero. Tal vez Tom Watkins fuese más listo de lo que aparentaba. O tal vez... Dios, ¿quién podía saberlo? Las posibilidades eran infinitas.

No, él no creía seriamente que Rachel corriera peligro.

Sin embargo, ya se había equivocado antes. Y la vida le había enseñado a ser cauteloso.

Si el vínculo era él, ¿quién, aparte de la familia de Rachel, sabía de la relación entre los dos? La madre de Rachel, que él conocía sobre todo como una voz incorpórea y censuradora en el otro extremo de la línea telefónica. Y luego, su hermana, Becky, que en la escuela había sido la muchacha más popular de la clase. Becky era menuda, como Rachel, pero más vivaz, más segura de su atractivo, el tipo de mujer que llamaba la atención de los hombres. Johnny siempre había admirado a Becky desde lejos, y sus atributos físicos, que compartía con su hermana, eran del tipo que siempre lo habían atraído. Pero era Rachel a la que él deseaba, incluso entonces. Entre él y Rachel siempre había habido una actitud consciente, una chispa indescriptible.

Almas gemelas. Eso eran ellos dos. Al pensarlo, una sonrisa irónica asomó a sus labios. Qué romanticoide y estúpido sonaba aquello. Siempre había oído decir que el amor ponía de rodillas a los hombres fuertes y les convertía el cerebro en gelatina. Tal vez tuviese que pensárselo dos veces en cuanto a cortarse el pelo.

Descartó a la madre y a la hermana de Rachel. Era mil veces más probable que lo asesinaran a él que a ella.

Además, para ser mujer, Glenda era alta y fuerte. Asesinarla tan rápida y violentamente requería una fuerza enorme.

La fuerza de un hombre.

¿Acaso andaba suelto un hombre que lo odiaba tanto como para matar a las mujeres que amaba, para que luego lo culparan a él?

Johnny casi sonrió ante la idea. Joder, si la mayoría de los habitantes de Tylerville lo odiaban.

Aquello era un rompecabezas. Pensaba en ello una y otra vez y no daba con la solución. Sólo veía que las dos mujeres a las que él había querido habían sido brutalmente asesinadas.

Si esa teoría era cierta, entonces Rachel corría peligro.

Podía dejar de verla, puesto que para protegerla estaba dispuesto a cualquier cosa, pero luego pensó que el daño ya estaba hecho. En el funeral, la mitad de los presentes vio como se cogían de la mano.

Hacia la noche, se habría enterado la otra mitad de la población. El circuito de los chismes en Tylerville era de una eficacia despiadada.

Aunque fuese sólo para calmar sus temores, Johnny decidió ir a ver a Wheatley, señalarle el posible peligro y ver qué opinaba el jefe de policía. Aunque el tipo ejercía una profesión que Johnny aborrecía, era buena persona. Se podía confiar en él y tenía acceso a mucha información que Johnny desconocía. Quizá estuviese enterado de otro vínculo entre las dos víctimas que dejaba a Rachel totalmente fuera del cuadro.

Pero quizá sí, quizá andaba suelto alguien que se había propuesto matar a las mujeres que aparecían en su vida.

Esa tarde, Rachel estaba con su hermana y la amiga de ambas. Estaría perfectamente a salvo. Johnny decidió darse prisa en sus asuntos para estar de vuelta al caer la noche. La oscuridad traía el peligro y, hasta que amaneciera, él no perdería de vista a Rachel. Si era necesario, no volvería a perderla de vista nunca más en su vida.

El día siguiente era domingo, y tendría que asistir a aquella maldita comida que tanto significaba para ella. Johnny hizo una mueca. Tendría que hacer frente a la madre de Rachel en una mesa llena de platería, porcelana y cristal. Sospechaba que Elisabeth Grant se complacería en hacer la comida más complicada posible con el solo propósito de impresionarlo.

Johnny estaba preparado por si ella ponía en juego sus peores artes. Aunque él no lo habría reconocido ante nadie, ni siquiera ante Rachel, se había preparado para esa posibilidad. Desde que Rachel había entrado en su vida, su lectura de cabecera era un manual de etiqueta.

Pensaba hacer todo lo posible para no avergonzarla. También pensaba hacer todo lo posible para mantenerla con vida.

Cuando todo aquello terminara, si algún día terminaba, él se daría una segunda oportunidad. Ahora la policía lo consideraba inocente, no sólo del asesinato de Glenda sino también del de Marybeth. Tenía que hablar con su abogado, y ésa era la razón por la que en aquel momento se dirigía a Louisville. Quería borrar de su vida la mancha de su condena anterior.

Era como si su destino, después de sopesar las cosas buenas que le había arrancado, empezara a retribuirle por los errores del pasado.

CAPITULO 38

Rachel continuaba levemente ofendida con Johnny cuando ella y Becky dejaron a Kay en su piso. Pensaba que él, entristecido, necesitaría su consuelo después del funeral de Glenda. En cambio, se despidió para que ella se fuera con Becky. Le dio un apretón de manos y dijo que tenía unos asuntos de qué ocuparse esa tarde. Rachel no sabía de qué asuntos se trataba, ya que Johnny trabajaba para ella, y ese día la ferretería había cerrado debido al funeral. Ni siquiera la besó al despedirse.

Rachel se sorprendió y se avergonzó al comprobar que eso la molestaba.

Sabía que él la amaba, lo sabía con el corazón, con la mente y con el alma, aunque él no se lo hubiese dicho de manera explícita. Pero el amor entre los dos era tan nuevo, tan increíble y emocionante que Rachel lamentaba cada minuto que pasaban separados.

Estaba claro que él no sentía el mismo pesar.

Kay bajó del coche y, volviéndose, sonrió a Rachel y Becky.

—¿Seguro que no queréis entrar unos minutos? Tengo un té de hierbas sensacional.

Mirándola por primera vez en años, Rachel advirtió casi sorprendida que Kay, desdeñada como mujer durante su adolescencia y casi toda su juventud, ahora estaba floreciendo. Tenía cierto color en el rostro, normalmente pálido, como si estuviese dedicada a los ejercicios al aire libre, o algo por el estilo. Usaba maquillaje y un perfume de aroma intenso. Se había teñido el pelo castaño, normalmente opaco, de una especie de castaño rojizo bruñido, y la favorecía el traje verde manzana que llevaba. Su figura, siempre propensa a engordar, seguía teniendo formas redondeadas, pero ahora más atractivas, y Rachel pensó que quizá había adelgazado. En los últimos días había estado tan absorta en sus propios problemas que aquellos cambios habían tenido lugar sin que ella se percatara.

—No, gracias —corearon las dos hermanas, que sentían cierta repugnancia por el té de hierbas.

Luego se miraron y sonrieron. Kay sacudió la cabeza mirándolas, saludó con un gesto de la mano y desapareció en el vestíbulo del edificio donde vivía.

—A Kay se la ve bien, ¿verdad? ¿Tú crees que está enamorada? —aventuró Becky cuando salían del aparcamiento y emprendían el camino a *El Nogueral*. Conducía el coche de Rachel porque había tenido suficientes experiencias con su hermana al volante.

—Yo me preguntaba lo mismo.

—¿Quién podrá ser? —rió Becky—. Los únicos dos solteros de la ciudad se están peleando por ti.

—¿Te refieres a Johnny y Rob? —Rachel miró a su hermana—. Tiene que haber más solteros que ellos dos en Tylerville.

Becky sacudió la cabeza.

—Me he estado fijando y no he visto a nadie más. Tú probablemente no te has dado cuenta, pero yo he estado ausente tanto tiempo que advierto los cambios producidos. Los hombres jóvenes que tienen un poco de ambición tienden a irse pronto de Tylerville, y, si vuelven, es con mujer e hijos.

Becky parecía triste al sonreír, y Rachel recordó la razón por la que su hermana se fijaba en los hombres solteros.

—¿Crees que te quedarás en Tylerville, Becky? ¿Después..., después de que haya terminado?

—¿Después del divorcio, quieres decir? Pues ya puedes decirlo..., tengo que aprender a asumirlo. Pronto seré una mujer divorciada, ¿te lo puedes creer? —preguntó, y lanzó una breve risa carente de alegría.

Rachel negó con un gesto de cabeza. —La vida da extrañas vueltas, ¿verdad?

—Sí, tú te has quedado aquí, a pesar de que querías viajar por el mundo y tener aventuras maravillosas. Y yo..., yo pensaba que me enamoraría, tendría hijos, los criaría en Tylerville y jamás me marcharía. Ninguna de las dos consiguió lo que deseaba, ¿verdad?

—Te has casado y has tenido hijas.

—Pero no resultó como yo pensaba. Aun cuando las cosas entre Michael y yo estaban bien, no. ¡Oh, no era suficiente! Todo era siempre para él. Su carrera, su ropa, su vida social. Y yo siempre pensaba, ¿y yo qué?

—No sabía que te sintieras de esa manera. Siempre pensé que eras feliz.

—Lo sé. Yo quería que todos vosotros pensarais eso, tú, mamá y papá. Quise que todos creyeran que era feliz en mi matrimonio. Me sentía tan mal por habértelo quitado, Rachel. ¿Lo querías mucho?

—No tanto como creía amarlo entonces, ni mucho menos.

Las dos callaron un momento, recordando. Luego Becky le dedicó a Rachel una mirada burlona.

—Una cosa sí te diré, y es que sabes elegirlos. Johnny Harris es un tipazo.

—¿Un tipazo? —Rachel rió. Becky hablaba como sus alumnas adolescentes.

—Lo es —insistió Becky—. Hacía tanto tiempo que no lo veía que me había olvidado. Estaba dos cursos más atrás que nosotras, pero mis amigas y yo siempre pensamos que era el muchacho más guapo de todo el instituto. Si no hubiera sido tan loco. En fin, ahora es un hombre y es ¡absolutamente divino! Tan sexy, y te mira de un modo que... ¡guau! Tampoco me importaría tener amores con él.

Rachel miró a su hermana y dejó las manos en la falda. —Puede que esto sea algo más que unos amores, Becky. A decir verdad, creo que es algo más.

—¿Cuánto más? —inquirió su hermana, más seria.

—Mucho más. Estoy tan enamorada de él que me doy asco.

—¿No estarás pensando en casarte, o sí, Rachel?

Rachel se encogió de hombros.

—Como él no me ha dicho nada, no sé qué decirte.

—Vamos, Rachel Elisabeth, te conozco demasiado bien. Estás pensando en el matrimonio, ¿verdad?

—Puede que sí.

—Conoces las dificultades tan bien como yo.

—Sí.

—Entonces no diré nada más. Salvo que el matrimonio ya es bastante difícil cuando las personas tienen todo a su favor... como pensé que lo teníamos Michael y yo. No me gustaría tener puntos en contra desde el principio.

—Lo sé.

Se produjo una pausa silenciosa.

—¿Rachel?

—Sí.

—Para contestar a tu pregunta anterior, creo que me quedaré un tiempo en Tylerville. Para mamá es bueno tener aquí a las niñas, y para ellas es bueno que tengan a mamá, y también es bueno para mí. Por eso, si estás pensando en marcharte, puedes considerarte libre para hacerlo. Yo puedo ocuparme de todo hasta que decidas volver.

Sorprendida, Rachel miró a su hermana.

—Me conoces demasiado bien, Becky.

—De otro modo, ¿cómo podrías casarte con Johnny Harris? No es el tipo de hombre que se quedaría aquí, y no veo cómo podría hacerlo aunque fuese ese tipo de hombre. A la mayoría de estas personas jamás les importará si es culpable o no. Lo creen culpable y nada ni nadie los haría cambiar de idea.

—Lo sé. He pensado en eso.

—De modo que, si estás resuelta y decidida a hacerlo, no dejes que te lo impida ninguna preocupación sobre papá y mamá. Tú ya has hecho tu parte. Ahora me toca a mí.

—Tal vez nunca surja la cuestión... Pero, gracias.

—De nada —repuso Becky, y volvió su atención al camino. Segundos más tarde, miró de reojo a su hermana.

—Rachel...

—¿Sí?

—¿Estás segura de que no es un psicópata asesino de mujeres con un complejo de doctor Jekyll y Mr. Hyde, alguien a quien le gusta hacerlas picadillo, no?

Pese al tono humorístico de Becky, Rachel vio que su pregunta iba en serio. —Estoy segura —replicó con calma.

Becky no dijo nada más.

Cuando volvieron a *El Nogueral* Rachel se alegró de no haberse marchado con Johnny. Michael esperaba junto a su Lexus negro en el camino de la entrada. Las niñas, con Tilda detrás, rodeaban a su padre.

Con los ojos fijos en Michael, Becky detuvo el Máxima con una sacudida digna de Rachel en sus peores momentos. Permaneció sentada sólo una fracción de segundo, mirando a su familia sin decir nada.

—El solo hecho de verlo me enferma —dijo.

Rachel la miró, compasiva. Becky apretó los labios y bajó del coche.

De inmediato, Loren y Lisa se apartaron de Michael y corrieron hacia ella. Katie se quedó quieta en brazos de Michael.

—Mamá, ¡dice papá que os vais a divorciar!

Loren se detuvo frente a su madre y la miró con ojos acusadores.

—Dice que tenemos que matricularnos en la escuela de aquí porque vamos a quedarnos un tiempo con la abuela y con tía Rachel —agregó Lisa, que parecía igual de alterada que Loren.

Rachel, que se acercaba a Becky, la vio palidecer y se sintió impotente. No podía hacer nada para que su hermana y sus sobrinas no sufrieran tanto.

—Cariño, papá y yo estamos hablando de divorciarnos pero aún no lo hemos decidido del todo —dijo Becky, y puso una mano sobre el hombro de las niñas.

Luego lanzó una mirada furiosa a Michael, que se acercó con Katie en brazos.

—Es mejor decirles la verdad, Becky —dijo Michael. Becky apretó los labios y lanzó llamas por los ojos pero, tras una mirada de enfado a su marido, se volvió hacia sus hijas.

—En este momento es muy probable que papá y yo nos divorciemos, así que tal vez sea mejor que os matricule en la escuela del pueblo. Será divertido, ¿verdad? Quedarse aquí con la abuela y tía Rachel, e ir a la escuela al lado de donde da clases tía Rachel.

—¿Quieres decir que nunca volveremos a casa? preguntó Loren, con los ojos abiertos de par en par.

—¿Y nuestros amigos? — Lisa parecía al borde del llanto—. ¡Y nuestros juguetes!

—¡Y Rumsley!

Rumsley era el gato de las niñas, que se había quedado con Michael en la casa.

—Traeremos a Rumsley, desde luego. Y todas vuestras cosas. Y podréis seguir teniendo amigos allá y tener nuevos amigos aquí también —dijo Becky, intentando desesperadamente presentar el lado positivo de la situación.

—¡Yo quiero irme a casa!

—¡No quiero que tú y papá os divorciéis!

—¿Es que no os importamos nada nosotras?

—¡Os odio! —Lisa estalló en lágrimas y corrió hacia el bosque detrás de la casa. Loren también rompió a llorar y corrió tras su hermana.

—Has manejado la situación muy bien —dijo Michael en tono sarcástico. Se acercó a Becky y le entregó a Katie.

Becky se puso tensa. Rachel se irritó, solidarizándose con su hermana, pero se mordió la lengua y no dijo nada. Eran la vida y los asuntos de su hermana, y lo mejor que podía hacer por Becky era mantener la boca cerrada y estar allí para brindarle apoyo cuando ella la necesitara.

—¿Que yo lo he manejado bien? ¿Cómo has podido decírselo así, sin más? Yo pensaba esperar hasta que estuviéramos seguros.

—Estamos seguros —fue la brusca respuesta de Michael. Becky palideció.

Sin hablar, Rachel tomó a Katie de los brazos de su hermana y se la llevó a pocos pasos de allí para que mirara unas ardillas juguetonas que correteaban en torno a un árbol. La distancia le permitía oír y ver qué sucedía. Tenía intención de vigilar de cerca a su hermana por si hacía falta acudir en su ayuda. Bajo aquel estado de ánimo Michael era un extraño y Rachel no sabía de qué era capaz.

—¿Cómo puedes abandonarnos a las cuatro? —A Becky se le quebró la voz al hablar.

Rachel sintió que se le revolvía el estómago de pena. Michael hizo un ademán de impaciencia.

—Como de costumbre, estás haciendo un melodrama. No estoy abandonando a nadie. Mis hijas serán siempre mis hijas y estoy seguro de que podremos llegar a un acuerdo sobre los días de visita. Sabes tan bien como yo que nuestro matrimonio ha sido un error. Hace años que dejó de funcionar. Ahora he encontrado a una persona con quien quiero casarme. ¿Por qué diablos no lo aceptas en lugar de hacer más daño a las niñas?

—¡Que yo hago daño a las niñas...! —Becky no pudo seguir hablando.

—Esto podría ser totalmente diferente si no te portaras como una histérica. Ya tengo un comprador para la casa, a un precio excelente, difícil de conseguir en ese mercado tan cerrado, podría agregar. Añade a eso lo que estoy dispuesto a darte para poner fin de una vez por todas a este desatino, y si eres sensata verás que recibirás una suma cuantiosa. Y seguiré manteniendo a las niñas, por supuesto.

—Me he estado preguntando si alguna vez te he conocido de verdad —susurró Becky, el rostro tan blanco como la blusa de Rachel—. No creo que te haya conocido. Por favor, no vengas más aquí. Si tienes algo que decirme, hazlo a través de mi abogado. El lunes llamaré a tu despacho y te daré su nombre.

—Creía que habíamos acordado recurrir al mío.

—Tú lo acordaste, yo no. No me parece una buena idea.

—Becky... —se impacientó Michael.

—Vete, por favor —pidió Becky en un tono ahogado que anunciaba el llanto.

Mientras hablaba, Becky se apartó de su marido. Luego, con el rostro pálido y con mirada de desesperada, se dirigió a ciegas hacia la casa. Al verla, Rachel se enfureció.

Michael se le acercó y se paró a su lado, mirando alejarse a Becky.

—Mira si puedes convencerla de que sea sensata, ¿quieres, Rachel? —pidió, en tono fatigado.

Rachel, que sostenía a Katie mientras ésta se chupaba el pulgar muy satisfecha, lo miró con incredulidad.

—Eres un mal nacido —dijo ella. Michael fijó en ella una mirada sorprendida—. Y me alegro de que mi hermana se haya librado de ti.

Ahora, vete de nuestra propiedad, por favor, o llamaré a la policía.

Rachel le dio la espalda y se alejó.

Al cabo de unos minutos, aún furiosa, vio por la ventana como el Lexus negro se alejaba y se perdía de vista a toda velocidad.

Rachel había pensado reunirse con Johnny esa tarde en su piso, como acostumbraban a hacerlo, pero a las siete era evidente que no podría marcharse. Becky y sus hijas estaban todavía tan alteradas que no podría dejarlas solas con su pena. Como era de esperar, Lisa y Loren culpaban a su madre por todo lo ocurrido, y no podían dirigirle la palabra sin que la discusión degenerara en gritos acusadores y estallidos de llanto histérico. Rachel se quedó para tratar de explicar la situación, consolar a sus sobrinas mayores y entretener a Katie, mientras Elisabeth prestaba su hombro a las lágrimas de Becky.

En medio de este tumulto, sonó el teléfono.

Rachel atendió la llamada. En el pasillo junto a la cocina, Katie tomó uno de los lápices de colores que le había dado Rachel y se puso a trazar grandes círculos rojos sobre el empapelado de muaré. Rachel le quitó el lápiz y Katie se puso a llorar a gritos antes de echar a correr.

— ¿Dónde estás? —dijo, sin esperar, una voz al otro extremo de la línea en cuanto ella contestó.

Al reconocer aquel gruñido, Rachel se sintió aliviada de inmediato. Con sólo oír la voz de Johnny, se sosegaba. —No puedo ir esta noche —repuso ella con voz queda, pues no quería que la oyeran sus sobrinas ni su madre, que estaba con Becky en el estudio—. Se ha desatado una crisis.

—¿Qué clase de crisis? —inquirió Johnny en tono más brusco.

—Michael les dijo a las niñas que él y Becky se van a divorciar. Todos están muy alterados. La verdad es que tendría que quedarme aquí esta noche.

—Oh. —Se produjo una silenciosa pausa. Luego, con tono levemente esperanzado, Johnny continuó—: ¿Quieres decir que me olvide de lo de la comida de mañana?

Rachel no pudo dejar de reírse ante la ocurrencia.

—No, no puedes olvidarte.

—Me lo temía —dijo él, con voz lúgubre—. A las dos, ¿no?

—Alrededor de las dos menos cuarto. Y, Johnny...

—¿Qué?

—No te preocupes, mamá no se te va a comer.

—Para ti es fácil decirlo —replicó él.

Pero en su voz había un dejo de humor, y Rachel sonrió.

—Te amo.

—Hmmm —dijo él. Era lo más cerca que había llegado a responder en esa materia. Luego, en tono diferente, añadió—:

—Rachel.

—¿Qué?

—¿Me harías un favor?

—Cualquier cosa, excepto cancelar la comida.

—No es eso —replicó él sonriendo. Rachel se percató de algo, aunque fuera por teléfono—. No salgas esta noche, ¿me oyes?

— ¿Por qué no? —Rachel oyó que Johnny titubeaba.
—He pensado mucho esta noche... Y se me ha ocurrido que Glenda y Marybeth tenían al menos una cosa en común: yo.
—¿Y?
—Pues no sé si las mataron por algo relacionado conmigo. Detesto pensarlo siquiera. Pero en lo que a ti se refiere, no quiero correr ningún riesgo. Por eso, quédate en casa esta noche, ¿me harás el favor?
—Está bien —asintió Rachel, pausadamente, pensando en lo que Johnny sugería.
Era tan obvio y, aun así, a ella no se le había pasado por la cabeza. Si los asesinatos apuntaban de algún modo contra Johnny, ahora ella misma era un blanco probable. Al comprenderlo, sintió terror.
—¿Lo prometes?
—Claro que sí.
Lo decía en serio. No pensaba salir de casa por ningún motivo.
—Así me gusta —replicó él, satisfecho—. Entonces te veré mañana a la hora de la comida. Cuida bien de Becky y de las niñas... y de ti.
—Eso haré. Adiós.
—Adiós.
Johnny fue el primero en colgar. Rachel se aferró un poco más al teléfono. Lo amaba tanto que su ausencia le dolía, y deseaba más que cualquier cosa en el mundo estar en su piso. Comiendo pasta, o bailando, o charlando, o...
—¿Quién era, Rachel?
—Era Johnny, mamá. Dijo que tiene muchas ganas de venir a la comida de mañana.
—¿Ah, sí? —Elisabeth hizo una mueca come si hubiese probado algo agrio, pero después de mirar a Rachel guardó silencio—. ¿Piensas que ahora las niñas podrán hablar con su madre como seres sensatos en lugar de tener berrinches?
Rachel se encogió de hombros.
—¿Quién sabe? —dijo, y esperó temerosa a que su madre advirtiera los adornos de Katie en el empapelado.
Elisabeth se limitó a lanzar una mirada de contrariedad a las gruesas líneas rojas y se retiró. Rachel se dirigió a la cocina para convencer a las niñas de que fueran al estudio.

CAPITULO 39

Al volver a su piso, Johnny Harris se dio cuenta de cuánto echaba de menos a Rachel. Cenó a solas un bocadillo de salchichón, puesto que no tenía ganas de cocinar, y procuró distraerse con un programa de tertulia televisiva. Después de mirar durante veinte minutos sin darse cuenta siquiera de qué se trataba, apagó el televisor disgustado. Luego intentó leer, pero el esfuerzo también resultó inútil. No lograba concentrarse en la página impresa.

Tendría que haberse sentido cansado. Su jornada había sido dura. Tres horas en moto a Louisville ida y vuelta, y otras tres ocupándose del asunto por el cual había viajado hasta allí. Su visita al abogado le hizo sentir que de pronto se había aligerado de un peso que había arrastrado durante años. El abogado estaba preparando los documentos necesarios para presentar una petición de anulación de la condena ante el tribunal. Si la petición prosperaba, y el abogado así lo esperaba, podía prever que el registro de su condena quedaría anulado. El paso siguiente para obtener la reparación total era demandar al Estado. Pero a Johnny no le interesaba tanto el dinero. Lo que sí le importaba era no ser un hombre marcado. Sería libre de empezar una nueva vida.

Ante esa perspectiva, tendría que haber conciliado el sueño. Pero cada vez que Johnny cerraba los ojos, imaginaba a Glenda tal como la vio por última vez, y lo que le había pasado luego. Y pensaba en Rachel.

No podía desprenderse de la obsesión de que alguien merodeaba en la noche acechando a Rachel. Lo llamara morbosidad, paranoia o como quisiera, la sensación persistía.

Por fin, hacia las once, renunció a sus intentos de distraerse. Se calzó las botas, le dio unas palmadas a *Lobo* en señal de buenas noches, cogió la manta y la almohada y salió.

Aunque se sentiría como un estúpido si lo descubrían, pasaría la noche en el patio de atrás de la casa de Rachel. Si alguien merodeaba, esta vez no se las vería con una mujer sola en la oscuridad.

Esta vez se proponía estar presente. Dormiría fuera de la casa de Rachel hasta que ella estuviera libre para pasar las noches junto a él. Durante todo el tiempo que fuera necesario, hasta que él tuviera la certeza de que ella estaba a salvo.

No sería la primera vez que dormía al aire libre bajo un cielo estrellado.

CAPITULO 40

—Jeremy...

La voz penetró más allá de la angustia que envolvía al niño. Sentado en la escalinata de atrás de la casita de madera de su padre, Jeremy la oyó y alzó la mirada. En la oscuridad, iluminada por la luna, no lograba ver nada más que el cobertizo y los pocos arbustos que crecían en el campo detrás de la casa.

En alguna parte, *Sam* gimoteaba lastimeramente. *Sam* era el perrito que su padre le había comprado para compensar lo sucedido a su madre. Su padre no se lo había dicho de ese modo directamente, pero Jeremy lo sabía. No era tonto. Antes, nunca le habían dejado tener un perro. Luego, mamá fue asesinada, y dos días más tarde, él, Jake y las niñas tenían un cachorrito. No hacía falta ser un genio para deducirlo.

Jamás volvería a ver a su madre. La muerte quería decir eso. Jeremy lo sabía, aunque los más pequeños lo ignoraran.

Las lágrimas le corrían por las mejillas. Las enjugó con un furioso movimiento del brazo.

—Jeremy, ¿podrías ayudarme, por favor? Tu perro se ha enredado en el alambre.

Sam gimió. Jeremy había visto al perro poco antes, cuando retozaba frente al cobertizo. Se incorporó y bajó las escaleras. Detrás del cobertizo había toda clase de alambres que podían realmente lastimar a un cachorrito como *Sam* si llegaba a enredarse. Heather era amable al preocuparse tanto. Su madre siempre había llamado a Heather «la puta», pero desde su muerte ella era muy buena con Jeremy.

Sólo al cruzar el patio rumbo al cobertizo, Jeremy recordó que Heather estaba bañando a las niñas en casa.

Pero entonces ya era demasiado tarde para correr.

CAPITULO 41

Elisabeth, con el gran delantal blanco con que se cubría el vestido de domingo, estaba en la cocina sacando unos panecillos del horno y preparando una salsa. Rachel estaba fuera dando un paseo a Stan en su silla de ruedas antes del almuerzo, mientras las niñas retozaban en torno a su tía y a su abuelo. Como habitualmente Tilda y Jotadé tenían la tarde y la noche del domingo libres, Becky se ocupaba de atender si alguien tocaba el timbre.

Puso hielo en el último vaso de cristal y se dirigió a la puerta. Ya sabía quién era antes de abrir. Todos los domingos, Elisabeth recibía entre cuatro y seis invitados para la comida. Ese día sólo vendría uno.

Johnny Harris.

Con una sonrisa de bienvenida en el rostro, Becky abrió la puerta de par en par. Se quedó boquiabierta y se le esfumó la sonrisa del rostro.

—¡Válgame el cielo! —exclamó mirándolo por segunda vez, incrédula.

Harris llevaba puesto un traje que parecía caro, un traje de calle azul marino que le sentaba como un guante, una camisa blanca impecable y una corbata de seda marrón. Se había cortado el pelo, que ondeaba enmarcándole el rostro con un corte muy atractivo que le cubría las puntas de las orejas y rozaba apenas el cuello de su camisa por atrás.

—¿Es demasiado temprano? —preguntó.

Becky levantó la mirada hacia él. Era Johnny Harris, claro. Esos ojos azules y ese rostro delgado, moreno, pecaminosamente bello, no había cambiado tanto desde la época del instituto. Ella lo consideraba el hombre más guapo de Tylerville desde que lo vio el día anterior en el funeral de Glenda Watkins, pero con sus vaqueros y su pelo largo no resultaba del todo un tipo que pudiera atraerla.

Ahora sí lo era, y Becky sintió una punzada de envidia porque su hermana le hubiera echado el guante a un hombre tan atractivo. Por regla general, los tipazos eran más del estilo de ella que de Rachel. Aunque éste, desde luego, tenía algunos inconvenientes graves.

—¿Eres Becky? —preguntó él, mirándola inquisitivamente porque ella seguía observándolo sin decir palabra.

—Se te ve estupendo —dijo ella, en un arranque de sinceridad. A su instintiva punzada de envidia fraternal siguió un cosquilleo de anticipación por lo complacida que se sentiría Rachel ante la transformación de Johnny. Le dirigió una sonrisa—. Rachel se quedará asombrada.

—Gracias... —balbuceó Johnny. En respuesta al gesto de Becky, Johnny traspuso el enorme zaguán de entrada, con sus bustos de bronce, sus pinturas con paisajes y la antigua alfombra oriental sobre el suelo de madera lustrada, mirando alrededor, incómodo. —¿Dónde está Rachel?

—Está fuera, con mi padre y mis hijas. Pasa al salón. Te traeré una bebida mientras la esperas —dijo Becky, y cerró la puerta. Condujo al visitante a través de las puertas de caoba que separaban el salón del pasillo delantero—. ¿Quieres sentarte? ¿Qué deseas beber?

—Quiero un té frío, por favor —contestó Johnny. No hizo caso de la invitación de Becky a sentarse y se dirigió al enorme ventanal situado al otro lado del salón. Desde allí divisó a Rachel, que empujaba la silla de su padre por un caminito de piedra que conectaba el patio con un área empedrada frente a lo que había sido un granero y que ahora servía de garaje.

—Gracias —dijo, aceptando el vaso que le ofreció Becky al volver—. ¿Ésas son tus hijas? —preguntó, señalando a las tres niñas que jugaban en la hierba.

—Sí. La de pelo negro es Lisa; la que sigue, que es la rubia, es Loren. Y la más pequeña es Katie. Espero que no te moleste comer con niños. Ellas siempre se sientan con nosotros en la comida del domingo.

—Me gustan los niños.

—¿De verdad? —A Becky le pareció que había acentuado demasiado su pregunta, ya que de inmediato se lo imaginó con los hijos de Rachel en las rodillas, y no supo muy bien cómo interpretar aquella posibilidad—. Me ha contado Rachel que también te gustan los perros.

—¿Eso te ha dicho? —Una lenta sonrisa se le dibujó en el rostro, y bebió un sorbo de té—. A mí me ha contado que a ti y a tu madre no os gustan.

—Pues, la verdad, no nos gustan. Al menos, nunca hemos tenido un perro. Mis hijas tienen un gato.

—Qué bien.

La conversación languidecía. Becky, que jamás en su vida se había sentido incómoda hablando con un hombre, buscaba un tema para pasar el rato. Acabó por renunciar a la idea porque Johnny ni la miraba. Mientras bebía su té, observaba a Rachel a través de la ventana con una expresión inescrutable. Al pensar en el joven violento y rebelde que había sido en el instituto, y en los años pasados en la cárcel, en los asesinatos que Rachel estaba tan segura de que él no había cometido, Becky se estremeció. Johnny era un hombre muy atractivo, de eso no cabía duda, pero lo rodeaba un aura de peligro que le hacía casi imposible imaginárselo con Rachel. La dulce y soñadora Rachel, que siempre había sido tan perfecta, que jamás se había portado mal ni dado un paso en falso. Rachel, que siempre sabía lo que había que hacer y lo hacía con una gracia innata. Imaginársela con un rebelde como Johnny Harris, aun en su actual transformación intachable, era bastante desconcertante.

—Rachel te tiene... mucho afecto —dijo bruscamente Becky, ansiosa por saber cómo respondería él.

Rachel nunca había gozado de tanta popularidad entre los hombres como Becky. Era posible que la hubiese cautivado la cruda sexualidad que ese hombre poseía a raudales. Si hablaba de Rachel con afectuoso desdén, o si la desechaba con ligereza...

—¿Te lo ha dicho ella? —indagó Johnny, a su vez. Desvió la mirada hacia el rostro de Becky, que se sintió incómoda bajo aquellos ojos fijos en ella. ¿Qué tenía Johnny Harris que la ponía tan nerviosa? ¿Su reputación? ¿Su apariencia? ¿Su traje, que le hacía pensar en él como un lobo con piel de oveja?

—Sí. Sí, me lo ha dicho.

Johnny sonrió, y Becky descubrió, asombrada, que además de su presencia abrumadora, también poseía mucho encanto. Con razón Rachel se había prendado de él. Si no fuera por Rachel, pensó, ella misma podría verse tentada a coquetear un poco con él. Nada serio, desde luego, y en ningún caso pensaría en casarse con alguien como Johnny Harris. Pero para una relación de breve duración, un amorío, él sería muy excitante. A menos que resultara ser un psicópata, como temía Elisabeth.

—Tu hermana es una persona notable.

Becky superó el repentino ataque de temblores nerviosos que la amenazaban.

—Lo sé. Me alegro de que lo pienses así.

Johnny Harris volvió a mirar por la ventana, con actitud meditativa. Bebió un sorbo de té y miró a Becky.

—Me ha dicho Rachel que te vas a divorciar. Lo lamento.

—Gracias —dijo Becky, después de dudar. Si quería saber algo acerca del verdadero Johnny Harris tendría que ser franca. La charla formal con él no la llevaría a ninguna parte—. Espero que no me consideres terriblemente grosera por entrometerme, pero es que quiero mucho a mi hermana. Tú... ella —titubeó de nuevo, pese a sus esfuerzos—, hacéis una pareja muy poco común.

—Supongo que lo somos en apariencia. Pero tu hermana tiene una rara habilidad para ver más allá de la superficie.

—Hay varios años de diferencia entre vosotros.

—Eso no me preocupa. Ella es mayor de edad.

La breve sonrisa que acompañó sus palabras acalló a Becky. Imitándolo, bebió un poco de té y miró por la ventana a Rachel, que en ese momento empujaba la silla con su padre de vuelta a la casa. Con el viento soplándole sobre el pelo castaño y con su falda amarilla limón azotándole las menudas piernas, Rachel parecía mucho más joven que sus treinta y cuatro años. El amor le suavizaba el rostro cuando se volvió a decirle algo a su padre, aunque Becky sabía que él no entendía nada de lo que Rachel le decía, y quizá ni siquiera se daba cuenta de que le hablaba. Su corazón estaba henchido de cariño por su hermana y sentía un impulso protector muy poderoso.

—Sólo quiero que sea feliz —dijo—. Merece ser feliz.

—Entonces los dos deseamos lo mismo para ella.

—Nov, el hombre con quien salía... es muy simpático. Es farmacéutico, y dueño de una casa muy bonita. Tiene cuarenta años. Habría sido un buen marido para ella.

Aquella repentina profesión de fe encerraba un significado mucho mayor de lo que decían las palabras.

—En eso discrepo de ti. Creo que en menos de un año, ella habría sufrido en silencio si hubiera sido tan tonta como para casarse con él.

Becky lo miró asombrada.

—¿Por qué dices eso?

—Porque Rachel es una soñadora. Sólo lo advierten algunas personas debido a ese toque práctico que ella muestra exteriormente. Vive la vida de manera diferente a la mayoría. Sus amores son más profundos, y su lealtad también. Su capacidad para sufrir también es más profunda. Merece algo más que ser la esposa de un pequeño cavernícola, y no sería feliz en ese papel.

Becky escuchó con sorpresa esa valoración de Rachel, tan elocuente, reflexiva y precisa. Nunca habría creído que Johnny Harris fuera tan perceptivo. En realidad, antes de ese momento había dudado de que poseyera percepción alguna.

Tal vez el aprecio que sentía Rachel por él se basaba en algo más de lo que Becky había supuesto.

—Ya que sabes todo eso, supongo que también sabes que podrías hacerle mucho daño.

—Antes me cortaría una mano que hacerle daño a Rachel.

En esa declaración llana y tranquila resonaba tanta verdad que Becky sintió que sus temores se disipaban lentamente. Aún había muchos obstáculos para que Rachel encontrara la felicidad junto a Johnny Harris, pero entre ellos no estaban los sentimientos de Johnny hacia ella.

—¿Becky? ¿Dónde estás? Necesito que... —La voz de Elisabeth llegó un segundo antes que ella. Se interrumpió al ver que su hija no estaba sola—. Oh —dijo entonces, mirando a su invitado de pies a cabeza.

El leve asombro que se pintó en el rostro de su madre indicó a Becky que el aspecto de Johnny la había pillado tan desprevenida como antes a ella. Pero Elisabeth se recuperó en seguida. Nadie que no la conociera íntimamente habría advertido su leve vacilación antes de continuar.

—No sabía que había llegado. ¿Cómo está? Es muy amable al venir a comer con nosotros.

—Es usted muy amable al invitarme.

El nerviosismo de Becky por actuar de árbitro en ese encuentro inicial empezó a disiparse. La actitud de su madre era muy formal pero bastante amable. Sin duda, era consciente de los sentimientos de Rachel por aquel hombre, lo suficiente para evitar decir algo abiertamente descortés, aunque había cierta rigidez en su actitud, lo cual, como Becky bien sabía, expresaba desaprobación. Sin embargo, Johnny Harris no podía saber eso, y lo que no sabía no podía ofenderlo.

Aun así, Elisabeth sorprendió y avergonzó a Becky cuando pronunció una frase muy directa.

—Me dice Rachel que está enamorada de usted. Ese simple hecho exige que nos conozcamos, ¿no le parece?

—Absolutamente, señora —sonrió Johnny.

Elisabeth era más severa que Becky... o tal vez a su edad ya no le impresionaba el atractivo físico de los hombres. No parecía impresionada por el encanto de Harris.

—Me alegro de que esté de acuerdo conmigo. Eso hará mucho más fácil lo que tengo que decirle —dijo Elisabeth.

Se acercó unos pasos, pero se detuvo frente a la chimenea y se cruzó de brazos. Después de escuchar con sorpresa la reserva inicial de su madre, a Becky le dieron ganas de que llegara su hermana.

—Debe saber que tengo fuertes recelos en cuanto a su relación con Rachel. Ella está convencida de que usted no es un asesino, y a estas alturas no creo tener otra alternativa que aceptar la opinión que tiene de usted, mejor informada, lo reconozco. —Elisabeth levantó la barbilla, sus ojos lanzaron un destello y, avanzando unos pasos con decisión, apuntó a la nariz de Johnny con un índice amenazador—. Pero déjeme advertirle, señor, que si mi hija sufre algún daño mientras se ve con usted, lo consideraré responsable, diga lo que diga la policía, los tribunales o quien sea. Tomaré el arma de mi esposo, lo buscaré y lo mataré con mis propias manos. Soy una anciana, mi vida ha terminado y tengo muy poco que perder. Puede estar seguro de que lo haría. ¿Ha quedado bien claro?

—Sí, señora —contestó Johnny.

Becky sintió cierto alivio al ver que Johnny, al parecer, se divertía escuchando a su madre. Había temido que él las ofendiera y se marchara, y ella tuviera que explicarle todo a Rachel. Pero ¿quién habría podido detener a Elisabeth cuando estaba resuelta a decir algo?

—Bien. Entonces, ¿tendría usted la bondad de salir y traer a Rachel y a las niñas? Por lo general, no se lo pediría a un invitado, pero ella ha estado toda la mañana en ascuas esperando su llegada. Quería estar dentro cuando usted viniera para que yo no tuviera oportunidad de expresar mi opinión. Pero me parece que ha llegado usted un poco temprano.

—Un poco —asintió Johnny, mirando con firmeza a la mujer—. Aunque me alegro de ello... Porque ahora tengo la oportunidad de darle mi propia opinión. No tenga miedo de que le haga ningún daño a Rachel, porque, desde luego, no haría eso. Pero el resto de nuestra relación nos incumbe estrictamente a nosotros dos. A nadie más.

Elisabeth Grant fijó en Johnny una mirada calculadora que hizo pensar a Becky en dos rivales que sopesan mutuamente la valía del otro y encuentran en el otro a un contrincante de talla. Luego Johnny sonrió a Elisabeth, y Becky tuvo la impresión de que, después de ese saludo, los floretes quedaban enfundados.

—Creo que iré a buscar a Rachel, si me disculpa. Saludando con un gesto a las dos mujeres, Johnny salió de la habitación. Segundos más tarde, ambos oyeron que la puerta principal se abría y se cerraba. Elisabeth miró a su hija.

—No es lo que esperaba.

—No —dijo Becky, y respiró profundamente—. Mamá, ¿cómo has podido decirle eso? Fue tan grosero...

—Es preferible ser grosera que dejar que tu hermana termine como las otras mujeres con quienes él salía. No es que perciba en él ese tipo de maldad, pero ¿cómo puede una saberlo, en realidad? Es un muchacho bien parecido, y no tiene miedo de decir lo que piensa. Me agrada eso en un hombre. Pero aún es pronto para formarse una opinión sobre él. Ya veremos cómo va todo entre él y Rachel.

—Mamá...

—Ay, Becky, cállate y ven a la cocina. Te necesito para llenar los vasos mientras yo sirvo la sopa.

CAPITULO 42

Cuando Jeremy abrió los ojos siguió sin poder ver nada. Por un momento tuvo miedo, pensando que se había quedado ciego. Luego se percató de que, dondequiera que estuviese, estaba muy oscuro, tan oscuro que no podía distinguir nada, ni siquiera sus rodillas, que tenía recogidas delante de la nariz. Estaba tendido de lado sobre algo muy duro y frío.

Todo a su alrededor era frío y olía a moho, como en un viejo sótano. En casa de su padre, ningún lugar era tan oscuro y frío y maloliente como aquel sitio. Ni siquiera tenían un sótano. Ni una bodega, que era lo que aquello parecía ser.

No estaba en casa de su padre. Jeremy se estremeció al comprenderlo. ¿Acaso estaba muerto? ¿Qué era aquello, el infierno o el purgatorio? ¿Acaso su madre estaba cerca? No, ella tenía que estar en el cielo. Si alguien merecía ir al cielo, era su madre.

Levantó la cabeza y miró alrededor. El dolor agudo que le punzó en la cabeza lo dejó mareado y con náuseas. Le dolía mucho. ¿Cómo se había lastimado? Tal vez se había caído.

Entonces, lentamente, recuperó la memoria. Mientras estaba sentado en los escalones, alguien que no era Heather lo llamó para que le ayudara a liberar a *Sam* de los alambres. En un horrible destello de lucidez, a Jeremy se le ocurrió pensar que ese alguien debía de ser el asesino de su madre. Aquello que había visto en la oscuridad... había vuelto a por él.

Jeremy empezó a lloriquear. El ruido lo asustó y guardó silencio. ¿Y si se encontraba en la guarida de aquel ser...? ¿Y si aquella persona estaba muy cerca, escuchando por si él despertaba? ¿Lo mataría como había matado a su madre?

Apoyó la cabeza con cuidado en la dura y fría superficie, arrimó las rodillas al cuerpo y se las rodeó con los brazos. Así, hecho una pequeña bola, volvió a cerrar los ojos.

Unas lágrimas silenciosas le resbalaron por las mejillas.

CAPITULO 43

—¡Mira, tía Rachel!

Loren, que estaba dando volteretas, se irguió y señaló hacia la casa. Rachel miró y frunció el entrecejo. ¿Quién era aquel hombre que se acercaba hacia ella por el sendero de piedra?

¡Johnny! Rachel lo miró boquiabierta, desde su pelo recortado hasta las puntas lustradas de sus zapatos de cuero fino. Seguía siendo el hombre más guapo que había visto en su vida, pero esas ropas elegantes le daban un aura de finura y de poder sereno que ella nunca había asociado con él. Parecía un alto ejecutivo, joven, guapo y muy atractivo. No parecía Johnny Harris.

—¿Y bien? —sonrió él al acercarse, observando la expresión de Rachel.

Ella cerró la boca y sacudió la cabeza. —¡Te has cortado el pelo!

—Me dijiste que lo necesitaba.

—Pero no tenías por qué hacerlo... Espero que no lo hayas hecho por mí.

—No, lo hice por *Lobo*... ¡Claro que lo hice por ti! Y por mí también. Estoy demasiado viejo para ir de James Dean.

Rachel levantó la mirada, la fijó en sus ojos, y en ese intercambio silencioso leyó el mensaje que él le transmitía. Estaba dispuesto a crecer, a renunciar a su papel de muchacho malo, a tomar distancias con el pasado. La idea emocionó y excitó a Rachel a la vez. Quizás el futuro que les esperaba fuese menos imposible de lo que pensaba.

—Tienes un aspecto fantástico.

—Gracias. Tú también estás muy bien.

Fijó la vista en Stan, que miraba al vacío con semblante inexpresivo. Se acercó, tomó a Rachel por la barbilla y le alzó la cara para besarla. Fue un beso breve, duro y posesivo. Deslumbrada por su efecto, Rachel se puso de puntillas para echarle los brazos al cuello y devolverle la caricia. Un coro de risitas contenidas la detuvo de golpe. Sonrojándose, Rachel miró a sus espaldas.

Eran Loren y Lisa, con Katie en el medio, que reían mientras los observaban.

—¿Es tu nuevo novio, Rachel? —inquirió Loren.

Rachel había pensado que no era posible ruborizarse aún más, pero descubrió que se equivocaba.

—Sí, así es —contestó Johnny en su lugar, y les sonrió a las niñas—. Y vosotras debéis de ser Lisa, Loren y Katie —las nombró él, señalándolas.

—¿Cómo sabes nuestros nombres? Tía Rachel, ¿tú se lo has dicho? Rachel sacudió la cabeza.

—Niñas, os presento al señor Harris.

En la mirada de reojo que le lanzó Johnny hubo un asomo de sorpresa burlona.

—No estoy acostumbrado a que me llamen señor Harris. Podéis llamarme Johnny, si queréis.

Rachel sacudió la cabeza.

—Señor Harris —repitió Rachel, firme, mirando a sus sobrinas. Se giró hacia Johnny—. Es una muestra de respeto. A todos los adultos los llaman señor o señora, excepto a los parientes.

—Entiendo —sonrió Johnny—. Intentaré acostumbrarme. Pero no te sorprendas si las primeras veces no respondo a ese nombre.

—Está bien mientras respondas cuando te llame yo.

—Depende de cómo me llames.

Rachel le contestó con una mueca. Lo cogió de la mano y lo llevó hasta la silla de ruedas. Johnny la miró con expresión inquisitiva, pero ella no lo advirtió porque en ese momento miraba a su padre.

—Papá, éste es Johnny Harris —dijo Rachel, con voz suave pero insistente.

Stan Grant siguió con la mirada absorta en la nada. Tenía un rostro pálido e inexpresivo, y sus manos descansaban, inmóviles, sobre la manta que le cubría las rodillas.

—Hola, señor Grant.

Pero las palabras de Johnny no surtieron más efecto que las de Rachel, que ahora contemplaba a su padre, su esperanza convertida en resignación. Stan nunca conocería a Johnny, y al comprenderlo tuvo una sensación de pérdida.

—Antes era tan... divertido —le dijo a Johnny por encima del hombro. Él le apretó la mano, en un gesto de muda simpatía—. Tan grande, siempre moviéndose, haciendo bromas y payasadas, y... —Rachel no pudo seguir hablando.

—En realidad, lo recuerdo de cuando era pequeño —dijo Johnny, para sorpresa de Rachel—. Siempre le tuve miedo. Era un hombre muy corpulento, con una voz profunda que retumbaba. Recuerdo una vez que yo estaba en vuestra ferretería, llenándome los bolsillos de goma de mascar, cuando él dijo algo detrás de mí con su voz sonora. Quedé aturdido de miedo con sólo oír su voz. Miré alrededor, listo para salir corriendo, seguro de que me habían sorprendido con las manos en la masa, y descubrí que ni siquiera me estaba hablando a mí. Vaya, ¡qué alivio sentí! y ¡qué rápido me marché! Además, nunca volví a robar en la tienda del señor Grant.

Rachel estaba boquiabierta. Lo miró fijamente. —¿Tú robaste en nuestra tienda?

Johnny le sonrió.

—Robaba en todas las tiendas del pueblo. Esa vez que tu papá se me acercó fue lo más cerca que estuve de que me pillaran.

—¡Estás bromeando! —exclamó Rachel, apartando su mano de la de él.

Johnny rió. En sus ojos azules había un destello de picardía.

—No, Rachel, no estoy bromeando. ¿Acaso pensabas que yo era una especie de monaguillo? Hay una sola cosa que me atribuyen y de la cual soy inocente, y son todos esos asesinatos. Jamás he matado a nadie. Pero lo demás... sí, es muy cierto.

—¡Johnny Harris! ¡Con razón te compadecías tanto de Jeremy!

—¿Por qué pensaste tú que me compadecía?

—Porque eres un ser humano, cariñoso y bueno, que no soporta ver que un niño es entregado a la policía.

—Eso también. Pero no paraba de pensar que podría haber sido yo el que estaba allí sentado, muchos años atrás.

Rachel farfulló algo sin decir nada.

—Desde luego, estoy totalmente reformado. — La sonrisa de su rostro se esfumó y agregó en tono más serio—: Ayer hablé con mi abogado. Me dijo que con las pruebas que tiene la policía puede conseguir que se elimine de mi historial la condena por asesinato. Si eso se cumple, ya no seré un delincuente.

—¿De verdad? —empezó a sonreír Rachel.

—Sí, de verdad. — Johnny le devolvió la sonrisa—. Es una buena noticia, ¿no? Pero todavía no sabes lo mejor.

—¿Qué es lo mejor?

Johnny sacudió la cabeza.

—Te lo diré después de que comamos. Tu madre me ha enviado a buscarte a ti y a tus sobrinas.

—¿Has hablado con mi madre?

—Sí. Y con Becky también. Y he bebido un vaso de té.

Rachel miró su reloj.

—¡Si sólo son las dos! ¿A qué hora has llegado?

—Algo más temprano —explicó él con una mueca irónica.

—¿Y mamá estaba...? ¿Tú y ella…?

—Tu madre es una mujer notable —contestó Johnny—. Y no diré más.

—¡Ay, Dios! ¿Es que ha sido ruda contigo?

—Ni mucho menos. Tan sólo... enérgica. Creo que podría llegar a estimar a tu madre.

Rachel empujó la silla de ruedas y le lanzó una mirada de desconfianza.

—¿Qué quiere decir eso?

—Quiero decir que ahora sé de dónde sacas todo tu brío, Rachel Corazón de León. Creo que ni tú ni tu madre os dais cuenta de que sois mujeres muy menudas, y que una simple ráfaga de viento fuerte... por no hablar de un hombre hecho y derecho... se os podría llevar por delante sin el menor esfuerzo.

Rachel se proponía responder, pero en ese momento apareció Becky, llamándola con impaciencia.

—¡Mamá ya ha servido la comida! ¡Venid!

Las niñas echaron a correr hacia su madre. Johnny insistió en empujar la silla de ruedas para subir por el intrincado sistema de rampas que conducían a la casa. Él y Rachel no tardaron en llegar.

La comida se sirvió en la mesa, de modo que Rachel tuvo ocasión de sobra para observar a Johnny desenvolviéndose con su familia. Gracias a Becky, en la mesa sólo había vasos para el vino y para el agua, y los cubiertos consistían en dos tenedores, cucharas para sopa y postre y dos tipos de cuchillo. Ya que había descartado la idea de intentar educar a Johnny en el sutil arte de la mesa con ocasión de esa comida, Rachel quedó sorprendida y aliviada cuando lo vio desplegar la servilleta y colocársela sobre las rodillas al sentarse, y cuando pasó las bandejas a los demás sin ninguna dificultad. Y cuando Johnny usó el plato indicado para dejar el panecillo, lo partió en dos con las manos y hasta puso un poco de mantequilla de la tarrina común en su plato del pan antes de untarlo, Rachel quedó impresionada. Lo mismo sucedió cuando Johnny usó impecablemente el cubierto correcto para cada plato. Plato tras plato, se conducía como si hubiese estado en comidas de ese estilo toda su vida. La madre de Rachel, que al principio lo vigilaba como un ave de rapiña, quedó tan tranquilizada por su desenvoltura que durante largos ratos dejó de observarlo, mientras alentaba cariñosamente a Stan, que permanecía junto a ella en la silla de ruedas.

—¿Le agrada trabajar en la ferretería? —preguntó Elisabeth Grant a Johnny mientras introducía diestramente una cucharada de sopa en la boca de Stan.

—En realidad, no —repuso él—. No creo que vaya a quedarme allí mucho tiempo.

—¿Ah, no? —inquirió Elisabeth, aunque Rachel y Becky también demostraron sorpresa.

—He estado pensando en volver a la escuela.

—¿De verdad? —preguntó Rachel, mientras su madre se volvía hacia él.

—¿Volver a la escuela? Querrá decir la facultad.

—A decir verdad, quise decir la facultad de derecho —explicó Johnny, y probó un bocado de filete con naturalidad. Su actitud no delataba la importancia del anuncio que acababa de hacer, un anuncio que al menos Rachel consideraba trascendental.

—¿La facultad de derecho?

Las tres mujeres hablaron a la vez con la misma entonación de voz. Se miraron entre ellas y luego, al unísono, miraron a Johnny, que seguía comiendo despreocupadamente su filete.

Las niñas, acostumbradas al silencio cuando comían con adultos en el comedor, levantaron la vista, interesadas en el objeto de asombro de sus mayores.

—Sí —dijo Johnny, y bebió de su vino. Sonrió directamente a Rachel—. ¿No crees que sería un buen abogado?

—Pero, Johnny... —empezó Rachel; luego se interrumpió al darse cuenta de que era preferible discutir aquello a solas.

Pero él, al parecer, no tenía el mismo tipo de reserva. Elisabeth dejó de alimentar a Stan y fijó la mirada en Johnny Harris.

—¿No faltan muchos años para eso? Primero debería terminar el primer ciclo de estudios superiores. Y, que yo sepa, no admiten a ex reos en las facultades de derecho.

—Ya tengo el título de estudios superiores —corrigió Johnny, cortando otro trozo de filete con expresión serena—. En la cárcel obtuve un título de licenciatura en literatura contemporánea. Además de trabajar en una cuadrilla de limpieza de autopistas, seguía cursos superiores por correspondencia. Y si mi abogado está en lo cierto, no seré un ex reo por mucho tiempo más.

—¿Cómo…?

Elisabeth estaba aturdida.

—La policía está convencida de que el asesino de Glenda Watkins también mató a Marybeth Edwards. Los dos asesinatos, desde la profundidad y gravedad de los cortes, que indican la existencia de una única arma asesina, hasta las flores esparcidas sobre los cadáveres, son casi idénticos. Yo estaba con Rachel cuando mataron a Glenda. Eso debería, por lo tanto, exculparme del otro caso. Dice mi abogado que con ese tipo de pruebas, sumado al hecho de que nunca presentaron pruebas concretas contra mí desde un principio, será bastante fácil lograr que modifiquen mi historial.

Elisabeth miró primero a Rachel, luego a Johnny.

—Entiendo —dijo, lentamente.

Rachel comprendió que su madre examinaba mentalmente la noticia.

—¿Puedo retirarme, mamá? —inquirió Loren, con voz aguda, y apartó su silla sin esperar una respuesta.

—Yo también, mamá —dijo Lisa, imitándola.

—¿No queréis postre?

Arrancada de sus cavilaciones, Elisabeth sonrió a sus nietas con un gesto de aprobación.

«Tienen buenos motivos», pensó Rachel. Se habían portado muy bien, y con Katie durmiendo la comida había sido la más tranquila de las que habían disfrutado en muchos días. Para ser exactos, desde la llegada de Becky y las niñas.

—Estoy demasiado llena —se quejó Loren.

—Más tarde comeremos algo de postre —se disculpó Lisa, mirando a su madre—. Por favor, mamá.

—Por mí está bien —respondió Becky, mientras Elisabeth asentía.

Las niñas salieron del comedor y Rachel las oyó subir la escalera. Había llegado la Nintendo con cajas llenas de otras posesiones, y Becky había hecho que un técnico la conectara el día anterior. Era evidente que las niñas tenían prisa por ir a jugar con el vídeo.

—Estaba todo delicioso, señora Grant —declaró Johnny, mientras se echaba hacia atrás en la silla y dejaba la servilleta junto al plato.

Rachel le sonrió, sin poder disimular que estaba impresionada por sus modales en la mesa.

—Gracias —le sonrió también Elisabeth.

Rachel notó que su madre se mostraba más cordial con Johnny que al inicio de la comida, y eso le agradó. A su madre le fascinaban dos cosas: la ambición y la educación. Johnny había ganado prestigio ante los ojos de Elisabeth Grant al hacer gala de ambos valores.

—¿Postre? —preguntó Rachel—. Mamá ha preparado tarta de cerezas.

—Igual que tus sobrinas, creo que esperaré hasta más tarde.

—¿Café? —insistió Rachel. Johnny sacudió la cabeza.

—Rachel, si has acabado, ¿por qué no sales con Johnny y le enseñas los alrededores? Yo ayudaré a mamá a limpiar.

—Gracias, Becky —dijo Rachel, agradecida, y se puso en pie. Se moría de ganas por estar a solas con Johnny. Estaba conteniendo una pregunta tan candente que le quemaba la lengua.

Johnny también se incorporó, volvió a felicitar a Elisabeth por la comida y salió detrás de Rachel.

CAPITULO 44

—¿Lo has dicho en serio, o lo dijiste sólo para asombrar a mi madre? —inquirió Rachel sin más preámbulos, tan pronto como estuvo a solas con Johnny.

Estaban fuera y seguían el mismo camino que antes cuando llevaban a Stan en su silla de ruedas. Rachel apretó con fuerza la mano de Johnny, aunque no sabía en qué momento la había cogido.

—¿En serio, qué?

—Lo de la facultad de derecho.

—Ah —dijo él. Guardó silencio un momento—. Sí, lo he dicho en serio.

— ¿De verdad? —inquirió ella, con un asomo de placer en la expresión.

—¿Acaso no me puedes imaginar de abogado? No contestes —se retractó—. Pero te diré que no es una idea tan disparatada. Llegué a saber mucho de leyes y abogados mientras estaba en chirona. Creo que me desenvolvería muy bien como abogado de la defensa.

Rachel estaba deslumbrada.

—¡Sí! ¡Yo también!

—¿Así que te gusta la idea? —insistió él, mirándola con un brillo en los ojos.

Rachel titubeó. No tenía ningún motivo concreto para pensar que los planes futuros de Johnny tuvieran algo que ver con ella. Pero el corazón se le aceleró al pensar en cómo sería vivir siendo la esposa de Johnny... no, la esposa del abogado John Harris.

—¿Cuál es tu segundo nombre? —inquirió.

Johnny le lanzó una breve mirada de reojo.

—¿Por qué?

—La letra W no es un nombre.

—Si te digo lo que representa la W, te reirás.

—No me reiré. En cualquier caso, es probable que ya lo sepa. Sin duda estaba en los archivos del instituto. Lo que pasa es que no logro recordarlo.

—Wayne.

Rachel arrugó el entrecejo.

—¿Wayne? Vaya, si es un nombre muy bonito. ¿Qué tiene de malo llamarse John Wayne...? –Se interrumpió y se echó a reír.

—Te dije que te reirías.

—No me estoy riendo... vaquero.

—¿Ves? Siempre pasa lo mismo. Por eso me lo callo.

—A mí me parece encantador. John Wayne Harris —insistió ella, riendo por lo bajo. Se tapó la boca con la mano cuando Johnny le lanzó una mirada de amenaza fingida. Caminaron hacia el bosque que bordeaba el patio.

—Me alegro de que te agrade.

Johnny caminaba delante de ella, llevándola de la mano al entrar en el bosque por una senda que ella y Becky, como ahora sus sobrinas, habían usado para sus juegos. Conducía directamente al otro lado del bosque, a unos tres kilómetros de allí. Pero Johnny recorrió tan sólo unos doscientos metros, hasta llegar al gran árbol donde, mucho tiempo atrás, Stan Grant había construido una casita en lo alto para sus hijas. Era apenas algo más que una plataforma con defensas laterales a la que se accedía mediante unas tablas clavadas en el tronco del enorme roble. Siendo niñas, Rachel y Becky habían jugado allí con frecuencia y, cuando adolescente, Rachel había pasado muchas tardes de verano tendida en el suelo de madera, absorta en un libro. Ahora, el frondoso follaje empezaba a cobrar un tono amarillento. Cuando Rachel alzó la vista, una hoja amarilla bajó flotando lentamente a tierra, mecida por las caprichosas ráfagas de viento.

—¿Cómo es que conoces la existencia de nuestra casita en el árbol? —inquirió Rachel, cuando estuvo claro que era ahí donde él se dirigía desde el principio.

—¿Acaso crees que nunca exploré estos bosques? Diablos, si incluso Grady y yo os espiamos a ti y a Becky jugando aquí un par de veces. En ocasiones, cuando no había nadie cerca, jugábamos a los piratas conquistando un barco enemigo, y tu casita en el árbol era el barco.

—No lo sabía.

—Vosotras erais demasiado mayores para jugar con nosotros, así que por eso os dejábamos en paz.

—Es probable que yo siga siendo demasiado mayor para que juegues conmigo —comentó Rachel, en tono irónico.

Johnny la miró, se apoyó en el árbol y la atrajo hacia su pecho.

—Tú eres perfecta para mí. Si fuese al revés, si fuera yo quien tuviera cinco años más, la gente pensaría que la diferencia de nuestras edades era la justa. ¿Cuántos años tiene tu amigo el farmacéutico? Cuarenta, ¿verdad? La diferencia es mayor que entre tú y yo, pero ¿alguna vez pensaste que él era demasiado mayor para ti? No, no lo has pensado. Eres culpable de discriminación sexual, señorita Grant.

La ciñó con sus brazos. Rachel estaba apretada contra él, y la voz de Johnny se derramaba con la dulzura seductora de la miel tibia. Rachel escuchaba el timbre de esa voz con los ojos entrecerrados y una leve sonrisa en los labios. Si se lo proponía, Johnny podía hacer que a un erizo se le cayeran las púas con sus encantos.

—Has estado sensacional con mi madre —murmuró Rachel mientras él le besaba la garganta hasta el cuello abierto de su vestido.

—Todavía me asusta bastante, pero creo que lo superaré. Johnny le alzó la barbilla y le besó el hueco de la garganta. Rachel se aferró a sus hombros bajo la refinada chaqueta del traje, cerró los ojos y se entregó al placer de sus caricias amorosas. La textura de la fina camisa que le cubría los músculos le causaba un efecto ligeramente excitante. Al apretarse aún más contra él, a Rachel se le doblaron los dedos de los pies dentro de sus zapatos de domingo.

—Rachel...

—¿Eeeeh?

—¿Crees que podrías trepar a este árbol con esos zapatos y ese vestido?

—¿Trepar al árbol?

Perpleja ante su requerimiento, muy diferente de lo que ella había esperado, Rachel abrió los ojos y lo miró, severa. Para calmarla, él le estampó un beso en los labios.

—Ya me has oído. ¿Crees que podrías?

Rachel miró la frágil escalera que conducía a lo alto del árbol. Con la mirada siguió su ascensión, hasta que llegó al agujero en el suelo de la plataforma. Miró su vestido amarillo con su diminuto talle y sus pliegues anchos y, más abajo, los zapatos color champaña.

—Si subes tú primero —respondió.

Johnny la soltó y se llevó las manos a la cara, fingiendo contrariedad.

—¿No pensarás que sería tan grosero como para mirarte por debajo del vestido?

—Sí, eso creo.

—Qué bien me conoces —sonrió él.

Luego, mientras Rachel lo observaba, se volvió, estiró un brazo, se agarró a una tabla y subió con la agilidad de un adolescente. Rachel lo siguió. La verdad era que no quería estropearse el vestido.

—Diablos, me olvidaba de las medias —dijo, frunciendo el ceño al subir por la abertura y quedar sentada con las piernas colgando por el agujero. El nailon se había desgarrado.

—Podrías quitártelas —sugirió Johnny con un brillo malicioso en la mirada.

Rachel se volvió para mirarlo. Estaba sentado, con la espalda apoyada en la pared opuesta, observándola con expresión traviesa que le decía, sin necesidad de palabras, lo que se proponía. La plataforma no tenía más de dos metros por tres, y las tablas que la rodeaban tenían escasamente un metro de altura. No había techo, salvo las ramas que se entrelazaban en lo alto y el denso manto de hojas bajo el cielo azul. A esa altura, unos seis metros del suelo, la brisa era más fuerte. Aunque las paredes proporcionaban protección contra el viento, las ramas oscilaban y crujían. Al mecerse, las hojas se desprendían y caían a tierra. El efecto le hacía pensar a Rachel en una bola de cristal, excepto que en lugar de los copos cristalinos de nieve caían hojas doradas. Aunque el aire estaba templado, el aroma indefinible del otoño que se avecinaba flotaba en el ambiente.

Rachel miró a Johnny, que la observaba con ojos de un azul más intenso que el cielo apenas visible sobre sus cabezas. En su rostro había una sonrisa. Las paredes de la casita le llegaban a los hombros, y a sus espaldas el follaje frondoso formaba una cortina tan bella que parecía casi irreal. El viento le agitaba el pelo negro y ondulado, y Rachel pensó que ese corte le sentaba mucho mejor. Ahora su rostro era más anguloso, y la barbilla firme, los pómulos altos y la frente inteligente quedaban enmarcados y lo hacían más atractivo que nunca. Parecía un hombre muy diferente del ser lleno de rencor que había bajado del autobús hacía tan sólo unas semanas.

Si hubiera sabido cuánto iba a cambiar él su mundo se habría lanzado directamente a sus brazos... Sin duda le habría dado tal susto que Johnny habría salido huyendo para volver a la cárcel.

Se preguntó, sonriendo, cómo habría reaccionado ante tamaña acogida.

—¿Qué te hace reír? —indagó Johnny, alzando una ceja. Rachel negó con un gesto de la cabeza.

—Soy feliz, nada más.

—¿Eres feliz? Yo también. Pero sería más feliz si vinieras a sentarte junto a mí. Creo que tenemos que hablar.

—¿Hablar?

—Vaya, ¿pensabas que mis objetivos eran otros?

—Eso esperaba.

Johnny rió y le tendió la mano.

—Ven aquí, Rachel, y busca en mi bolsillo. Te he traído un regalo.

—¿Ah, sí? —sonrió ella, encantada.

Pensar que Johnny le había traído algo le procuraba un placer enorme. Era su primer regalo... aparte de él mismo. Lo guardaría como un tesoro.

—Busca en mis bolsillos —repitió él cuando ella se sentó a su lado.

—Me siento como una tonta —protestó ella, riendo al obedecer.

El primer bolsillo estaba vacío, pero el segundo contenía una caja diminuta. Rachel la contempló largo rato en la palma de la mano. Estaba envuelta en papel de plata y adornada con cintas blancas. Rachel miró a Johnny.

—Es preciosa.

—Ábrela.

Johnny parecía un poco tenso. Con el corazón acelerado, Rachel empezó a desenvolver la cajita. Estaba casi segura de lo que contenía, pero quizá se equivocara. No quería albergar esperanzas en vano.

La cajita era de cartón rojo, brillante y liso. Retiró la tapa y descubrió dentro un estuche de joyero. Le temblaron las manos al sacarlo. Dentro había un anillo con un solitario diamante de al menos medio quilate, engastado en oro blanco.

—¡Johnny! ¿De dónde has sacado el dinero?

—¿Eso es lo único que se te ocurre decir? No lo he robado, si eso es lo que te preocupa. La compañía ferroviaria nos ofreció a Sue Ann, a Buck y a mí setenta y cinco mil dólares por la muerte de mi padre. Ellos quisieron aceptarlo, y por eso accedí. Representa más o menos la quinta parte de lo que me tocó a mí —agregó, señalando el anillo con un gesto de la cabeza.

—¡No deberías haber hecho una cosa así! ¡Es muy hermoso!

—Por favor, ¿quieres mirar esa maldita piedra?

Le sorprendió el nerviosismo de su tono, pero en seguida miró el anillo con más atención. Había una minúscula tarjeta atada con una cinta blanca delgada. La tarjeta estaba escrita con la letra negra y fluida de Johnny. Rachel giró la caja para leer lo que decía. « ¿Te casarás conmigo?». Levantó la mirada hacia Johnny, que esperaba con una mezcla especial de ternura y ansiedad en los ojos.

—¿Y bien? —dijo él, cuando Rachel quedó muda.

La joven sacó el anillo de la caja, se lo puso en el dedo de la mano izquierda. A continuación, le rodeó el cuello con los brazos.

—Tal vez —dijo, besándolo en la boca.

—¿Tal vez? —repitió él. Parecía ofendido, pero como lo estaba besando, Rachel no lo sabía con certeza.

—No creerás poder librarte con esa pobre propuesta, ¿no? Si quieres casarte conmigo tendrás que pedírmelo adecuadamente.

Johnny lanzó un gemido.

—Debí haberlo hecho con flores. Lo sabía.

Rachel le propinó un golpe en el brazo. —Déjate de bromas. Lo digo en serio.

Johnny la cogió por los hombros y la apartó un poco para verle la cara. Ella estaba arrodillada junto a las piernas estiradas de Johnny, con la falda desplegada en torno a ella como los pétalos de un narciso. Johnny le apretó los hombros mirándola con una sombra de exasperación.

—Yo también —dijo.

—¿Entonces?

Johnny dejó escapar un suspiro.

—Está bien —dijo—. Rachel, ¿quieres casarte conmigo?

—No.

—¿Que no?

—Inténtalo otra vez. Eso no ha sido muy satisfactorio.

—Dios mío. ¿Qué quieres? ¿Que me arrodille?

—No estaría mal.

—Estás bromeando, ¿no?

Rachel sacudió la cabeza. Él la miró fijamente un momento.

Luego le ofreció una sonrisa de rendición, se movió para apoyarse en una rodilla y le tomó la mano.

—Rachel, ¿quieres casarte conmigo?

—Mejor, pero no hay premio. Ni novia, en este caso.

—¡Maldita sea! —exclamó él, mirándola de un modo impropio para un amante. Le apretó con fuerza los dedos que antes sostenía con suavidad.

La mirada que Rachel fijó en él era luminosa y franca. —Johnny, ¿tú me amas?

Él le sostuvo la mirada, y la suya se volvió más suave y cálida, si bien Rachel no dejó de percatarse de cómo sus pómulos enrojecían. Era evidente que reconocerlo lo avergonzaba.

—Por supuesto que sí. Cuando un hombre te pide que te cases con él, ya puedes dar eso por sentado.

Rachel negó con la cabeza.

—No quiero dar nada por sentado. Supongo que ésta será la última propuesta de matrimonio que reciba en mi vida, y quiero que sea bien hecha. Si me amas, dilo. Dímelo, por el amor de Dios.

—Rachel... —empezó él con un visible asomo de ira. Al parecer, pensó dos veces lo que iba a decir, porque calló y sostuvo la mirada límpida de Rachel con ojos entrecerrados. Luego, para sorpresa y regocijo de ella, se llevó la otra mano al corazón.

—Johnny...

—Calla, ¿no ves que estoy por desnudar mi alma ante ti? —dijo para silenciarla. Aspiró hondo—. Mi amor es como una rosa roja que ha brotado en junio, una dulce melodía que borra mi infortunio. Tan bella eres, bella moza, y tan enamorado estoy yo, que te amaré siempre, hasta que se sequen los océanos del mundo.

La voz grave y profunda de Johnny Harris daba a sus palabras una resonancia misteriosa que emocionó a Rachel. Ya no se le veía resentido, ni parecía el escolar que recita contra su voluntad sino un hombre conmovido y fortalecido por el amor que confesaba. Rachel lo miró a los ojos y se emocionó. Le apretó la mano mientras él continuaba suavemente.

—Hasta que se sequen los océanos del mundo, amada mía, y el sol derrita las rocas. Y te seguiré amando mientras corran las arenas de la vida. Y entretanto, amor mío, de ti triste me despido. Y regresaré, amor, aunque hasta el fin del mundo haya recorrido.

Por un momento, después de las últimas palabras, ambos callaron. Rachel miró en lo hondo de los ojos de Johnny y creyó ver su alma, tan auténtica, buena y reluciente. Ella tenía los ojos tan llenos de lágrimas que amenazaban con rebosar. Y entonces, de pronto, él sonrió.

—Robert Burns debe de haber tenido hembras a manta. Ese poema suyo es sensacional.

—¡Johnny Harris! —Rachel se sintió arrebatada de su lacrimógeno sentimentalismo y le dio un fuerte empujón. Johnny no cayó sentado, como había querido ella, pero su sonrisa burlona se esfumó y trató de cogerla.

—¡Suéltame!

—Por Dios, Rachel, estaba bromeando. ¡No lo he dicho en serio!

—Ese poema tan hermoso... casi me he puesto a llorar... y tú estabas bromeando. ¡Sería capaz de matarte! ¡Que me sueltes, he dicho!

Rachel forcejeaba para soltarse. Johnny logró sujetarla al volver a sentarse y la sentó encima de él, pero ella lo miró, furiosa.

—¡Quítame las manos de encima!

—Rachel, me has entendido mal. Yo...

—Si no me sueltas, te... te...

Enfurecida, Rachel no conseguía pensar en una amenaza lo bastante horrible. Mientras farfullaba, tirando de su anillo para quitárselo y arrojarlo al rostro sonriente de Johnny, él la apretó contra su pecho, le sujetó las manos rodeándole la cintura con un brazo y le levantó la cabeza con la mano libre.

—No bromeaba con respecto al poema.

—Has dicho que...

—Sé lo que he dicho. No fue en serio, quiero decir, el poema fue en serio. Cada palabra. Lo juro.

Rachel dejó de moverse y le lanzó una mirada de visible desconfianza.

—¿Sabías que ese poema es mi preferido, verdad? Lo has usado deliberadamente para manejarme.

Johnny le besó la sien. Su expresión indicaba que no estaba arrepentido.

—Lo sabía... en el instituto tuve una profesora de literatura que era una fanática de la poesía, ¿recuerdas? Me fascinaba tanto que recuerdo prácticamente cada palabra que decía. Pero lo dije con sinceridad.

—Mientes.

—No miento —dijo él, besándole la punta de la nariz—, y tú lo sabes. Sabes lo que siento por ti. Tal como yo sé lo que sientes por mí. Rachel, a veces, cuando me pongo horriblemente sentimental, pienso que estábamos predestinados el uno para el otro.

Rachel lo miró. Aquel bello rostro moreno, los centelleantes ojos azules, la boca sensual y sonriente la rindieron. Si quería tener a Johnny Harris, pues tendría que aceptarlo en sus propios términos.

Aun así, ¿qué valía una confesión de amor obtenida por la fuerza? Como Johnny decía, ella sabía lo que él sentía. Lo sabía con una certeza que abarcaba la mente, el corazón y el alma.

CAPITULO 45

—Sí —dijo Rachel.

—Que sí.

—Ya me has oído.

—Vale —sonrió él—. No quisiera tener que devolver el anillo porque no he guardado el recibo.

—Qué gracioso estás hoy.

—Lo intento —repuso él, pero al mirarla se puso serio—. Rachel, no puedo quedarme en Tylerville.

—Lo sé.

—He pensado que nos casemos lo antes posible, discretamente, y nos vayamos a otra parte, quizá al oeste, lejos.

—¿Cuándo?

—Cuanto antes, mejor. Esta semana, Rachel —titubeó—. Creo que aquí no estás a salvo. He pensado mucho en eso, y lo único que se me ocurre es que anda suelto un demente que me odia tanto como para matar a las mujeres que hay en mi vida. Si estoy en lo cierto, el próximo objetivo serás tú, es lógico.

—¿En serio crees eso? —inquirió ella, con un hilo de voz.

—Espero que no, pero tenemos que actuar como si así fuese. Adivina dónde pasé la noche.

—¿Dónde?

—En el jardín de tu casa, montando guardia.

—Estás bromeando.

—No bromeo. Hasta tengo picaduras de mosquito que lo demuestran. —Johnny se alzó un brazo de la chaqueta y desabrochó el puño de la camisa para enseñarle el antebrazo, que además de ser robusto y cubierto con un agradable vello negro, también mostraba cinco o seis picaduras de insecto, algo rojas e hinchadas—. Tengo más en el otro brazo, y en el cuello, atrás. Dondequiera que asomara un palmo de piel, esos pequeños chupasangres atacaban. Y las picaduras me arden como el demonio.

Rachel quedó tan sorprendida como emocionada.
—No hacía falta que hicieras eso.
—¿Que no? —Johnny la miró fijo—. No pienso perderte, profe. Si el precio por mantenerte viva es pasarme las noches ofreciendo mi carne a un enjambre de mosquitos, lo pagaré. Las otras mujeres con las que tuve relaciones han acabado muertas, Rachel.
Rachel se estremeció.
—Eso sí que me da un susto de muerte.
—A mí también me da miedo. Pero no te ocurrirá nada, porque sabremos prevenirlo. De noche te quedarás en tu casa y yo acamparé en el jardín. Y nos casaremos en seguida y nos largaremos. ¿Estás de acuerdo?
—De acuerdo..., vaquero.
Una sonrisa le temblaba en los labios. Johnny lanzó un gruñido.
—Jamás debí decirte mi segundo nombre, lo sabía.
Pese a la seriedad del asunto que discutían, Rachel rió.
Johnny la miró con ojos brillantes y luego la hizo callar con un simple beso. Rachel se entregó a ese beso, a las manos que le acariciaban la espalda y se pegaban a su vestido en la curva de su trasero, a la posesividad de los brazos que la ceñían. Ahora era suya, y él le pertenecía a ella. A pesar de la diferencias de sus orígenes, debían estar juntos, como las dos mitades de un todo.
—¿Rachel?
—Johnny la besaba en la barbilla mientras desabrochaba los pequeños botones del vestido y luego el cinturón.
—¿Qué? —preguntó ella, tirando sin mucho éxito el nudo de su corbata de seda.
¿Cómo diablos había hecho aquel nudo Johnny? Aquello parecía de cemento armado.
—¿Quieres tener hijos?
Al oírlo, Rachel sintió que la abandonaba la pasión y se detuvo un instante.
—Sí, lo deseo mucho. ¿Por qué?
—Me alegro —le sonrió él irguiéndose, mientras le quitaba el vestido—. Detesto los condones.
Le quitó por fin el vestido, lo arrojó a un lado con gesto descuidado, y Rachel sintió un amago de inquietud por la suerte de la prenda. Pero ahora él le quitaba los zapatos y las medias desgarradas. Johnny la observaba con deleite, sentada en sus rodillas, solamente con sostén y bragas. Olvidó todo salvo a Johnny, y la manera en que la hacía sentirse.
—Bonita ropa interior.
—Gracias.
—Encaje, seda y perlas... Jamás soñé con algo tan espectacular.
—Creía que me imaginabas sin ropa interior, desnuda.

—En fin —dijo él, sonriendo pausadamente—. No tan espectacular como eso. Pero casi.

Le acarició un pecho cubierto de encaje de seda y perlas, mientras se inclinaba para besarla. Rachel se sintió invadida por la excitación cuando él empezó a explorarle la boca con la lengua. Sus pezones se endurecieron, temblorosos. La excitación que sentía hizo que apartara su boca de la de él.

—Espera un minuto —pidió, cuando Johnny quiso recuperar su presa.

—Mmmmm.

Johnny le miraba las piernas desnudas, que contrastaban con la tela oscura de su traje. Ese contraste entre las esbeltas curvas femeninas, la sedosa piel tostada de las piernas de Rachel y sus pantalones bastó para que a Johnny los ojos se le oscurecieran. Le pasó una mano por el interior del muslo hasta la rodilla. Ella abrió instintivamente las piernas, pero las cerró en seguida hasta apartarse de su alcance.

—Pórtate bien —le dijo, cuando Johnny intentó cogerla. Luego, rechazándolo, se arrodilló ante él y le bajó la cremallera.

—Rachel... —Johnny se interrumpió cuando los dedos inquisitivos de Rachel hallaron su miembro y lo liberaron. Dio un leve respingo cuando ella le quitó los pantalones y los calzoncillos.

—Shhhh.

Rachel le rozó la punta del pene con la lengua. Fue un gesto leve, casi insinuante, pero hizo que Johnny lanzara una exclamación ahogada.

—Ah, sí —murmuró, cuando el cabello de Rachel cayó sobre sus rodillas y se lo metió en la boca. Johnny se tensó de pies a cabeza. Echó la cabeza hacia atrás para apoyarla en la pared, y hundió sus dedos en el cabello de Rachel, acariciándole la cabeza y guiando sus movimientos.

— Tía Rachel.

El grito se repitió antes de que ellos lo captaran.

—¡Dios mío! —Exclamó Johnny en un susurro, y le apretó la cabeza para manifestar su resistencia—. ¡Ahora no!

— ¿Qué...? —Rachel alzó la vista. Se sentía algo aturdida. Estaba desorientada, y tenía el sabor de Johnny en la boca.

—¡Tía Rachel!

—¡Loren! —exclamó ella, soltándolo de pronto, como si le quemara.

Por un instante no hicieron más que mirarse fijamente, consternados. Ella se abalanzó sobre su ropa, tirada en medio de la plataforma.

Al mirar, comprobó que Johnny podía recuperar cierto aspecto de respetabilidad mucho más rápido que ella. Ahora la estaba mirando lascivamente.

—Qué culo tan bonito —exclamó.

—¡Tía Rachel!

El grito sonó muy cerca, tal vez bajo el mismo árbol.

Rachel intentaba ponerse las medias retorcidas y rotas, y fijó en Johnny una mirada desesperada.

—Baja y entretenla —susurró.

—Vale.

Totalmente vestido y sonriente, Johnny la dejó y bajó por el agujero. Rachel se abrochó el vestido y lo oyó saludar a Loren con envidiable naturalidad. Se ajustó el cinturón mientras escuchaba el tono grave de las voces que hablaban abajo.

Se estaba poniendo los zapatos cuando asomó la cabeza de Johnny.

—¿Estás vestida? —inquirió, y algo en su expresión turbó a Rachel.

—¿Sucede algo?

—Ponte el otro zapato y baja.

—Johnny...

Pero él ya había desaparecido. Rachel supo que algo malo había sucedido. Se calzó el zapato y salió tras él. Al llegar al suelo, sintió que la cogía por la cintura con las dos manos para ayudarla a bajar. Cuando estuvo de pie, Rachel se volvió hacia él y le asustó la expresión que vio en su rostro.

—¿Qué ocurre? —preguntó Rachel, serena.

—Se trata de tu padre. Al parecer, ha tenido un ataque al corazón. Ya viene la ambulancia.

Johnny la rodeó con el brazo y la sostuvo cuando Rachel corrió, tropezando, hacia la casa. Ese brazo de Johnny era lo único que la mantenía en pie.

CAPITULO 46

—Jeremy.

Allí estaba de nuevo... la voz. Esa voz suave, aterradora, que lo llamaba. Acurrucado en la fría y oscura prisión, Jeremy se estremeció. Habían pasado horas, días, no hubiera podido decirlo. Creía haber dormido la mayor parte del tiempo. Pero siempre oía aquella voz susurrando en su mente.

—Jeremy.

Allí estaba otra vez. Jeremy quiso gritar, o llorar, pero estaba demasiado asustado. Tenía hambre y sed, y necesitaba orinar, pero todo eso era secundario en relación con el miedo que lo dominaba.

Algo maligno acechaba en la oscuridad.

—Muévete, Jeremy, tienes que moverte.

—¿Mamá? —preguntó en un gemido, y aunque se olvidó de sí mismo lo suficiente como para pronunciarlo en voz alta, Jeremy se encogió, pensando que lo atacarían.

Su madre estaba muerta. La voz que él oía no podía pertenecerle. Esa cosa maligna lo estaba engañando de nuevo, tal como había hecho la primera vez.

—Muévete, Jeremy.

Pero sonaba como la voz de su madre. A Jeremy le temblaron los labios. Tenía tantas ganas de que fuese su madre... Quizá había venido para estar con él, para hacerle compañía mientras moría.

No quería morir. Le daba demasiado miedo.

—Levántate, Jeremy.

La voz era insistente, y por primera vez el niño empezó a preguntarse si acaso no estaría dentro de su cabeza. Le dolía la cabeza y le palpitaba y parecía habérsele hinchado hasta alcanzar el tamaño de una calabaza. ¿Acaso su madre le estaba hablando dentro de la cabeza?

Abrió los ojos e intentó sentarse. Pero estaba mareado y sintió náuseas. Le dolía el estómago, y tenía la sensación de que brazos y piernas pesaban cincuenta kilos cada uno. A su alrededor no había más que oscuridad, una oscuridad fría y húmeda que olía mal.

¿Acaso estaba dentro de una tumba?

Al pensar en eso, empezó a respirar muy rápido. Por un momento, casi se vio presa del pánico. Luego se calmó, pensando que, dondequiera que estuviese, era demasiado grande para ser una tumba. No lo habían sepultado vivo.

Por lo menos, no lo creía. Pero cuando intentaba pensar, le dolía la cabeza.

—¡Escóndete, Jeremy!

La voz, de donde fuera que viniese, gritó dentro de su cabeza. Él quiso gritar su respuesta aterradora, pero el ruido de algo rascando lo hizo callar. Ese ruido lo asustó más que cualquier cosa hasta ese momento.

Se levantó sobre manos y rodillas y, tanteando por delante, encontró una pared de algo que parecía una piedra muy lisa, justo a su lado. No era la pared exterior sino interior, y él había permanecido tendido a unos cinco centímetros de ella. Era una superficie rugosa por el polvo y fría al tacto; sin embargo, conservó la mano en ella para orientarse al alejarse del ruido, arrastrándose lo más rápido posible.

Un rayo de luz, que en realidad no era luz sino más bien una oscuridad atenuada, le permitió ver que la pared de piedra tenía un metro y medio de alto y quizá un metro de ancho... y que podía ocultarse de la rendija de luz grisácea colocándose al otro lado.

Eso fue lo que hizo, y apenas se atrevió a mirar para ver qué era lo que lo amenazaba.

De inmediato lo reconoció como la cosa que había visto acechando en las sombras la noche en que su mamá fue asesinada. Una presencia sólida y tenebrosa se alzaba en un umbral que separaba el sitio de su prisión y la noche, allá fuera. Una ráfaga de aire puro, más cálido que el que él respiraba, agitó el borde de la capa que ocultaba de su vista el perfil de aquella figura.

Aunque no conseguía verlo con precisión, Jeremy percibió la presencia del mal. Era tan palpable como un olor.

Jeremy se hizo muy pequeño, luchando contra su deseo de llorar y resistiéndose al impulso de correr.

No había adónde ir... salvo hacia esa cosa frente a él.

—Jeremy.

Era la voz que había oído en su casa. Era diferente del susurro que lo había despertado diciéndole que se moviera y que, sin duda, era un ser bondadoso. Ese susurro le erizaba el pelo en la nuca.

—Ven aquí, chico.

La cosa se movió y Jeremy vio brillar algo plateado que sostenía por delante, como un escudo. El niño comprendió que se trataba de un cuchillo, largo, reluciente, afilado.

Tal vez fuera el cuchillo que había matado a su madre.

El cuchillo que aquella cosa pensaba usar contra él.

Sintió un chorro tibio entre las piernas y se dio cuenta de que se estaba orinando en los pantalones, como un bebé. Al terror se sumó la humillación y apenas logró contener un sollozo.

En el umbral, la cosa olfateó, una, dos veces, como si pudiera olerlo. Entonces, fuera, en alguna parte, vio un destello de luz. Eran dos luces, los faros de un vehículo. Jeremy abrió la boca para gritar.

—Calla —le advirtió la voz buena. Jeremy cerró la boca.

La cosa pareció vacilar. De pronto, se esfumó con la rapidez de un ave que levanta el vuelo. Se cerró la puerta. Jeremy volvió a encontrarse solo en la oscuridad.

Pero esta vez saludó a la oscuridad como a una amiga.

CAPITULO 47

Los días siguientes transcurrieron como en un sueño para Rachel. Pasaba casi todos sus momentos de vigilia en el hospital, junto al lecho de su padre, tomándole la mano, hablándole y rezando por su recuperación, aunque sabía que ahora era un error intentar arrancarlo a la muerte. Pero no podía evitarlo. No podía convencerse de dejarlo ir. Todavía no, no de esa manera.

Elisabeth Grant, que hasta dormía en el suelo junto a la cama de Stan, también se sentía mal. Pálida y acongojada, vigilaba a su esposo, y apenas podía hablar coherentemente, ni siquiera a los médicos. Rachel tenía que ocuparse de hablar con ellos y tratar de interpretar lo que le decían. Luego debía comunicar la situación, según ella la entendía, a Elisabeth y a Becky.

Becky, desgarrada entre sus hijas en casa y su padre en el hospital, mantenía guardia con su madre cada vez que Rachel se rendía al agotamiento y dejaba que Johnny se la llevara para dormir unas horas. Quedó olvidada la intención de Johnny de mantener una custodia nocturna en el patio de Rachel, porque ésta ya no pasaba las noches en casa. Ahora Rachel iba al apartamento de Johnny con tanta naturalidad como habría ido a *El Nogueral*, porque estaba cerca del hospital y porque Johnny estaba allí. La sostenía en sus brazos para dormir, le secaba las lágrimas cuando ella lloraba y la obligaba a comer cuando ella no tenía ganas. Era Johnny quien se hacía cargo de las pequeñas cosas que hacían soportable una vigilia tan agotadora. Él llevaba a las mujeres de un lado para otro cuando estaban demasiado cansadas para poder pensar siquiera, y mucho menos conducir un vehículo. Les llevaba comida y bocadillos cuando no lograba convencerlas de ir a comer a la cafetería. Les compró artículos de primera necesidad, tales como jabón, cepillos de dientes y pasta dentífrica en la farmacia del hospital, cuando ellas despertaron sintiéndose sucias y desorientadas después de aquella primera noche aterradora con Stan. Pero lo más importante era que Johnny proporcionaba un fuerte hombro masculino en que apoyarse para cualquiera de ellas en momentos de decaimiento. Hasta Elisabeth llegó a confiar en él durante aquellos días terribles. Más de una vez dijo que no sabía cómo se las arreglarían sin él. En las horas de angustia que siguieron a la hospitalización de Stan, hasta había aceptado sin rechistar la noticia del noviazgo de Rachel. Claro que Rachel no habría elegido aquel momento para decírselo, pero con el reluciente anillo en su dedo con la tarjetita aún atada, cuando llegó al hospital, hasta para Elisabeth, acongojada como estaba, fue difícil no percatarse.

Fuera del hospital, la vida continuaba mientras Stan yacía conectado a las máquinas que lo mantenían en la frontera entre la vida y la muerte. Llegaban muchos amigos a la sala de espera, pero sólo se autorizaba las visitas a los miembros de la familia. Kay era una visita frecuente, al igual que Susan Hennley y todas las amigas de la iglesia de Elisabeth. Hasta Rob envió flores, un gesto que Rachel apreció. Comprendió que, en un momento de prueba como aquél, ella, Elisabeth y Becky necesitaban a sus amigos. Los visitantes se esforzaban incluso por ser corteses con Johnny, de cuya situación como virtual miembro de la familia se hablaba en todo el pueblo. Por una vez, Rachel agradeció la eficiencia de la red de habladurías que había hecho pública la noticia de su noviazgo. En aquel momento, la crisis de Stan era lo único que ella podía afrontar. No creía poder reunir energías para explicar también la presencia casi permanente de Johnny a sus amigos y vecinos.

En la escuela, una profesora reemplazaba a Rachel mientras ella hiciera falta en el hospital. Michael vino una vez de Louisville para visitar a Stan, pero tuvo una recepción tan fría de Elisabeth y Rachel, que no se quedó más de diez minutos. Becky, que llegó un poco más tarde con los ojos hinchados, informó que Michael había pasado por *El Nogueral* para ver a sus hijas, y que después de marcharse él, Loren le había preguntado que cuánto duraba un divorcio, porque ya se estaba cansando. La pregunta había hecho llorar a Becky.

La ferretería era de nuevo hábilmente administrada por Ben, quien había accedido a quedarse gracias a un arreglo que le daba participación en las ganancias, además de un buen aumento de sueldo, e incluía la condición de que Johnny ya no trabajaría en el negocio. A Johnny no le importaba quedarse sin trabajo, ya que aguardaba tan sólo una resolución de la crisis de salud de Stan para irse de Tylerville con Rachel.

El jefe Wheatley fue uno de los tantos amigos de Stan Grant que fueron a verlo al hospital. A diferencia de los demás, se le permitió visitar al paciente debido a su cargo oficial. Dijo que no tenía ningún progreso real de que informar en relación con el asesinato, pero traía consigo noticias poco tranquilizadoras. Al parecer, Jeremy Watkins había huido de su hogar. En cualquier caso, había desaparecido; su padre y sus abuelos estaban consternados. No, el jefe de policía no sospechaba realmente nada turbio, alegando que en los últimos tiempos los niños no eran las víctimas predilectas de asesinatos en Tylerville, pero de todos modos era preocupante. Cuando Rachel y Johnny le aseguraron que ninguno de ellos había visto a Jeremy desde el funeral de su madre, Wheatley asintió frunciendo los labios. El chico había estado adaptándose a su nueva situación hogareña, que no era ideal y, que en opinión del jefe, le proporcionaba un buen motivo para fugarse; sin embargo, estaban verificando todas las posibilidades.

Lo único que le molestaba, declaró Wheatley, era el modo en que Jeremy había venido repitiendo que la noche del asesinato de su madre había visto algo en la oscuridad. Si el asesino se había enterado, tal vez creía necesario quitar de en medio a Jeremy. Por eso entrevistaba a Johnny, a Rachel y a todo aquel que hubiese oído el comentario de Jeremy Watkins. Por supuesto que, tal como funcionaba Tylerville, era difícil encontrar a alguien que no supiese lo que había dicho el chico, y por lo tanto la lista de sospechosos potenciales no se limitaba sólo a los que habían escuchado a Jeremy en persona.

Al oír la sugerencia, Rachel quedó horrorizada, pero el jefe de policía le dijo que era tan sólo una entre muchas posibilidades, y ni siquiera muy verosímil, ya que, si hubiesen matado al niño, seguramente ya habrían encontrado el cuerpo. El asesino de Marybeth Edwards y Glenda Watkins no había dudado en dejar a sus víctimas bien a la vista.

No, lo más probable era que el muchacho, acongojado por la muerte de su madre, y sintiéndose desdichado en su nueva casa junto a la novia de su padre, hubiera huido. Se había informado de su desaparición en toda la región, y el jefe esperaba que en cualquier momento lo llamaran anunciando que habían hallado al muchacho.

Así lo esperaba Rachel, pero la noticia de que Jeremy había desaparecido la inquietaba mucho. Advirtió que Johnny sentía lo mismo.

Pero nada podían hacer para localizarlo, y Rachel estaba tan angustiada por la situación de su padre, que relegó el misterio del paradero de Jeremy al fondo de sus pensamientos. Como había dicho Wheatley, era muy probable que el pobre niño hubiese simplemente huido.

Pocos minutos después de marcharse el policía, Johnny se disculpó diciendo que tenía que salir de la habitación. Rachel lo despidió distraídamente ya que no se percató de que Wheatley lo llamaba con un brusco gesto de la cabeza.

Cuando Johnny salió del cuarto de Stan, Wheatley ya no estaba en el pasillo. Johnny tuvo la esperanza de que no se hubiera detenido en la sala de espera, donde habitualmente podía encontrarse a uno o más amigos de los Grant, puesto que intentaba evitar esa situación cuanto fuera posible. Una enfermera, que empujaba un carrito con la merienda para aquellos pacientes que podían comer, le dijo a Harris, respondiendo a su concisa pregunta, que el jefe acababa de entrar en el ascensor. Bajó la escalera apresuradamente y alcanzó a Wheatley en el vestíbulo.

—Jefe. —Su voz detuvo al otro hombre antes de que traspasara las puertas giratorias de la salida.

Wheatley miró hacia atrás, vio a Johnny y le hizo señas de que lo siguiese afuera. Así lo hizo Johnny, impaciente. Fuera del hospital, en el aire todavía tibio de septiembre, los dos hombres se detuvieron en la acera, frente al edificio de ladrillos. El jefe, una figura rechoncha con uniforme y gorra azules, lo esperaba de brazos cruzados. Johnny, más enjuto en sus pantalones vaqueros y su camiseta blanca, con su nuevo corte de pelo que llamaba mucho menos la atención de la gente conservadora de Tylerville, se quedó inmóvil con las manos metidas en los bolsillos del pantalón.

—¿Quería verme?

Wheatley asintió bruscamente con la cabeza.

—No sabía si habías entendido el mensaje.

—¿Qué pasa? —inquirió Johnny, lacónico.

—No son buenas noticias.

—Nunca lo son.

—Está bien. Hay mucha inquina contra ti en el pueblo.

Johnny se tranquilizó un poco. Había temido que Wheatley le dijera que algo le había pasado a Jeremy que no había querido mencionar ante las señoras. Oír más de las mismas estupideces que había oído toda su vida era un alivio.

—Vaya novedad.

El jefe de policía sacudió la cabeza.

—Esto es diferente. Las habladurías son realmente perversas. La gente piensa que tú eres el culpable, pese a lo que yo les digo en contra, y está enfurecida porque todavía estás en libertad.

—¿Quiere decir que esté sobre aviso por si tratan de lincharme?

El jefe frunció los labios.

—Yo no he dicho eso. Los de Tylerville son buena gente en general. Pero el asesinato de Glenda Watkins y la desaparición de su hijo los tiene a todos muy alterados. La gente se pregunta si el chico ha sido asesinado para impedir que hable, y Tom Watkins dice que, en su opinión, fuiste tú quien lo hizo. Otras personas han sumado dos más dos para identificar a Rachel como el próximo objetivo del asesino. La mayoría tiene hijos, así que están preocupados. Y todos respetan mucho a Rachel y no les agrada mucho la idea de que acabe como las otras dos.

Johnny miró con dureza al policía.

—Todavía cree que yo lo hice, ¿verdad?

—Otra vez me estás atribuyendo palabras. No digo que crea que fuiste tú. Si Rachel dice la verdad, y nunca he sabido que mintiera, no pudiste haber sido tú. Sólo digo que si algo le pasa a Rachel, o si el muchacho aparece muerto, tu vida no valdrá nada aquí. Ya no vale mucho, tal como están las cosas.

Johnny quiso decir algo, pero Wheatley levantó una mano.

—Déjame terminar... He estado examinando la situación. Uno, Rachel dice la verdad y tú no pudiste haber matado a la señora Watkins. Aun así, salías con ella, como salías con Marybeth Edwards. Están muertas las dos. Me parece que Rachel es la principal candidata para ser la tercera, porque lo único que tiene algo de sentido en esa teoría es que alguien está matando a tus mujeres. O bien, número dos, tú eres un demente que mató a Marybeth Edwards y Glenda Watkins con tus propias manos, por razones desconocidas, y Rachel está mintiendo para protegerte. Es lo que se dice en el pueblo. De un modo u otro, Rachel está en un grave peligro... debido a ti.

Johnny Harris apretó los labios.

—Tiene que darle protección policial. Pensaba hablar con usted a ese respecto.

El jefe de policía asintió.

—Lo he pensado. Pero tengo un contingente de seis hombres, y los demás delitos no van a cesar en Tylerville porque estemos investigando un asesinato. Los dos últimos asesinatos sucedieron con once años de diferencia. No puedo asignar un agente a Rachel en jornada completa durante los próximos once años.

—Entonces me ha hecho venir para decirme que sigo siendo sospechoso, y que de cualquier manera Rachel está en peligro. ¿De eso se trata?

El jefe sacudió la cabeza lentamente.

—Lo has entendido mal. Te llamé para decirte que te vayas del pueblo pronto. Todos vamos a dormir más tranquilos cuando hayas desaparecido.

—¿Y Rachel, qué? —La rabia volvió más aguda la voz de Johnny.

Wheatley se encogió de hombros.

—Ella no podrá estar peor contigo ausente, y es posible que esté mucho más segura. Y no me agrada mucho la perspectiva de tener que bajarte de un árbol un día de éstos.

Johnny torció la boca al responder:

—Bueno, ya ha dicho su opinión. Ahora déjeme que diga la mía. Aunque mucho lo deseo, no saldré de este pueblo de mala muerte salvo que venga Rachel conmigo, y Rachel no puede irse en este momento debido a su padre. De modo que Tylerville tendrá que joderse porque habrá de soportarme.

—No puedo obligarte a irte —repuso el jefe de policía sin pestañear.

—No, no puede —replicó Johnny mirándolo a los ojos.

—Está bien. Tan sólo quería comunicarte mis ideas.

Wheatley estaba a punto de alejarse cuando volvió a mirar a Johnny—. Para que conste, yo personalmente no creo que seas culpable. Pero ya me he equivocado en otras ocasiones.

Johnny Harris no dijo nada. Wheatley se encogió de hombros y se encaminó hacia donde se hallaba aparcado su Taunus gris. Johnny lo contempló mientras abría la puerta.

—Por cierto, ¿te queda alguna amiguita por aquí? —preguntó Wheatley, antes de subir al coche.

—Ninguna viva —replicó Johnny, tenso.

El jefe pareció considerar eso, asintió con la cabeza y subió al coche.

Johnny permaneció largo rato inmóvil antes de volver a entrar.

CAPITULO 48

Se tardaba mucho en morir. Jeremy descubrió eso mientras las horas se fundían unas con otras en un horror interminable. Sin comida, sin agua, sin luz, sin final para ese terrible dolor punzante que le atravesaba la cabeza cada vez que se movía… Pero seguía vivo. ¿Cuántas horas, días o semanas habían pasado? No lo sabía, pero le parecía haber estado encerrado más de un año en la fría oscuridad maloliente, salvo por la voz de su madre.

Ahora sabía que la voz era de ella, y eso lo consolaba.

Tenía las puntas de los dedos despellejadas y ensangrentadas por haber tratado de abrirse paso con las manos a través de los muros de piedra o a través de la puerta de hierro donde se había detenido la cosa. Ahora sabía que no había por dónde salir, y la desesperanza aumentaba su angustia. Yacía acurrucado en el suelo de piedra mientras le palpitaba la cabeza y unos puntos de color relampagueaban tras la pantalla de sus párpados cerrados, y su cuerpo se estremecía de frío. Perdía y recuperaba la conciencia, y cuando el dolor o el miedo se hacían intensos, su madre le hablaba. Jeremy se imaginaba que estaba a salvo en su cama, con Jake acurrucado junto a él y su madre en la mecedora, en el rincón del cuarto donde se sentaba siempre.

—Jeremy, ¿recuerdas cuando te dejé faltar a la escuela y fuimos a pescar en la cañada?

—Sí, mamá.

—¿Recuerdas dos Navidades pasadas, cuando Papá Noel trajo la bicicleta nueva?

—Sí, mamá.

—¿Recuerdas la víspera de Todos los Santos... el día de Acción de Gracias... tu cumpleaños?

—Sí, mamá.

A veces ella recitaba los versos infantiles que él recordaba de su primera niñez, a veces le cantaba, canciones disparatadas que a él le gustaban y canciones de cuna para Jake. Cuando la sed le secaba la garganta, era su mamá quien lo hacía levantarse pese a su dolor de cabeza y buscaba a tientas, en las paredes de su prisión, gotas de humedad que lo mantendrían con vida. Cuando encontraba una, lamía ávidamente la pared viscosa y mientras el agua aliviaba su lengua seca y su garganta que le ardía, sentía el regocijo de su madre. Aunque Jeremy ansiaba reunirse con ella, sentía que ella no quería que él cruzara hasta donde ella se encontraba. Quería que él viviera.

Al principio el hambre era un dolor que lo carcomía por dentro, pero poco a poco se redujo a un vacío sordo que ya no le dolía. Se quedó tendido al lado del lugar donde el agua goteaba por el muro, lamiéndola cuando lo necesitaba, y escuchando a su madre. Era la mejor manera de dominar el terror.

Porque sabía que tarde o temprano, aquella cosa vendría a por él. Y temía que esa vez no se fuera.

Al pensar en aquel brillante cuchillo plateado, sollozó ruidosamente. Y continuó sollozando, aun cuando su mamá siguió hablándole desde las tinieblas, tratando de disipar su miedo.

—Sé valiente, hijo. Sé valiente.

CAPITULO 49

El viernes Stan Grant mejoró levemente, y Elisabeth y Rachel pensaron que podían dejarlo. Puesto que no querían dejar a Stan solo, Becky se quedó en el hospital mientras Johnny las llevaba a *El Nogueral* en el coche de Rachel. Sentada en el asiento delantero junto a Johnny, Elisabeth era poco más que una pálida sombra de la mujer que había sido el domingo anterior. Tenía la cabeza recostada en el asiento, con los ojos cerrados y las manos en el regazo.

Ninguno de los tres ocupantes del coche hablaba. Rachel y Elisabeth estaban agotadas, y Johnny guardaba silencio porque intuía que necesitaban estar tranquilas. Pero el silencio era un alivio. Por primera vez Rachel pudo rememorar todo lo sucedido desde que Stan sufriera el ataque. Se dio cuenta de que la pesadilla había dado lugar a algo nuevo: aquellos últimos días en el hospital, tan desconcertantes, habían hecho mucho por reconciliar a Elisabeth con Johnny. La crisis había obligado a su madre a confiar en él, y Johnny había respondido mejor aún de lo que Rachel habría esperado. Había estado allí cuando se le necesitaba, y entretanto se había hecho querer por la familia de Rachel. Gracias a esa peculiar alquimia que a veces se da en momentos de tensión, Johnny había pasado a ser uno de ellos.

Cuando llegaban a las puertas de *El Nogueral*, Rachel se sintió animada por primera vez desde que su padre había sufrido la crisis. Brillaba el sol, el aire era cálido y el follaje se teñía de colores otoñales. Hasta la casa parecía acogedora cuando entraron. Katie estaba cantando una cancioncilla con Tilda en la cocina, y la alegría de la niña conmovió a Rachel. Una olla grande que olía a sopa de verduras hervía en la cocina.

—Llegan a tiempo para el almuerzo —dijo Tilda, con una ancha sonrisa.

Katie lanzó un chillido y corrió hacia Rachel. Ella cogió a la pequeña en brazos y la besó sin fijarse en que sus manitas estaban pegajosas del caramelo que, en su entusiasmo, había abandonado en el suelo.

—¿Dónde están todos, Tilda? —preguntó Elisabeth.

Era evidente que le costaba hablar. Tan cansada estaba que sus palabras fueron un tanto confusas.

—Jotadé se ha ido a buscar a Loren, Lisa está en el colegio hasta las tres, y Katie y yo estamos aquí en la cocina, ¿verdad, Katie, bonita?

—En la cocina —la imitó Katie, asintiendo con la cabeza.

—¿Por qué no subes y te acuestas un rato, mamá? —sugirió Rachel, preocupada.

—Creo que eso haré. Estoy agotada —asintió Elisabeth. Le dio un beso a Katie, que rió entre dientes; luego salió de la cocina, moviéndose como una anciana. Hasta entonces, Rachel nunca había pensado en su madre como anciana, y la idea la inquietó.

—Iré a ayudar a mamá a que se ponga cómoda —dijo, y dejó a Katie en brazos de Tilda.

La niña protestó, pero Tilda la distrajo con una cacerola y una cuchara para que pudiera golpearla. El ruido siguió a Rachel cuando subió la escalera.

Quince minutos más tarde, cuando volvió a la cocina después de llenar la bañera para su madre y prepararle la bata y el camisón, descubrió a Katie de pie sobre una silla jugando muy contenta en el fregadero. Johnny estaba apoyado en el mostrador hablando con Tilda, que lo trataba como a uno de sus hijos, mientras ella cortaba jamón para hacer unos bocadillos. Tilda sirvió dos tazones de sopa y los colocó con los platos del almuerzo, a saber, ensalada de patatas y pepinillos. Dos grandes vasos de leche sobre la brillante mesa de roble acompañaban los bocadillos. Luego Tilda se llevó a Katie, que protestaba, para que Rachel y Johnny pudieran comer tranquilos.

Johnny comió con placer. Pero Rachel dejó la suya después de probar dos o tres cucharadas de sopa.

—¿No te gusta? —inquirió Johnny.

En los últimos días se había vuelto muy quisquilloso con lo que comía ella, diciéndole que con razón era tan diminuta, porque un ratón grande consumía más que ella. Rachel, que no estaba de humor para comer a la fuerza, le hizo una mueca. Pero, en respuesta a su severa mirada, se tomó el resto de la sopa.

—A tu padre no le servirá de nada que te pongas enferma también tú —dijo Johnny mientras engullía el último bocado que tenía en el plato.

Rachel lo miró con asco mientras él se bebía toda la leche. Mientras que a Rachel la tensión le revolvía el estómago al tratar de comer, Johnny nunca dejaba de disfrutar con la comida, y su apetito era enorme.

—Me duele la cabeza —dijo ella, seria.

—¿De veras? —Johnny le lanzó una mirada especulativa. Luego sonrió—. Anda, vete arriba como una buena chica y ponte unos pantalones vaqueros y unas zapatillas. Lo que necesitas es aire puro.

—Es probable que tengas razón.

Una caminata parecía buena idea y Rachel subió a cambiarse de ropa. Cuando volvió a la cocina, él estaba dando cuenta de un pastelillo.

—Si sigues comiendo así, acabarás hecho un viejo gordo —dijo ella, sonriéndole burlona.

—Imposible. Soy demasiado alto —repuso él, mientras se limpiaba los dedos en los vaqueros e iba hacia ella.

—Eso dicen todos.

—¿Ah, sí?

—Sí.

—Ven, hace un día precioso.

Johnny le cogió la mano y Rachel, de buena gana, salió con él, atravesó el patio y fue hacia el garaje por el sendero. Allí Johnny tenía guardada su moto, junto al coche de Elisabeth y el que usaba Tilda para diligencias. Rachel respiró hondo y absorbió los aromas puros de comienzos del otoño. Alguien, en alguna parte, estaba quemando hojas. El acre olor del humo era leve, pero discernible.

Aún hacía calor suficiente para que no hiciera falta chaqueta ni jersey, pero la tarde era más fresca que en agosto. El viento le agitaba el cabello a Rachel y hacía que las oscuras ramas, vestidas con sus otoñales galas, se movieran en lo alto como brazos alzados y oscilantes. Rachel se embebió de las imágenes, los sonidos y los olores con una sensación de plenitud. El comienzo del otoño era su época favorita del año.

—Toma —dijo Johnny, ofreciéndole un casco.

Tan absorta estaba Rachel en sus propios pensamientos que no había notado que su caminata terminaba junto a la moto de Johnny, ni que él le había soltado la mano.

—Oye, me parece que no...

Al comprender lo que él se proponía, Rachel sacudió la cabeza y retrocedió al mismo tiempo. Johnny chasqueó la lengua en señal de reprimenda y la siguió. Le tomó el casco de las manos y lo sostuvo sobre su cabeza, mirándola con una sonrisa inquisidora.

—¿No confías en mí?

—Sí, pero...

—Bueno —dijo él, y le puso el casco en la cabeza y ajustó la correa en la barbilla. Luego acalló sus protestas con un beso rápido y prieto—. Te encantará, te lo prometo. ¿Quieres hacer la prueba? Y la atrajo hacia sí. Rachel echó hacia atrás la cabeza, y él la besó de nuevo.

—¿Qué tengo que hacer? —dijo Rachel con un suspiro de resignación.

«Es imposible resistirse cuando él decide ejercer su encanto zalamero», pensó Rachel. Además, en realidad confiaba en él. Tal vez no le gustara mucho ir en moto con él, pero estaba segura de que no le sucedería nada malo.

—Sube.

Johnny también se puso el casco, echó una pierna por encima del asiento y puso en marcha el motor, todo en menos tiempo del que tardó Rachel en ajustarse el casco hasta sentirlo razonablemente cómodo y seguro.

—¿Cómo?

Rachel tuvo que gritar para que la oyera por encima del estruendo. El asiento quedaba muy alto, y no le parecía decoroso montarse en él. A Johnny le iba muy bien, pero él medía más de un metro ochenta.

—¡Imagínate que la moto es un caballo! —gritó él.

Rachel pisó torpemente un pedal mientras él sostenía la moto apoyándose con ambas piernas en el suelo. Luego, siguiendo sus instrucciones, pasó una pierna por encima. Se encontró sentada detrás de él, apretada entre su espalda alta y ancha y el respaldo de cuero, con los muslos rodeando los de Johnny y la entrepierna contra sus nalgas.

—¡Agárrate bien! —gritó él por encima del hombro. Rachel apretó los dientes y ciñó los brazos en torno a la firme cintura de Johnny. Él soltó el embrague, levantó los pies y partieron. Mientras volaban por el camino, levantando diminutos guijarros, Rachel pensó que, comparado con eso, subirse a un cohete sería aburrido.

A Johnny, por el contrario, era evidente que le encantaba. Al apretarse contra su espalda, Rachel sintió el cuerpo alborozado. Le veía el rostro de refilón y lo escuchaba cuando él le gritaba para que ella le oyese. Se agarró a él sin protestar mientras volaban y se inclinaban al tomar las curvas, con la sensación de viajar por una montaña rusa. Si Johnny quería, ella aprendería a disfrutar con la moto aunque le costara la vida. Él había hecho tantos esfuerzos para pertenecer al mundo de Rachel que ella estaba dispuesta a hacer lo mismo por él.

Al cabo de hora y media, cuando él volvió a detener la moto en el garaje, ella ya había abierto los ojos que hasta entonces había mantenido cerrados.

—¿No ha sido magnífico? —preguntó él.

Tenía una ancha sonrisa pintada en el rostro cuando detuvo el vehículo. Rachel, agradecida de estar con vida, sonrió y asintió con la cabeza mientras se quitaba el casco y se lo devolvía. Al tocar tierra, sucedió algo extraño. Traicionadas por los muslos, las rodillas empezaron a temblarle. Le dolía el trasero. Se lo frotó con una mueca de dolor mientras Johnny paraba el motor, apoyaba su amada moto en el soporte y luego colgaba los cascos en los retrovisores del manillar.

—¿Qué ocurre?

Al volverse la pilló frotándose el trasero. La miró de pies a cabeza. Rachel sólo atinó a lanzarle una sonrisa.

—Es que me duele aquí —dijo, decidida a tomarse su mal a la ligera.

—Has estado sentada demasiado rato para ser la primera vez —repuso él, arrepentido.

«¿La primera vez?», pensó ella con un estremecimiento interior, pero volvió a sonreír al volver la cabeza hacia la casa. Aun así, cuando dio un paso adelante, no pudo contener de nuevo una mueca de dolor.

—Lo siento, cariño.

Johnny la siguió y la alzó en brazos antes de que ella tuviera algún indicio de lo que él pensaba hacer. Por un instante, sorprendida, se puso rígida, pero luego se tranquilizó mientras él se alejaba sosteniéndola contra su pecho.

Aquél era el hombre a quien amaba y podía llevarla donde quisiera. Sonrió de puro placer y le rodeó el cuello con los brazos.

—¿Me perdonas? —Parecía de veras afligido. Rachel le retorció un rizo de la nuca.

—Sí, tonto.

—Con el tiempo te acostumbrarás.

—Claro que sí.

—No tienes que salir en moto si no quieres.

—Ya lo sé.

Johnny se detuvo el tiempo suficiente para besarla.

Cuando finalmente alzó la cabeza y reanudó la marcha, Rachel se sorprendió al comprobar que iba hacia el bosque.

—¿Adónde vamos?

—A un lugar donde yo pueda hacerte pasar el dolor.

—Suena emocionante —le sonrió ella.

—¿De verdad?

Se encontraban en el linde del bosque. Johnny la llevó por el sendero hasta el árbol con la casita de madera. Una vez ahí, dejó a Rachel en el suelo. A ella aún le dolía el trasero y le temblaban los muslos, pero consiguió trepar sin problemas. Cuando Johnny apareció por la abertura, Rachel estaba tendida de espaldas en el piso de madera, los brazos estirados sobre la cabeza, admirando el follaje de colores dorados. Con sus vaqueros desteñidos y una camiseta rosada de manga corta, el cabello enmarañado, los ojos brillantes y las mejillas enrojecidas, aparentaba dieciocho años y así se sentía. Cuando Johnny se inclinó sobre ella, Rachel le sonrió con alegre abandono. Johnny la miró por un momento, se apartó de la frente un rizo de pelo negro y se arrodilló a su lado.

—Date la vuelta.

—¿Por qué?

—Te he dicho que te haría pasar el dolor. La cura para lo que te aqueja es un buen masaje.

—¿De verdad?

—Ajá...

Rachel se giró en el suelo con las manos unidas bajo la mejilla para apoyar la cabeza. Sintió la fuerza de las manos de Johnny cuando él empezó a frotarle las maltratadas nalgas a través de la tela gastada de sus vaqueros y se entregó a la sensación que despertaba en ella. Johnny tenía razón, porque el masaje le calmaba el dolor de los músculos. O al menos lo trasladaba a otra parte del cuerpo.

Era extraña la rapidez y la fogosidad con que Johnny despertaba en ella su deseo por él. Ningún otro hombre la había hecho sentir aquello. Cuando Johnny la tocaba, a ella le daban ganas de sexo.

Estaba reuniendo la energía para darse la vuelta y decírselo, cuando las manos de Johnny se deslizaron debajo de ella para buscar la cremallera de sus vaqueros.

—¿Qué haces? —inquirió ella, perezosa, mientras él bajaba la bragueta y empezaba a deslizarle los pantalones por las caderas.

—Pienso que el masaje sería más eficaz si no hubiese tantas barreras entre mis manos y tu piel.

—¿Ah, eso crees?

—Sí.

Le quitó los zapatos y luego los vaqueros. Rachel permanecía inmóvil, boca abajo, la cabeza sobre las manos, vestida con su camiseta rosada de manga corta, sus bragas de color melocotón y sus calcetines rosados con su delicado ribete de encaje. Ahora sentía el aire fresco sobre las piernas desnudas. El frío que le recorría el cuerpo no tardó en disiparse gracias a las cálidas manos de Johnny cuando éste empezó a acariciarle los muslos y reanudó la tarea.

Rachel tuvo que reconocer que las atenciones de Johnny eran mucho más eficaces sin pantalones. Al deslizarle las manos dentro de las bragas, ella arqueó la espalda como una gata al acariciarla, y por un momento disfrutó del roce áspero de las puntas de los dedos de Johnny contra la suave piel de su trasero. Luego, hizo acopio de valor para darse la vuelta y sentarse.

—¿Te sientes mejor? —inquirió él, apoyándose en los talones.

Deslizó las manos hasta posarlas en los muslos desnudos de la joven.

—Infinitamente —le sonrió Rachel, rodeándole el cuello con los brazos. Acercó la boca, seductora, a la de Johnny, y le dio un beso sensual que él devolvió con entusiasmo—. Estoy en deuda contigo —dijo por fin.

Sacudió la cabeza cuando él pretendió tumbarla de nuevo de espaldas en el suelo.

—¿Ah, sí? —preguntó él.

En su voz había un dejo de interés al ver que ella le buscaba la cremallera y se la bajaba. Apoyado en la pared, observó sus intentos con una sonrisa especial.

—Sí —repuso ella, introduciendo los dedos por el pantalón abierto.

Johnny dejó de sonreír y se le aceleró la respiración cuando la mano de Rachel hurgó bajo sus calzoncillos en busca de su presa. Ya se le había puesto duro el sexo cuando Rachel lo atrapó y lo sacó al aire libre. La erección de Johnny era enorme, palpitante, ardiente y temblorosa en la mano de ella, aunque Rachel no había hecho más que tomarle el pene. Al apretarlo, como si quisiera experimentar, vio el repentino destello en los ojos de Johnny y el brusco enrojecimiento de sus mejillas. Cuando inclinó la cabeza, él cerró los ojos y crispó los puños. Luego la boca de Rachel lo encontró y empezó a chupar. Johnny lanzó un gemido.

Tanto le gustó ese sonido a Rachel, que lo hizo de nuevo.

CAPITULO 50

Esa tarde, sin que lo supieran los dos ocupantes de la casita del árbol, había alguien más en el bosque detrás de *El Nogueral.* El vigilante estaba allí.

En el automóvil marrón, el vigilante, sumido en su personalidad cotidiana, recorría la calle principal cuando la moto de Johnny Harris pasó rápida como el viento. El vigilante se enfureció tanto al ver a la mujer arrimada a él rodeándolo con los brazos que, en un solo instante, su segunda personalidad le arrebató el control del cuerpo a la personalidad cotidiana. Siguió a la motocicleta a una distancia prudente y tuvo que combatir el violento deseo de acelerar y arrollar a los dos traidores. Johnny Harris no formaba parte del plan.

Pero el vigilante no pudo resistirse a seguirlos hasta el bosque. Inmóvil bajo el árbol, escuchó los ruidos de los dos haciendo el amor en lo alto. Se confirmaban sus peores sospechas: eran amantes. El vigilante no emitió ruido alguno, pero por dentro bramaba de furia, transformado por los celos en una bestia hambrienta, aullante, enloquecida por la sed de sangre. Había matado ya dos veces, pero el ansia de una sangrienta venganza nunca había sido tan fuerte como lo era en aquel momento. La mujer tenía que morir. Y pronto.

Pero no ahora. El vigilante era demasiado listo. Podía esperar hasta que la mujer estuviera sola.

Valdría la pena esperar. Porque, esta vez, la mujer que iba a morir era la auténtica. Los dos primeros asesinatos no habían cumplido la meta del vigilante, y ahora sabía por qué. Esa mujer, Rachel Grant, era La Elegida. El vigilante, con pleno conocimiento de su propia identidad como espíritu reencarnado, se había propuesto encontrar a un alma reencarnada en concreto. Alborozado, comprendió que por fin había localizado a su presa, su auténtica presa, la presa que había sido su castigo durante toda una eternidad. El vigilante sabía que los recuerdos, emociones y modelos de pensamiento que constituían la personalidad cotidiana de Rachel Grant eran tan superficiales como los de su propia personalidad cotidiana. Bajo la superficie vulgar acechaba algo más: almas sin sexo, ligadas una con otra por el destino, cuyo sino era renacer juntas una y otra vez para representar un ciclo interminable de traición, asesinato y redención. Junto con el vigilante y el alma de Johnny Harris, el alma de la mujer formaba el tercer punto del eterno triángulo.

El vigilante sabía que su destino era destruir ese triángulo.

Sólo entonces podría alcanzar la paz.

Para el vigilante todo era más fácil porque Rachel Grant, al igual que Johnny Harris y la mayoría de los individuos, no tenían ni idea de la existencia de otras partes de su ser más allá de sus personalidades superficiales. El concepto de la reencarnación, del destino y la redención, que el vigilante aceptaba y conocía como verdad universal esencial, estaba más allá de su comprensión. Sólo a unas pocas almas iluminadas se les permitía un conocimiento divino pleno. La mayoría nunca verían más allá de sus personalidades superficiales, que sólo eran facetas minúsculas del vasto tesoro del alma completa.

El vigilante caviló de este modo sobre la cuestión. Desde el aire, las islas que salpicaban el océano parecían completas en sí mismas. Sólo al bucear bajo la superficie del mar se descubría que las islas eran las cimas de montañas gigantescas que el agua ocultaba.

Las personalidades cotidianas eran como islas. Pero sólo a los más perspicaces se les permitía ver lo que había debajo.

Arriba, cesaron de pronto los sonidos de las caricias amorosas y eso distrajo al vigilante de sus cavilaciones. Miró hacia arriba y anheló llevar a cabo su misión predeterminada de asesinato en ese mismo instante. El odio furioso y punzante por el alma traidora que vivía en Rachel Grant se debatió contra una astucia instintiva.

La astucia venció. Momentos más tarde, el vigilante se volvió y se alejó con rapidez.

Llegaría el día más adecuado para perpetrar la venganza.

Eran alrededor de las cuatro cuando Johnny Harris llevó a Rachel y a su madre al hospital en el coche de Rachel, y estaba agotado. Rachel lo había dejado exhausto. Sonrió para sí al pensar cuán imposible le había parecido antes esa probabilidad. Esta vez ella había llevado la batuta, y él había disfrutado de cada minuto. Pero ahora ella parecía revitalizada, mientras él tenía la sensación de haber sido apaleado con un bate de béisbol. Le dolían músculos que ni siquiera sabía que tenía. Necesitaba una ducha caliente, cambiarse de ropa y comer algo. Dejaría a Rachel a salvo en la habitación de su padre y luego haría un breve viaje a su piso.

En menos de una hora estaría de vuelta, y no anochecía hasta casi las seis. Ella estaría segura en la sala del hospital con su madre, su hermana y la cercanía de cinco o seis médicos y enfermeras. Después de todo, aún era de día. Había estado con ella casi cada minuto de vigilia y de sueño durante la última semana. Podía dejarla por una hora sin ningún temor.

Rachel no puso inconvenientes a que él la dejara. Se asomó por la ventanilla para besarlo mientras su madre se adelantaba hacia la entrada del hospital.

—No hables con desconocidos, ¿de acuerdo? —Bromeaba sólo a medias, pero ella sonrió.

—No lo haré.

Le dio un papirotazo en la nariz y se volvió para entrar en el hospital detrás de su madre. Johnny la siguió con la mirada mientras se alejaba. Llevaba puesta una simple falda y blusa de seda de brillante color turquesa, con un cinturón de cuero con motivos de plata en torno a la cintura y pendientes del mismo metal. Contoneaba el trasero de forma atrevida al caminar con sus tacones altos. Johnny la contempló con placer. Le bastaba verla caminar mientras se alejaba de él para volver a excitarse.

De camino a su piso, grandes gotas de lluvia salpicaron los cristales. Johnny puso en marcha los limpiaparabrisas y observó el cielo. Hacía semanas que no llovía, pero a juzgar por las nubes que se acumulaban hacia el este, estaba a punto de cambiar el tiempo. Mejor así..., necesitaban la lluvia.

Aparcó el coche detrás de la ferretería, subió a su piso por la escalera exterior para no tener que soportar estupideces de nadie en la tienda, sacó su correspondencia del buzón junto a la puerta y entró. *Lobo* lo recibió tan efusivamente que casi lo derribó en la escalera.

—También yo te he echado de menos —le dijo al animal, frotándole detrás de las orejas con cariño.

Miró el cielo con desconfianza y decidió que sería mejor llevar a *Lobo* a dar un breve paseo, antes de que el diluvio les cayera encima. Le puso una correa al perro y bajó con él por la escalera.

Cuando Johnny regresó con *Lobo* al piso grandes manchas húmedas cubrían su camisa y sus vaqueros. Si el tamaño de las gotas quería decir algo, la inminente tormenta sería un auténtico aguacero.

Volvió a entrar, se desvistió y se metió en la ducha; luego salió para secarse con una toalla y ponerse ropa limpia. La temperatura había bajado considerablemente desde su encuentro amoroso de la tarde con Rachel, de modo que se puso una camisa vaquera de manga larga. Entretanto, miraba la correspondencia dispersa encima de la mesa. Casi todo era publicidad, y algunas facturas. Desde la cárcel le habían remitido un sobre grande. Le bastó ver el nombre de esa institución impreso en el sobre para ponerse nervioso.

Pero eso ya había quedado atrás para él, y se proponía no volver a mirar al pasado. La mancha sería borrada de su historial, tal como él pensaba borrar de su mente el recuerdo.

Esos años pertenecían a otro Johnny Harris. Rachel y su amor, y la promesa de una nueva vida juntos, habían hecho de él un hombre diferente.

Sólo pensar en Rachel lo apaciguaba. Lanzó un resoplido, soltó la tensión y se concentró en las cosas buenas que ahora había en su vida. Lo primero y principal era Rachel. Johnny le llevaría su propia chaqueta de cuero al hospital para que se la pusiera al salir. La blusa turquesa era bonita, pero dudaba que abrigara lo suficiente.

Johnny abrió la correspondencia llegada de la cárcel con los nervios que le atenazaban el estómago... «¿Acaso esperaba encontrar una convocatoria para que volviera?», se preguntó sarcásticamente. Pero sólo se trataba de la correspondencia que le habían remitido. Sus admiradoras no podían saber que él estaba libre. Se preguntó cuánto tiempo seguirían escribiendo.

Al volcar las cinco o seis cartas sobre la mesa, Johnny vio en seguida que su más fiel corresponsal había vuelto a escribir. Ella siempre usaba tinta púrpura y papel de cartas rosado, y siempre perfumaba sus cartas. El aroma que usaba era floral, muy tórrido; su potencia hizo que Johnny frunciera la nariz cuando llegó a sus fosas nasales. No recordaba que el olor fuese tan intenso cuando llegaban las cartas a la cárcel. Quizá se había condensado al permanecer encerrado en el sobre grande.

El olor seguía molestándolo mientras abría el sobre con el pulgar y leía rápidamente el contenido. Supuso que, por cortesía, debía enviarle una nota comunicándole que era una pérdida de tiempo que siguiera con esas epístolas amorosas, pero supo que no lo haría. Tampoco volvería a mirar su correspondencia de la prisión. Le traía viejos recuerdos, recuerdos malos que le causaban ira. La echaría a la basura sin abrirla, igual que la publicidad, y seguiría adelante con su nueva vida.

Mientras leía la carta, más por costumbre que por verdadero interés, se preguntó qué clase de mujer se entusiasmaría con un desconocido, y para colmo un asesino preso que nunca le había contestado. Ésta le había escrito sin falta todas las semanas durante los diez años de su encierro, y desde el primer momento había adoptado un tono de intimidad que él encontraba absurdo. Demonios, ni siquiera sabía cómo se llamaba ella porque nunca firmaba sus efusiones románticas con otra cosa que «eternamente tuya». Tampoco se dirigía a él por su nombre. Sus cartas empezaban siempre con un «Mi queridísimo». A juzgar por su estilo, era muy posible que ella los considerara casi como marido y mujer.

Era horripilante. Con una mueca, Johnny arrojó de nuevo la carta en el montón. Luego fue a la cocina para lavarse el empalagoso aroma de las manos, recogió su chaqueta y se dirigió a la puerta.

Estaba en mitad de la escalera, bajando rápidamente para que la lluvia no lo mojara, cuando se dio cuenta de algo y quedó paralizado. Había olido antes aquel perfume, y no sólo en esas cartas. Lo había olido recientemente. Desde su regreso a Tylerville. Lo sabía con la misma certeza con que sabía que se estaba mojando la cabeza, pero no le fue posible atribuir un rostro al recuerdo del olor.

Wheatley le había preguntado si alguna antigua novia suya vivía en Tylerville, y la respuesta había sido que, hasta donde él sabía, no. Pero Johnny, cuya mente funcionaba a una velocidad vertiginosa, quedó de pronto cara a cara con una espeluznante posibilidad.

Quienquiera que le hubiese escrito aquellas cartas a la prisión, bien podía estar allí, en Tylerville. Quizá siempre había estado allí. Acaso fuera ella..., no él, sino ella, la que había matado a Glenda y a Marybeth. Porque creía estar enamorada de él.

Quienquiera que fuese ella, él había estado en su presencia más de una vez, en las pocas semanas desde su salida de la prisión. El recuerdo de ese olor lo atormentaba mientras trataba de recordar. Pero lo terrible era que no podía. Podría ser cualquier mujer del pueblo. Cualquier dependienta de una tienda. Cualquier cliente de la ferretería que él hubiera atendido. Cualquier amiga de los Grant.

Tal vez fuese posible rastrear las cartas.

Johnny giró sobre sí mismo y corrió escalera arriba, tratando torpemente de introducir la llave en la cerradura hasta que finalmente logró abrir la puerta, que dejó entreabierta. Se precipitó a la mesa y recogió la carta con su sobre correspondiente.

La dirección del remitente era una apartado de correos en Louisville. Eso no debía de ser muy difícil de verificar.

Con la carta en la mano, Johnny fue al teléfono. Cogió el auricular, marcó un número y, cuando le contestó una aburrida voz femenina, dijo:

—Con el jefe Wheatley, por favor.

❧❧❧ CAPITULO 52 ❧❧❧

—¡Rachel!

Rachel iba hacia los ascensores cuando oyó que alguien la llamaba. Al mirar, vio que Kay entraba por las puertas de cristal, tras ella. Con una sonrisa de bienvenida y un leve ademán, se detuvo, a la espera de que su amiga la alcanzara. Kay no le devolvió la sonrisa. Cuando se acercó y Rachel pudo distinguir su expresión, empezó a sentirse alarmada.

—¿Ocurre algo? —inquirió bruscamente.

—Oh, Rachel, detesto ser yo quien te lo cuente. —Kay parecía apesadumbrada—. Ha habido problemas. Johnny... Han detenido a Johnny.

—¿Detenido? ¿Por qué motivo?

—Cuánto lo lamento, Rachel. Al parecer, han encontrado alguna nueva prueba de que él mató en realidad a esas mujeres.

—Pero... acaba de dejarme aquí para ir a su piso.

—Lo han detenido a la vuelta de la esquina, lo esposaron y lo llevaron a la cárcel. Yo pasaba por ahí por casualidad y lo vi todo.

—¡Eso no es posible!

—Lo lamento de veras, Rachel. Pero, ya sabes, puede que se equivoquen. Sé que tú lo crees inocente. Tal vez lo sea.

—Debo ir con él. Ay, no tengo el coche... Johnny conducía el mío. Kay, no quisiera pedírtelo, pero...

Kay sonrió y tomó el brazo de Rachel.

—¡No seas tonta! ¿Para qué son las amigas? Con mucho gusto te llevaré. Ven.

Al salir de prisa con Kay, Rachel ni siquiera advirtió que la salpicaban las primeras gotas de lluvia que Tylerville había visto en un mes.

Mientras Kay maniobraba con su Ford Escort para salir del aparcamiento, Rachel se ajustó el cinturón de seguridad. El viento arreciaba, y el cielo se había oscurecido en la última hora, presagiando una tormenta. El susurro de los limpiaparabrisas y el constante chapotear de enormes gotas de lluvia formaban un ruido de fondo tranquilizador para la conversación dentro del coche. Desde el asiento de atrás, el punzante aroma de un ramo de claveles rosados llenaba el aire. Rachel supuso que Kay debía hacer una entrega después de dejarla a ella.

—Han cometido un error —dijo Rachel con impaciencia—. ¡Johnny no mató a ninguna de esas mujeres! Le he dicho al jefe Wheatley una y otra vez que él estaba conmigo cuando Glenda Watkins fue asesinada.

—Te creo. —Kay lanzó a Rachel una mirada de reojo.

—Yo pensaba que Wheatley también me había creído.

—No concibo que piense que yo mentiría respecto a algo así... ¡para proteger a Johnny! No lo haría. No miento.

—Yo nunca pensé que Johnny matara a la primera muchacha. Y no creo que haya matado a la segunda tampoco.

—Pues eres una de los pocos... —Rachel se interrumpió al notar por primera vez hacia dónde iban—. Kay, ¿adónde vas? Te diriges fuera del pueblo.

—Lo sé.

—¡Pero la comisaría está a pocas calles del hospital! Tendrás que dar la vuelta.

—No puedo hacer eso —repuso Kay en un tono de disculpa peculiar, que hizo que Rachel la mirara en realidad, por primera vez desde que se la encontrara en el vestíbulo del hospital. Kay estaba vestida de manera informal, pero atractiva, con unos pantalones color caqui y un suéter a juego sobre una blusa blanca. Tenía el pelo recogido en un elegante moño y no llevaba otro maquillaje que lápiz de labios y rimel. Pero el efecto en su conjunto le daba un aspecto diferente. Casi como otra persona. Leves temblores de inquietud agitaron a Rachel.

—¿Te sientes bien? —inquirió en tono preocupado.

—Depende de lo que quieras decir con «bien» —repuso Kay en un tono casi de tristeza, mirando a Rachel—. ¿Crees en la reencarnación?

—¿Qué? —La pregunta de Kay era tan inesperada, que por un minuto desconcertó a Rachel.

—¿Que si crees en la reencarnación?

—No, no creo. ¿Por qué?

—Yo sí. Verás, me interesé en el tema años atrás. Cuando aún iba al instituto.

—Tienes derecho a creer lo que quieras, igual que los demás. Por eso llaman a Estados Unidos el país de la libertad. —Rachel se impacientó por el giro insustancial que había tomado la conversación—. Kay, ¿podrías dar la vuelta y llevarme a la comisaría? Si no, párate y volveré a pie.

Kay sonrió con pesar.

—Todavía no entiendes, ¿verdad, Rachel?

—¿Entender qué?

—Johnny no ha sido arrestado en realidad, tonta.

—¿Entonces por qué dijiste que sí?

Rachel miró de nuevo a Kay. Aquello se volvía cada vez más curioso, más curioso, como decía Alicia en el país de las maravillas. ¿Acaso estaba ebria o se drogaba? Rachel empezaba a sentirse muy inquieta.

—Para conseguir que vinieras conmigo.

—¿Por qué quieres que vaya contigo?

—¿Sabías que mi abuelo trabajó en el consejo municipal en los años treinta? Cuando hallaron el cuerpo de aquella mujer en la cripta. El diario también estaba allí... el diario de su asesina. Mi abuelo se lo guardó... fue así como desapareció... y yo lo leí por primera vez cuando tenía alrededor de diez años. Quedé fascinada y seguí leyéndolo una y otra vez. Luego empecé a soñar con lo que había leído... sueños vívidos, muy vívidos, como si yo fuese ella, viviendo su vida. Estaba realmente asustada... hasta que empecé a leer sobre la reencarnación. Entonces comprendí que todos renacemos una y otra y otra vez. Mis sueños eran tan reales porque yo había sido antes esa mujer. Había experimentado todo lo que ella había sentido.

—Kay, perdóname, pero ¿qué tiene que ver todo eso con Johnny?

En su impaciencia, Rachel apenas pudo contenerse de gritarle la pregunta a su amiga.

—Oh, Rachel, lo lamento de verdad —dijo Kay con voz apagada.

Apretó las manos sobre el volante, se puso rígida y Rachel tuvo la súbita y aterradora impresión de que la mujer a quien miraba entonces no era la mujer que estaba allí hacía un instante.

—¿Sabes quién eres? —preguntó entonces Kay, mirando a Rachel.

Su voz era más baja de lo normal, y más profunda. Sus pupilas se habían dilatado tanto que ocupaban casi todo el espacio del iris, dejando solamente un reborde celeste en torno al negro.

—Kay...

—No —repuso la otra mujer y sonrió—. No soy Kay. Me llamo Sylvia. Sylvia Baumgardner.

Había tanta maldad, tanta amenaza en esa sonrisa y en esos ojos cuando la miraron de nuevo que Rachel sintió un escalofrío. ¿Acaso Kay se había vuelto loca?

—Detente, por favor. Quiero bajar.

Le costó mucho lograr el tono de seca autoridad con que había dominado incontables aulas llenas de alumnos. Fuera lo que fuese lo que le pasaba a Kay, empezaba a tener miedo de verdad. Pero no estaba dispuesta a quedarse allí sentada, simplemente observando, mientras su amiga perdía violentamente la noción de la realidad. Iba a bajar de aquel coche.

Kay rió.

—No tienes la menor idea, ¿verdad, criatura estúpida? Tú eres Ann Smythe, la organista. La dulce, pequeña Ann. Qué tierna eres, ¿verdad, querida? Siempre tan bonita, tan modosa. Nadie se había dado cuenta de que eras una prostituta. Nadie más que yo. Yo sí lo sabía. Lo supe tan pronto como tú empezaste a arrojarle el anzuelo, en el instante en que él respondió. Lo supe en el momento en que él rompió sus votos matrimoniales. Él era mío. Es mío.

Escuchando aquella arenga gutural, los ojos de Rachel se dilataron. Kay era casi fantasmal. Se la veía diferente y sonaba distinta. ¿Era posible que sufriera de una doble personalidad? Ante esa posibilidad, Rachel sintió un asomo de temor. Se soltó el cinturón de seguridad y mientras lo sostenía con un brazo buscó discretamente el seguro de la puerta. Si era necesario, saltaría. Haría cualquier cosa para salir de aquel coche.

—Está trabada... —dijo Kay, agitando un dedo hacia Rachel cuando tiró del seguro en vano.

Kay tenía los ojos bien abiertos, pero Rachel tuvo la impresión de que en realidad no veían. Sintió que algo (no Kay, sino *algo*) la miraba a través de esos ojos como un ser que atisbaba desde un agujero.

—Kay, lo que dices no tiene sentido —replicó Rachel, conservando un tono sereno.

El sentido común le decía que Kay no podría mantenerla prisionera en el coche para siempre. Sólo tenía que conservar la calma y todo saldría bien. Cierto, lo que estaba presenciando era horripilante, pero seguramente era algún tipo de colapso nervioso. Tal vez Kay hubiese estado sometida a mucha tensión en los últimos tiempos. Rachel se avergonzó al reconocer que había estado tan absorta en sus propias preocupaciones que no se había percatado.

—¿Quieres que te diga algo que tenga sentido? —Kay sonrió con un gesto de desagrado—. ¿Quieres entender lo que pasa, Rachel? Podrías preguntarle a Ann... pero ni siquiera conoces a Ann, ¿verdad? Al menos, no en forma consciente. Por eso te lo diré. Tú... siendo Ann... me robaste a mi esposo. Lo alentaste a que cometiera adulterio. Fornicaste con él. Tú y él creíais que yo no lo sabía. Pero sí, lo sabía y le puse fin. Pero él es débil en ese sentido, y codicia a las mujeres. Le inculqué el temor de Dios cuando descubrió lo que te había hecho, y nunca más se dejó tentar ni descarriarse. Al menos durante esa vida, no. Pero cuando lo volví a encontrar andaba con sus viejos trucos. Llevándose putillas a la cama mientras desatendía a la mujer cuyo amor le estaba destinado. Porque yo era fea, ¿sabes? Y tú eras bonita. Todas sus mujeres fueron bonitas.

—Tú eres muy atractiva, Kay —repuso con inquietud Rachel.

Kay la miró con tanto odio que Rachel se encogió.

—Yo creía que ellas eran tú, ¿sabes? Pero no. Te has estado ocultando, ¿verdad?, mientras planeabas cómo conseguirlo, pero al final te he descubierto.

Mirando aquellos ojos casi negros, Rachel vio una amenaza real y horrible. Por el motivo que fuera, Kay creía con todo el corazón en lo que decía. Rachel tuvo que dominar un repentino sentimiento de pánico. Debía mantener la calma a toda costa.

—Kay, tú no estás bien. ¿Por qué no das la vuelta, volvemos al hospital y conseguimos ayuda? Por favor, Kay.

Pese a sus buenas intenciones, a Rachel le tembló la voz.

Todos sus instintos gritaban que estaba en peligro, pero su mente seguía negándose a aceptar que aquella mujer, que había sido su amiga toda la vida, pudiera representar una amenaza. La idea que volvía una y otra vez a su pensamiento era: «Esto no puede estar sucediendo. No a mí».

—Yo no soy Kay. Soy Sylvia Baumgardner, esposa del reverendo Thomas Baumgardner, reverendo de esta iglesia. Tú conoces a Thomas como tu precioso Johnny.

En las tres últimas palabras, la voz de Kay se tornó terriblemente burlona. Al desviarse del camino principal, el coche redujo la velocidad y Kay hizo gestos por la ventanilla al hablar. Ya sin atreverse a mirar otra cosa que a Kay, Rachel vio que no estaban lejos de *El Nogueral*, internándose en el estrecho camino de tierra que llevaba a la Primera Iglesia Baptista. Al mirar el pequeño edificio de madera, Rachel comprendió de pronto con claridad a qué se refería Kay.

Como todos los demás en Tylerville, Kay había crecido oyendo el relato sobre el pastor que había engañado a su esposa con la organista, y la terrible venganza de la esposa. De algún modo, Kay imaginaba ser la esposa agraviada y le había asignado a Rachel el papel de la organista.

Al pensar en lo que aquello significaba, a Rachel se le heló la sangre.

CAPITULO 53

Eran más de las cinco y el crepúsculo caía sobre la pequeña extensión de terreno que Johnny Harris veía desde la oficina de Wheatley, donde estaba sentado. Observando el cielo, su inquietud iba en aumento. No le gustaba perder de vista a Rachel cuando caía la noche.

—Tengo que hacer una llamada telefónica —le dijo al jefe. Wheatley, que ya había pedido comunicación con el jefe de correos de Louisville para averiguar a quién pertenecía aquel apartado, lanzó un gruñido. Había estado sondeando despiadadamente a Johnny respecto a cualquier recuerdo que pudiera rescatar acerca de las anteriores misivas firmadas «eternamente tuya»... que eran unas quinientas. Hasta entonces no había obtenido las respuestas que buscaba.

—¿Está seguro de haberse deshecho de todas? —insistió Wheatley, visiblemente disgustado, mientras miraba a Johnny por debajo de las cejas.

Johnny asintió con un gesto.

—Estoy seguro. No tenía ningún sentido guardarlas. ¿Ha oído lo que he dicho? Tengo que hacer una llamada.

El policía frunció los labios y entrecerró los ojos.

—¿A quién?

—A Rachel. Está oscureciendo. Quiero decirle que no salga hasta que yo llegue. ¿Acaso tengo que pedir una autorización firmada antes de poder usar el teléfono?

El jefe sonrió con gesto de pocos amigos y deslizó el teléfono por encima del escritorio.

—Adelante.

—Gracias —repuso Johnny.

Cogió el auricular y marcó el número del hospital. Contestó Elisabeth.

—Hola, señora Grant, soy Johnny. ¿Puedo hablar con Rachel un momento, por favor?

Escuchó un instante y sintió que se le helaba la sangre.

Alzó la vista para fijar los ojos en los de Wheatley; tapó el auricular con la palma repentinamente sudorosa.

—No está allí —dijo con voz ronca—. La dejé en el hospital hace más de una hora y no está allí. Ni siquiera llegó a la habitación.

CAPITULO 54

—¿Quieres decir que crees que Johnny es la reencarnación del reverendo Baumgardner?

Tal idea habría sido absurda si la situación no hubiera sido tan seria.

—No lo creo, lo sé. Su alma está allí, en los ojos de él. Igual que la tuya. No sé cómo no te he reconocido antes.

El coche se detuvo detrás de la iglesia con un frenazo.

Habían recorrido los últimos diez metros sobre la hierba y ahora se hallaban detenidas junto a la cerca de hierro negro que circundaba el pequeño cementerio de la iglesia. Casi todas las lápidas se remontaban a mediados del siglo XIX, y las trece criptas contiguas, al fondo, eran todavía más antiguas. El cementerio estaba bien cuidado.

—Las otras dos fueron un error —continuó Kay.

Miraba con furia a Rachel, ahora que ya no tenía que prestar atención al camino. Rachel advirtió que Kay era mucho más alta que ella. Comprendió que si la cuestión degeneraba en una pelea cuerpo a cuerpo ella no tendría ninguna posibilidad. Entonces las palabras de Kay y el significado que encerraban penetraron en su angustiado pensamiento. De inmediato, con una sensación similar a un golpe en el vientre, comprendió a quién se enfrentaba.

—Tú... tú mataste a Marybeth Edwards y a Glenda Watkins, ¿verdad?

Rachel se encogió lo más cerca posible de la puerta mientras esperaba a que Kay abriera los seguros. Cuando eso ocurriera, saldría por la puerta y cruzaría el campo como una liebre perseguida por sabuesos. *El Nogueral*, la casa más próxima, quedaba a unos cinco kilómetros. Sólo tenía que llegar al otro lado del campo y atravesar el bosque para estar a salvo.

—Como dije, ellas fueron un error. —Kay se encogió de hombros—. A veces es difícil ver con claridad... Pero ahora te he encontrado y lo sé. Eres tú. Cuando ya no estés, él será mío.

Rachel sintió que casi se desvanecía de terror.

—Pero Kay, tú y Johnny... nunca has parecido interesarte por él, ni él por ti. ¿Qué te hace pensar que matarme hará que él se vuelva hacia ti?

En realidad no esperaba lograr que Kay razonara. Era evidente que no estaba en condiciones. Pero estaba dispuesta a intentar cualquier cosa con tal de aumentar sus posibilidades de seguir viva. Porque acababa de deducir que Kay la había llevado a aquel cementerio desierto para matarla.

—Cuando no estés, él ya no tendrá motivo alguno para luchar contra su destino. Somos el triángulo eterno, él, yo y tú. A veces tú y yo somos hombres y él es la mujer. Pero siempre eres tú mi amiga y la que me traiciona. Siempre debes ser destruida para que nosotros podamos vivir felices juntos. De no haber sido por ti, él ya me habría respondido. Lo sé. Ha intuido tu presencia durante años, igual que yo. Sólo que tú y él no sabíais qué buscabais, y yo no sabía a quién.

—Kay, eso es una locura. —Tan pronto como lo dijo, Rachel supo que había cometido un error.

La sonrisa de Kay fue aterradora.

—Bájate del coche —dijo mientras buscaba algo entre su asiento y la puerta.

Rachel, preparada para aprovechar el primer instante en que se liberaran de los seguros, quedó horrorizada al ver que, de pronto, Kay empuñaba un arma. Era grande, negra y de aspecto contundente, y apuntaba directamente al pecho de Rachel.

—Kay...

Fue una súplica susurrada a su amiga de la infancia, cuando Rachel se dio cuenta de que iba a morir. Su súplica de nada sirvió. Los ojos de Kay relucieron de satisfacción ante la prueba de debilidad de su rival.

—Ten mucho cuidado —le advirtió Kay en tono de amenaza—. No quiero dispararte, pero lo haré si es necesario. Ahora, baja del coche.

CAPITULO 55

—Es ella quien viene.

Las palabras despertaron a Jeremy de su estado letárgico.

—¿Quién, mamá? —Pero entonces lo supo. No «eso», sino «ella». La cosa era una mujer. Tembló de terror.

—Levántate. Quédate junto a la puerta.

Jeremy lloriqueó. La cosa venía, venía para matarlo.

Ojalá hubiera podido morir entonces, en aquel preciso instante, y terminar de una vez. Estaba tan asustado... Quería morir. ¡Mamá, mamá! ¡Llévame donde tú estás!

—¡Ve junto a la puerta! ¡De prisa!

Cuando su madre hablaba en ese tono, quería que la obedecieran. Jeremy logró incorporarse sobre manos y rodillas. Estaba aturdido, se sentía enfermo, y la cabeza le palpitaba tan fuerte que parecía a punto de estallar. Pero su madre fue inflexible y Jeremy tuvo que ponerse de pie. Empujó con los pies contra la pared mientras su hombro resbalaba sobre la fría piedra. Cuando logró incorporarse estaba sudando, pero apretó los dientes y se acercó a la puerta.

—Ella abrirá la puerta. Cuando lo haga, ¡corre! ¡Corre lo más rápido que puedas! ¿Recuerdas que siempre ganabas los cien metros lisos en la escuela? Tienes que correr así. Puedes hacerlo, Jeremy.

—Estoy enfermo, mamá. Y asustado.

—Yo estaré contigo, hijo. Tú corre.

CAPITULO 56

—Espera.

Rachel había salido del coche por el lado de Kay siguiendo sus órdenes. Ahora llovía. Rachel casi no sintió las gotas que la azotaban. Tenía la mirada fija en Kay. La pistola nunca osciló cuando Kay dio la vuelta al maletero del coche, y siguió apuntando de lleno al pecho de Rachel.

Kay introdujo una llave en el maletero, lo abrió apenas un poco para que no le impidiera ver a Rachel, y buscó a tientas dentro. Luego sacó un bulto de tela negra, de aspecto mohoso. Rachel, que miraba desvalida mientras su corazón latía acelerado, se sintió físicamente enferma al ver que Kay asía la tela con una mano, la sacudía y se la echaba en torno a los hombros.

Era un capa negra con capucha que parecía remontarse al siglo XIX. Cuando se la puso, Kay parecía haber llegado al presente desde otra época. Rachel la miró con incredulidad tratando frenéticamente de pensar en algún modo posible de escapar. Pero no se le ocurría nada.

—¿Sabes?, las flores son para ti. Para... después. Claveles rosados. El rosa es tu color, ¿no te parece?

La pregunta serena, pero en tono espectral, sonó aterradora. Rachel se había quedado sin habla.

Kay buscó de nuevo a tientas en el maletero y extrajo un cuchillo. Era un cuchillo de carnicero, de los que se encuentran en muchas cocinas, y también en la de *El Nogueral*. Pero empuñado por Kay era espantoso y aterrador. Rachel supo que se trataba del arma que había matado a Glenda, y posiblemente a Marybeth también. Sintió ganas de vomitar.

¿Sería ella la tercera? La posibilidad parecía tan irreal que Rachel se encogió de miedo. Seguramente no iba a morir de esa manera. ¡Su vida era tan placentera! Aún no estaba preparada. No podía dejar a Johnny, ni a su madre, ni a Becky, ni...

Pero semejante reflexión llevaba al pánico y era algo que ella no podía permitirse. Debía pensar como un ser racional, porque Kay ya no lo era.

Kay no podía acuchillarla y sostener la pistola al mismo tiempo. Era un punto a favor de Rachel, y se aferró a eso como alguien a punto de ahogarse intenta agarrarse a una rama.

Entonces una voz insignificante agregó una advertencia.

Acaso Kay pensaba usar la pistola y el cuchillo le serviría para apuñalarla cuando estuviese muerta.

Kay estaba loca. Sollozos histéricos le atenazaron la garganta al comprender ese hecho. Tragó saliva y se dominó. Si quería tener una posibilidad, debía mantener la calma.

Kay cerró el maletero; después agitó la pistola hacia Rachel.

—Está bien. Camina.

—¿Hacia dónde?

Rachel pensó en huir, emprender la carrera en aquel mismo instante con la mayor rapidez posible, jugándoselo todo a que Kay no haría fuego o que erraría si disparaba.

—¡Hacia el fondo del cementerio! ¡Ya!

En el último instante, Rachel comprobó que no podía arriesgarse a correr. La idea de recibir un balazo en la espalda hizo que sus rodillas amenazaran con doblarse. Se volvió y comenzó a caminar. Miró alrededor en busca desesperada de cualquier cosa que pudiera ayudarla. ¡Si al menos viniera alguien, cualquiera! Pero la iglesia no era más que una reliquia, visitada solamente el día de las Glorias Militares, y cuando la Sociedad para la Conservación de la Iglesia venía a plantar flores o a arrancar las malezas. El edificio ocultaba el cementerio desde el camino. A más de medio kilómetro a su derecha, al otro lado de una extensión de hierba, comenzaba el bosque a través del cual ella tendría que correr para llegar a casa. A su izquierda había un bosquecillo que lindaba con una cantera abandonada. Allí no había esperanzas de encontrar ayuda. Delante de ella estaba el patio del cementerio y, más allá, se extendían más campos.

Si pensaba hacer algo para salvarse, tenía que ser en los próximos minutos. Percibía la creciente agitación de Kay, que caminaba unos pasos detrás de ella, y temió que pudiera estallar en un arrebato asesino en cualquier instante. Cuando eso sucediera, salvo que ocurriera un milagro, su vida acabaría.

—Hacia las criptas, por allá. Ésa, la del final.

Mientras Rachel obedecía lentamente las órdenes de Kay, su mirada se posó en una gruesa rama, caída en el suelo, junto a la cripta parcialmente enterrada a la que se dirigían. Era probable que, como arma, resultara patética contra una pistola y un cuchillo. Pero era lo único que se le ofrecía y, tal vez, si ella la asía en el último instante y se giraba blandiéndola...

Kay le dispararía o incluso la acuchillaría. Pero era preferible morir luchando,

Rachel crispó los puños y se esforzó por mantener la mente despejada. Si quería tener alguna posibilidad debía poder pensar.

En ese momento empezó a rezar.

CAPITULO 57

—¿Listo, Jeremy?

—Estoy listo, mamá.

Aun así, Jeremy estaba muy asustado. Al menos su miedo lo hacía sentirse más fuerte. Ante la idea de que la cosa pronto aparecería en la puerta con su cuchillo, le comenzó a latir con fuerza el corazón, se le aceleró la respiración y el dolor que lo cegaba pareció amainar.

—Tan pronto como se abra la puerta, corre, hijo mío.

Jeremy se aplastó contra la piedra fría y mohosa al oír por segunda vez aquel sonido rasposo. Ahora sabía qué era... el ruido de una llave que buscaba una cerradura.

Se preparó para lanzarse adelante como perseguido por los demonios.

Su única posibilidad consistía en tomarla por sorpresa y pasar a su lado a todo correr antes de que ella se recuperara. Si no lograba hacerlo, moriría.

La cerradura chirrió al girar.

—Estoy contigo, Jeremy. Listo...

CAPITULO 58

Cuando Rachel se detuvo obedeciendo órdenes de Kay, la rama estaba a unos diez centímetros de sus pies. Ahora Kay no paraba de sonreír, sólo que la sonrisa se había transformado en una mueca. Era lo más aterrador que había visto Rachel en su vida. La vieja cripta sepulcral donde la había conducido Kay estaba parcialmente enterrada y cubierta de hiedra y musgo. Un nombre, Chasen, estaba esculpido en la enmohecida puerta de hierro.

Chasen. Rachel sintió una nueva oleada de horror al darse cuenta de que ésa era la cripta donde, según se decía, habían sido hallados los restos de la organista. Como parte de su demente fantasía, Kay iba a matarla en aquella cripta.

—No te muevas —ordenó Kay.

Luego pasó al lado de Rachel para abrir la cerradura con una llave de hierro labrada y larga, que extrajo de un bolsillo de la capa. Fue tarea lenta, ya que la cerradura era vieja y Kay no podía apartar su mirada de Rachel. Ésta, combatiendo su pánico, supo que cuando se abriera la puerta empezaría la lucha por su vida.

—No trajiste aquí a las otras —dijo Rachel, esforzándose por hablar un poco. Tenía la esperanza de distraer a Kay de su tarea el tiempo suficiente para acercarse más a la rama.

—En este momento hay demasiada agitación. Si te hallaran como a las otras, yo correría peligro. Ciertamente pondría en peligro a Thomas. No quiero que él vuelva a la cárcel.

—Me echarán en falta, Kay. Mi familia me buscará por todas partes.

—Pero no te encontrarán. —La cerradura chasqueó audiblemente y Kay sonrió satisfecha—. La policía buscará pero al final dirán que te fugaste. Lo mismo que hicieron cuando te maté antes. Lo mismo que hicieron con ese muchacho.

—Ese muchacho... —Rachel se puso rígida de horror—. ¿Te refieres a Jeremy Watkins? ¿Le has hecho daño a él también?

—Me vio —repuso Kay, sacando la llave de la cerradura y guardándosela en el bolsillo—. Está aquí y ya está muerto. O casi, es lo mismo.

—¿Lo has matado?

Rachel sintió de nuevo que se desvanecía al pensar en el pobre Jeremy víctima de las cuchilladas, como su madre. Las mismas que pronto iba a asestarle a ella.

—Como a las otras, no. —Por un momento Kay se mostró casi confundida—. Yo no lo odiaba. Pero se entrometió. Por eso lo golpeé y lo traje aquí. Iba a matarlo, pero me interrumpieron. Un estúpido forastero vio mi coche aparcado junto a la iglesia y se detuvo para pedir información. —Rió entre dientes, el sonido fue horrible—. Fue casi como si Dios no quisiera que yo lo matase esa noche. Entonces decidí dejar que Dios se lo llevara cuando le pareciera. Es probable que ya lo haya hecho.

—¿Cómo puedes hablar de Dios con esa tranquilidad? Fue un clamor de su corazón. Tan pronto como salió de sus labios, Rachel quiso retenerlo. En los ojos de Kay, la confusión se extinguió, reemplazada por la misma helada resolución que brillaba en ellos desde que habían subido al coche.

—Todo esto es parte de un plan divino —dijo Kay con recato, mientras empuñaba el picaporte.

Los goznes debían de haber sido aceitados en un pasado no demasiado lejano porque la puerta se abrió fácilmente y sin ruido.

CAPITULO 59

—¡Corre!

Con un grito agudo, Jeremy irrumpió fuera de aquella caverna de pesadilla, con los brazos extendidos para empujar a la cosa con todas sus fuerzas si hacía falta. Ella estaba allí, enorme y horrenda, con la cara en sombras y su negra capa ondulando al viento, pero la ruidosa aparición del muchacho la cogió tan por sorpresa que la hizo retroceder un paso. Mientras su madre le gritaba al oído alentándolo, Jeremy pasó como el viento junto a ella, irrumpiendo a la luz cegadora de un mundo que no veía desde hacía una eternidad. El olor fresco de la tierra, la fuerza del viento y la lluvia que caía en su rostro devolviéndolo a la vida asaltaron sus sentidos al mismo tiempo que la luz. Apenas si podía ver, pero no necesitaba ver. Tan sólo necesitaba correr y volar hacia la luz.

CAPITULO 60

También Rachel gritó cuando Jeremy salió bruscamente del sótano. Su corazón se llenó de júbilo al saber que aún vivía, que aún podía correr, pero luego no tuvo más tiempo para pensar. Cuando Jeremy pasó veloz junto a ella, Kay trastabilló y casi soltó la pistola. Rachel actuó por instinto, se arrojó en busca de la rama y se irguió blandiéndola contra Kay. Le dio de lleno en el pecho y la derribó al interior de la cripta.

A la velocidad del relámpago, Rachel cerró violentamente la puerta. Kay tenía la llave. Ahora aullaba y Rachel supo que no podría tener la puerta cerrada mucho tiempo enfrentada a la fuerza de la otra mujer. Respondiendo nuevamente a su instinto, apoyó una punta de la rama en la puerta y la otra en la tierra blanda. No resistiría mucho tiempo, pero tal vez les diese tiempo a Rachel y a Jeremy a huir.

Kay ya se había incorporado. Rachel podía oír el sólido impacto de su cuerpo contra la puerta al tratar de abrirla por la fuerza. Rachel se quitó los zapatos y, con la sensación de que sus pies tenían alas, corrió hacia el coche. Si no se equivocaba, Kay había dejado las llaves del coche en el maletero.

—¡Jeremy!

Trató de llamarlo, pero él ya estaba muy lejos, volaba por el camino de tierra hacia el asfaltado, los brazos extendidos hacia delante, mientras de su garganta brotaban gritos tan agudos que casi parecían chillidos de ultratumba.

Rachel apenas tuvo tiempo para mirar hacia Jeremy, antes de llegar al coche. Sacó las llaves de la cerradura, ¡gracias a Dios que estaban allí!—, luego saltó al asiento del conductor y las metió sin vacilar en el contacto. Al mismo tiempo que el motor arrancaba, la puerta de la cripta se abrió con violencia y Kay salió a tropezones.

Rachel la vio con horror mientras ponía la marcha.

Apretando el acelerador a fondo, lanzó trozos de tierra y hierba hacia todos lados al salir dibujando un torpe semicírculo y arremeter hacia la carretera por el camino de tierra.

En el espejo retrovisor vio a Kay que corría tras ella, con la cara contraída, la negra capa aleteando detrás en el viento, de modo que se parecía al Zorro o a un enorme cuervo.

Jeremy Watkins casi había llegado a la carretera. Rachel desvió el coche delante de él, bloqueándole la fuga, y se lanzó por encima del asiento para abrirle la puerta.

—¡Sube! —gritó con voz aguda.

Por un momento creyó que el niño quería esquivarla y seguir corriendo, pero luego se abalanzó hacia la puerta abierta del coche y de un salto se arrojó de cabeza al asiento.

Mirando atrás por el espejo retrovisor, Rachel no vio señales de Kay y pisó a fondo el acelerador. Del lado del pasajero, la puerta se agitaba al viento.

—Jeremy, ¡Jeremy, cierra la puerta!

Al principio pensó que él estaba demasiado asustado para entender, pero al cabo de un instante se enderezó para cerrar con fuerza la puerta. Rachel pulsó el botón automático de seguridad y los seguros se cerraron con un chasquido.

Se hallaban en el cruce del camino de tierra con la carretera cuando Kay surgió de pronto de entre los matorrales a la izquierda, como un ejército a la carga. Rachel y Jeremy gritaron al unísono, y el automóvil patinó y describió un círculo en el barro y la hierba por causa de la lluvia... y de pronto ella estuvo a tan sólo un metro y medio de distancia, plantada de frente entre el vehículo y la carretera.

Sonreía con aquella sonrisa maligna. Sus ojos resplandecían como pozos del infierno. Alzó los brazos y con la pistola apuntó directamente a la cara de Rachel.

Jeremy chilló, aterrado. Rachel también gritó... y aceleró. Cuando el Escort la embistió, Kay voló por el aire en línea recta como un enorme cuervo y cayó sobre el techo con la cara aplastada contra el parabrisas. Aullando de horror, Rachel vislumbró los ojos vidriosos y la sangre que chorreaba de la nariz y la boca de Kay, antes de que el instinto volviese a intervenir. Con un brusco golpe de volante, lanzó el coche dando bandazos a la izquierda y el cuerpo voló y cayó en el camino, boca abajo.

CAPITULO 61

Nerviosa como estaba y a la velocidad que iba, Rachel no tardó en volver a patinar y salirse de la calzada. El Escort cayó en una zanja. Rachel y Jeremy fueron violentamente proyectados hacia delante.

Jeremy aterrizó en el suelo del lado del pasajero. Rachel se estrelló contra el volante y quedó con la respiración entrecortada. Por un momento permaneció inmóvil colgando encima del volante como una muñeca de trapo. Después, lenta y trabajosamente, se apartó del volante para observar a Jeremy. Pero primero miró con temor por el espejo retrovisor. Sabía que detrás de ellos el camino estaría despejado. Aun así tenía que mirar, sólo para estar segura. Estaba despejado.

El coche estaba inclinado dentro de la zanja en un ángulo disparatado. Atascado sin remedio.

—Jeremy, ¿estás bien?

—¿Mamá?

—No, cariño. Soy Rachel, Rachel Grant.

—Ah... —Jeremy calló un momento; luego alzó la cabeza y la miró—. ¿Ha muerto?

—Sí, parece que sí.

El niño empezó a llorar sin ruido.

—Me duele la cabeza. Y quiero a mi mamá.

Rachel quiso llorar con él, por él y por sí misma, pero antes quería estar en un sitio donde estuviera a salvo, rodeada de mucha gente.

—Jeremy, estamos atascados y tenemos que salir de aquí. Por si... por si acaso. Mi casa está cerca. ¿Crees que podrás caminar hasta allí?

Jeremy dejó de llorar y se secó los ojos con el antebrazo.

—Sí... Si no hay más remedio.

—Ven.

Con cierta dificultad Rachel logró abrir la puerta y salió. En ese momento llovía con tanta intensidad que el cabello y se le pegó a la cara en pocos segundos. Deslizándose tras ella, Jeremy tembló al sentir el azote de la lluvia. Llevaba unos pantalones cortos sucios y una simple camiseta; tenía una brecha de al menos siete centímetros en la sien izquierda. ¡Con razón le dolía la cabeza!

—Vamos —dijo Rachel, mirando temerosamente en la dirección por donde habían llegado.

El aguacero limitaba la visibilidad, pero no vio nada que la hiciera temer. Sin embargo, agarró la mano de Jeremy cuando echaron a andar por el camino.

El camino de acceso a *El Nogueral* estaba a menos de medio kilómetro. Cuando llegaron, Jeremy y Rachel estaban completamente empapados.

—¿Ésa es su casa?

—Sí.

Alcanzaron la puerta principal en el preciso instante en que retumbaba un trueno y el cielo se abría.

La puerta estaba cerrada con llave. Rachel golpeó, tocó insistentemente el timbre, pero no acudió nadie.

La casa estaba vacía.

Era raro, pero Rachel no pensaba quedarse en el porche tratando de buscar una explicación. Entraría, cerraría las puertas y pediría ayuda por teléfono.

Afortunadamente, guardaban una llave debajo de un tiesto con flores, junto a los escalones.

—¿Ocurre algo? —inquirió Jeremy, mirando en derredor nerviosamente, mientras Rachel abría la puerta.

Antes era un niño menudo, pero ahora parecía un espectro, nada más que piel y huesos, y unos ojos enormes, hundidos. Su calvario había sido mucho peor que el de ella. Rachel le rodeó los hombros con un brazo.

—No, nada —mintió, y lo hizo entrar en la casa.

Luego, con mucho cuidado, cerró la puerta con llave y buscó el interruptor para iluminar la sala.

Funcionó. Rachel dejó escapar un suspiro de alivio. No se había dado cuenta de cuánto había temido la oscuridad, ni de lo asustada que estaba todavía.

—Ven, Jeremy. Vamos a la cocina y llamemos a la policía.

Luego podremos calentarnos y secarnos, comer algo y...

—¿Tienes salchichas? —inquirió él con interés. Rachel lo abrazó riendo y lo sentó en una silla de la cocina.

—Estoy segura de que sí —repuso—. Puedes comprobarlo tú mismo mientras yo hago la llamada.

Aprovechando su invitación, Jeremy abrió la nevera y buscó en el interior mientras ella cogía el teléfono. Le temblaban los dedos al marcar el número de la policía. Cuando atendió la mujer, Rachel dijo:

—Habla Rachel Grant. Necesito hablar con el jefe Wheatley de inmediato y...

—Ha salido por una emergencia y... ¿ha dicho que es la señorita Grant?

—Sí.

—¡Válgame Dios, está todo el departamento de policía buscándola! ¡Pensábamos que la habían secuestrado! ¿Dónde está usted?

—Ahora estoy en mi casa. Sí, me han secuestrado. Tengo conmigo a Jeremy Watkins, acabamos de atropellar a Kay Nelson y...

Rachel se interrumpió al ver que una sombra oscurecía el cristal de la ventana en la puerta de atrás. Con ojos dilatados de horror, reconoció la cara ensangrentada, con ojos desencajados y espantosa sonrisa que espiaba dentro. Con la luz del techo encendida, era imposible que Kay no los descubriera.

—¡Envíen a alguien lo antes posible! ¡Esa mujer está en la puerta! —susurró Rachel al teléfono. Luego soltó el auricular sin molestarse en colgar.

Kay agitó el picaporte. ¡Gracias a Dios que la puerta estaba cerrada con llave! Si tan sólo pudieran mantenerla fuera hasta que llegara la policía...

Jeremy alzó la vista, vio a Kay en la puerta y lanzó un grito agudo. Kay se echó a reír, moviendo los dedos hacia el muchacho en un saludo burlón. Rachel se precipitó junto a él.

—Ven —lo urgió, deteniéndose solamente para coger un cuchillo de carnicero del mostrador antes de correr escalera arriba con Jeremy—. Ya viene la policía. Ella no podrá entrar. Estamos a salvo. Estamos a salvo. Estamos a salvo.

—¡Por favor, no dejes que me atrape otra vez! ¡Mamá! Mamá, ¿dónde estás? ¡Necesito a mi mamá! —gimió Jeremy.

—¡Vamos, Jeremy!

Cuando llegaban al rellano del segundo piso, Rachel se horrorizó al oír el estruendo de un cristal que se rompía.

—¡Ya viene! —Jeremy parecía a punto de sucumbir a la histeria.

Rachel se sentía igual, pero esta vez tendrían ayuda y además ella sabía dónde encontrar un arma de fuego.

Pertenecía a su padre, y por lo que Rachel recordaba, había sido disparada una sola vez en los diez últimos años para comprobar que funcionaba. Estaba en lo alto del armario donde se guardaban las cintas grabadas, en la sala de baile del segundo piso. Las balas estaban en el mismo lugar.

Hubo otro estrépito de cristal roto, y luego una risita aguda, triunfal. A Rachel se le heló la sangre.

—Señorita Grant...

—¡Calla! —Rachel interrumpió con vehemencia al muchacho. Por un instante, tan sólo un instante, pensó en correr a uno de los cuartos de baño de arriba y atrancar la puerta. Pero las cerraduras eran endebles y, si Kay las hacía ceder, Jeremy y ella estarían atrapados. No, era preferible subir a las habitaciones superiores y tomar el arma. Kay tendría que buscarlos.

Ahora Kay había entrado en la casa. Rachel la oyó farfullar, y luego oyó el crujido de pasos sobre cristales rotos y sintió náuseas. Jeremy lanzó un gemido de terror. Rachel le tapó la boca con la mano y lo apremió a subir por la estrecha escalera hasta el segundo piso.

Allá abajo oyó la voz de Kay que la llamaba.

—¡Rachel!

Sólo que ya no era la voz de Kay. Era espectral, aguda y maligna. Jeremy temblaba violentamente. Rachel lo apretó contra sí mientras se precipitaban hacia la sala de baile, rogando que la policía llegara a tiempo.

—¡Rachel!

¡Kay había empezado a subir por la escalera! Habían dejado huellas de agua y barro que ella podía seguir. Debía de estar malherida o ya los habría alcanzado.

«Aférrate a esa idea», se dijo Rachel con gesto de encono al llegar corriendo a la sala de baile, con Jeremy a rastras. La sala estaba oscura, envuelta en una oscuridad densa y gris porque las ventanas se abrían sobre el crepúsculo lluvioso, pero Rachel no tuvo tiempo para sentir temor. Empujando a Jeremy detrás del viejo sofá, se abalanzó al armario de las cintas. Pasó la mano por encima del mueble, ya frenética porque esperaba oír en cualquier instante a Kay, y descubrió con horror que el arma no estaba allí.

—¡Rachel!

El grito burlón ya estaba cerca y Rachel advirtió desesperada que Kay había llegado al segundo piso y que ahora se acercaba a la sala de baile.

—¡Escóndete! —advirtió a Jeremy, en un susurro de voz, y él se acurrucó detrás del sofá, tapándose la cabeza con los brazos.

Oyó que, abajo, el reloj daba las seis.

Rachel apenas tuvo tiempo para agacharse detrás del armario de las cintas cuando apareció Kay en la entrada. Iba encorvada y se inclinaba a un lado. Arrastraba la capa por el suelo, dejando una gran huella de barro. Con el cabello pegado al cráneo y la espantosa sonrisa pintada en el rostro, no parecía un ser humano. El corazón de Rachel dio un vuelco cuando la mirada de Kay la encontró en las sombras. Apretó el mango del cuchillo que todavía empuñaba. Si lograba contener a Kay mientras la policía llegaba...

Entonces, Kay alzó la mano y Rachel vio con horror que aún conservaba la pistola.

Detrás del sofá, Jeremy empezó a sollozar.

Los ojos de Kay se desviaron para buscarlo y avanzó hacia el escondite del muchacho.

Un ruido de pasos que subían corriendo la escalera y llegaban por el pasillo detuvo a Kay en pleno movimiento. Rachel sintió una oleada de alivio tan intenso que se mareó. Tenía que ser la policía. ¡Gracias a Dios, gracias a Dios! Kay desvió su atención del muchacho aterrorizado hacia la puerta. Apuntaba con el arma a la entrada, y retrocedió unos pasos para poder amenazar a Rachel y a Jeremy al mismo tiempo.

Silencioso como un ratón, Jeremy aprovechó la interrupción para deslizarse debajo del sofá. No había ningún otro refugio en la sala. Rachel imploró al cielo que Jeremy no necesitara otro refugio.

Johnny irrumpió por la puerta abierta y se agarró al marco cuando sus zapatos resbalaron en el pulido suelo de madera. Estaba empapado, tan mojado que el agua corría por el suelo formando charcos en torno a sus pies. Tenía la mirada perdida y respiraba con fuerza al observar a su alrededor.

—Johnny.

Los labios de Rachel formaron la palabra, pero no brotó ningún sonido. El horror le atenazó la garganta mientras los ojos de Johnny la encontraban y parte del miedo desaparecía de su rostro. Salvo el jadeo de Johnny y el estruendo de la tormenta, fuera, la casona estaba en silencio. Era obvio que había venido solo.

Eso significaba que estaban los tres a merced de Kay... y que Kay tenía un arma.

—Thomas.

Kay pestañeo una sola vez y dio un paso hacia él. Bajó ligeramente la pistola. Una sonrisa le torció los labios. Sus ojos resplandecían. El efecto era de pesadilla.

—Dios mío —murmuró Johnny, cuyos ojos se dilataron al fijarse por fin en Kay, y viendo el estado en que se encontraba. Y luego vio el arma.

—Quiero decir, Johnny. No sabes que eres Thomas, ¿verdad? Pero lo eres. Y eres mío. Tal como yo soy tuya. Eternamente tuya.

Johnny lanzó una mirada veloz a Rachel, que no se atrevió a llamar la atención de Kay emitiendo siquiera una sílaba. Dado el enamoramiento de Kay por Johnny, era posible que él pudiera hacerla hablar hasta que llegara la policía, como seguramente ocurriría pronto.

—Recibí tus cartas cuando estaba en la cárcel —dijo Johnny. Estaba bien atento a Kay y su tono era tranquilizador, aunque no pudo disimular del todo el resplandor vigilante de sus ojos—. Eran tuyas, ¿verdad? Estaban muy bien escritas.

—Eres muy listo al suponerlo —rió Kay con un sonido agudo y juvenil, que a Rachel le erizó la piel—. Siempre has sido muy listo, Thomas.

—Oye, me llamo Johnny —sonrió él. Metió las manos en los bolsillos y apoyó un hombro en el batiente de la puerta.

De las puntas de sus cabellos chorreaba agua y tenía la camisa pegada a los duros músculos del pecho.

—¡No te muevas! —La pistola subió un poco y la advertencia de Kay fue brusca. Como Johnny no mostraba signos de desobedecer, Kay bajó de nuevo la pistola y se encogió de hombros—. No importa cómo te llames. Sé quién eres.

—¿Cómo lo sabes? —Con su actitud tranquila e indolente, Johnny no daba señales de la tensión que seguramente sentía. Por su parte Rachel, aún agazapada detrás del armario, espiaba por el costado y apretaba el mango del cuchillo de carnicero con tal fuerza que tenía los nudillos blancos.

—Te reconocí la primera vez que me besaste.

—¿La primera vez que te besé? —repitió Johnny en tono de evidente perplejidad, y se apartó de la puerta al erguirse.

—¡Que no te muevas, he dicho! —La mano que empuñaba la pistola osciló de manera alarmante. Luego la voz de Kay cambió, se dulcificó—. Fue mi primer beso de adulta. Seguro que te acuerdas. Fue en aquella fiesta de Navidad, cuando estábamos en el instituto. Yo era alumna de último curso y tú del segundo. Estaba con una amiga... no tenía pareja... y tú estabas con un grupo de amigos tuyos. Eras tan guapo que yo no podía dejar de mirarte, pero creía que ni siquiera te fijarías en mí. Crucé el umbral de una puerta... había muérdago encima de mi cabeza... y tú estabas allí. Me sujetaste y me besaste. Después lo hiciste de nuevo. Supe que me habías observado toda la noche, tal como yo te había observado a ti... Y supe quién eras desde el primer beso. Eras mi hombre. Mío.

—Demonios, la única fiesta de Navidad a la que fui estaba tan borracho que apenas si podía estar de pie. No recuerdo nada de eso.

La afirmación descuidada y movida por la sorpresa fue un error.

—¿No lo recuerdas? —El tono de Kay evidenció su dolor. Entrecerró los ojos—. No, debí suponerlo. Te he sido fiel, pero tú... tú has estado con tantas mujeres desde entonces, que probablemente no te acuerdes ni de la mitad.

—Sí me acuerdo, pero...

El intento de Johnny de salvar la situación fue en vano.

Kay se irguió más, con el rostro deformado por la ira al lanzar una mirada ponzoñosa a Rachel antes de fijarse de nuevo en Johnny.

—Siempre has sido un mujeriego, ¿verdad? Espero que estés orgulloso de ti mismo. ¿Ves adónde me has llevado? Ann Smythe, Marybeth Edwards, Glenda Watkins, todas muertas por culpa tuya. Y más, muchas más, durante los siglos en que hemos estado juntos. ¿Crees acaso que yo quería matarlas? ¿Crees que quiero matar a Rachel ahora? Lo hago por ti, por ti, sólo por ti.

El ulular de las sirenas de los coches de la policía rasgó el fragor de la tormenta. Kay Nelson se interrumpió. También Rachel escuchaba, paralizada en su sitio. Ni ella ni Johnny se atrevían a desviar la mirada.

—Viene la policía. Me llevarán a la cárcel. Y ella te tendrá. —Ahora Kay balbuceaba, su voz se tornaba cada vez más chillona—. Tengo que matarla... No, te mataré a ti y luego me suicidaré. ¡Estaremos juntos en la eternidad y ella nunca te tendrá! ¡En esta vida, no!

Kay Nelson lanzó una risita demente que a Rachel le erizó el vello de la nuca. La mano que empuñaba la pistola se alzó espasmódicamente, apuntando de lleno a la cabeza de Johnny. Éste dio un paso atrás en forma instintiva y alzó una mano para protegerse de la bala inminente...

—Muere, amor mío —dijo Kay, riendo entre dientes.

—¡No! —gritó Rachel incorporándose de un salto.

Fuera retumbó un trueno. La lluvia golpeaba las ventanas. Se acercaba el ulular de las sirenas...

Kay miró a Rachel apenas un segundo. En esa breve fracción de tiempo, Johnny se abalanzó hacia la mujer arrojándose de cabeza como un experimentado jugador de rugby.

Kay chilló, retrocedió de un salto... y el arma se disparó con estruendo.

Johnny gritó y cayó al suelo sin alcanzar su blanco, rodando hacia Rachel mientras se apretaba con una mano el cuello. Rachel se horrorizó al ver que la sangre brotaba, roja, entre sus dedos.

—No temas, Thomas. La muerte no duele —susurró Kay y apuntó de nuevo hacia el cuerpo postrado de Johnny, evidentemente decidida a terminar su obra.

—¡No! —volvió a gritar Rachel, abalanzándose contra Kay con el cuchillo en alto.

—¡Perra!

Kay alzó de pronto la vista y disparó por segunda vez.

El impacto fue como una patada de caballo en el hombro. Rachel cayó trastabillando, mientras el cuchillo volaba de sus manos para caer a unos dos metros de distancia.

Entonces Kay volvió a fijar su atención en Johnny, que yacía inmóvil mientras brotaba sangre de su herida, y apuntó la pistola a su cabeza.

De la nada llegó un relámpago enorme y un estallido ensordecedor. Al quebrarse, una rama se estrelló contra las ventanas al otro lado de la sala y las destrozó.

Al estallar, los cristales llovieron sobre Kay, que se encontraba más cerca. Con un grito, se volvió hacia las ventanas. Olvidó a Johnny, que yacía tras ella, y dio un paso hacia las ventanas, y luego otro, como atraída por algo que veía en la lluvia de la noche tormentosa.

En ese instante, la silla de ruedas de Stan Grant, que se hallaba a muy poca distancia de Rachel, se movió debido a la corriente de aire que de repente inundó la habitación.

Con una certidumbre que desafiaba toda explicación, Rachel supo lo que tenía que hacer.

Ignorando el dolor de su hombro, se abalanzó hacia la silla de ruedas, la cogió por detrás y corrió hacia Kay con toda su fuerza. La silla arremetió contra Kay, golpeándola de lleno detrás de las rodillas y haciéndola caer pesadamente en el asiento de cuero. El peso de su cuerpo sólo consiguió que la silla se desplazara más rápido. Rachel apenas si tuvo tiempo para soltarla antes de que la silla golpeara lo que quedaba del marco de la ventana y se inclinara violentamente hacia delante. Kay gritó una sola vez al ser lanzada por la ventana rota; luego desapareció en la noche.

Rachel retrocedió, se acercó a Johnny y se desplomó. Aún estaba arrodillada, apretando desesperadamente su falda contra la sangrante herida del cuello de Johnny, cuando los seis agentes de policía, todos los que había en Tylerville, irrumpieron en la sala.

CAPITULO 62

Al día siguiente, en un hospital de Louisville, un pequeño grupo de personas se apiñaba en un pasillo, cerca de una puerta cerrada.

Tom Watkins y sus hijos, su novia Heather y el jefe de policía Wheatley, estaban entre quienes hablaban en voz baja con un médico de bata blanca.

—¿Listo? —El médico interrumpió la conversación para mirar a Jeremy, que movía los pies con impaciencia. Jeremy asintió—. Entonces, ven...

El doctor fue hacia la puerta cerrada, la abrió y se apartó.

Tom y Jeremy se acercaron a la puerta cogidos de la mano. Luego Tom se apartó.

—Entra tú —le dijo a su hijo soltándole la mano.

—¿Seguro, papá?

—Claro. Entra.

Jeremy pasó junto al médico y vaciló. Comparada con el pasillo, la habitación estaba muy oscura y silenciosa, y él no pudo ver con claridad la figura que estaba en la cama. ¿Y si alguien había cometido un error horrible? No creía poder soportarlo si así era.

—¿Tú eres Jeremy? —Una enfermera, que estaba sentada junto a la cama, se incorporó y sonrió. Jeremy asintió con un gesto—. Ella ha estado preguntando por ti —agregó la enfermera, indicándole que se acercara.

Jeremy casi tenía miedo de moverse, pero se obligó a dar algunos pasos. Entonces la enfermera miró a la figura que yacía inmóvil en la cama.

—Su hijo está aquí, señora Watkins —dijo con suavidad la enfermera.

Al ver que la figura se movía, Jeremy sintió que el corazón le latía apurado.

—¿Jeremy?

Fue un débil susurro, tan débil que Jeremy apenas si pudo oírlo. Pero conocía aquella voz.

—¿Mamá?

Dio otro paso adelante y entonces echó a correr. Se habría abalanzado sobre la cama si la enfermera no lo hubiese sujetado por la cintura con ambos brazos, hablándole suavemente.

—Vamos, cálmate... No queremos hacerle daño, ¿verdad?

—¡Mamá!

Era ella. Volvió la cabeza y la luz verde del monitor instalado junto al lecho iluminó sus rasgos.

—Jeremy —le sonrió ella cariñosamente, y su mano salió de entre las mantas para buscar a tientas la de él.

Con un apretón de advertencia, la enfermera lo soltó.

Jeremy tomó la mano de su madre entre las suyas y se inclinó sobre su debilitado cuerpo. Lágrimas de dicha, de alivio, de gratitud, llenaron sus ojos, luego rebosaron y se deslizaron por sus mejillas.

—Creí que estabas muerta —logró articular él con voz ahogada.

—Todavía no —Glenda consiguió sonreír de nuevo débilmente—. Soy más difícil de matar que una mofeta. Dicen que me pondré bien. No te preocupes.

Jeremy se acercó más para apoyar la mejilla contra la de su madre.

—Ha sido una pesadilla horrible. —Se le quebró la voz y, sollozando, hundió la cara en el hombro de Glenda.

—También yo he tenido pesadillas —susurró ella—. Pesadillas horribles, en las que tú estabas atrapado en una cueva oscura y me llamabas. Yo trataba de llegar a ti.

—Estuve en una especie de cueva, y te llamaba. —Jeremy alzó la cabeza para mirar fijamente a su madre.

—¿Sí? Yo soñaba constantemente que estabas en peligro.

—Lo estaba. Tú me salvaste. Esa mujer mala quería matarme...

—Basta ya —intervino la enfermera—. No queremos alterar a tu madre, ¿verdad? Más tarde podrás hablarle de tus aventuras. Por el momento necesita estar tranquila y descansar.

El niño se mordió los labios. Glenda tendió una mano y lo acercó a ella. Madre e hijo se aferraron el uno al otro, y la pesadilla se fue esfumando con lentitud.

Fuera en el pasillo, Tom Watkins miraba con enfado al jefe Wheatley.

—No tenía derecho a dejar que los niños pensaran que ella había muerto. Han pasado por un verdadero infierno.

Wheatley suspiró.

—Ya le he dicho cómo fue, Tom. Mi objetivo primordial era mantener con vida a Glenda. No podíamos protegerla contra todos los habitantes de Tylerville, veinticuatro horas diarias, durante semanas tal vez. Estaba en coma cuando la hallamos y siguió así hasta ayer, cuando, según me han dicho, se puso a gritar el nombre de Jeremy y despertó. Si le hubiésemos dicho a cualquiera, especialmente a los niños, que ella vivía, lo habría sabido el pueblo entero. Ya sabe cómo es la gente. Y no había nadie, incluyéndolo a usted, de quien yo no sospechara. Teníamos vigilada la habitación, pero un solo desliz y ella habría podido morir de verdad. No olvide que ella vio a la asesina.

—Sí, sí.

—Al parecer, lo mejor era dejar que la asesina creyera que Glenda estaba muerta hasta que despertara y nos dijera quién la había atacado.

—¿Y lo hizo? Quiero decir, ¿se lo dijo?

—Sí. Ayer, más o menos a esta hora. Cuando nos dio el nombre de Kay Nelson, esa mujer ya estaba atacando a Rachel Grant, a Johnny Harris y a su hijo Jeremy.

—Gracias a Dios que están todos vivos.

—Amén.

Se abrió la puerta del cuarto que ocupaba Glenda Watkins y Jeremy salió. La enfermera aguardaba en la entrada.

—Quiere ver a las niñas y a Jake. —Jeremy sonreía mientras se enjugaba las lágrimas.

—¡Mamá! ¡Mamá! —Los tres pequeños se precipitaron hacia la puerta abierta.

—Uno por uno —dijo la enfermera, sonriendo.

Ashley se abrió paso a empujones y la puerta se cerró tras ella.

—Mamá —dijo lastimeramente Jake mientras él y su hermana se apartaban de la puerta. Le temblaba el labio inferior en amenazadora advertencia.

—Los dos tendréis vuestro turno —le dijo el médico, poniéndoles una mano sobre los pequeños hombros.

—Mamá está viva, Jake —le dijo Jeremy a su hermano. Miró a Lindsay—. ¡Mamá esta viva, Lin!

—Sensacional, ¿verdad? —sonrió Tom Watkins.

—Sí, papá. Sensacional —dijo Jeremy y sonrió también.

Epílogo

—Kay estaba loca, ¿verdad?
—Desde luego que lo estaba.

Johnny le cogió la mano y la apretó con gesto tranquilizador. Desde que viniera como un rayo a rescatarla en su moto, volando en medio de la tormenta a velocidades de más de ciento cincuenta kilómetros por hora y dejando muy atrás a la policía, Johnny había sentido la necesidad de tocarla. Hasta en el hospital, bajo el efecto de fuertes calmantes como estuvo la primera noche, se había movido intranquilo, llamándola, hasta que Rachel acudió a su lado, después de que le hubieron curado su herida superficial.

Tan pronto como ella lo tomó de la mano, él se tranquilizó. Desde entonces habían pasado dos meses. Rachel estaba junto a Jeremy, de pie ante la tumba de su padre. Stan Grant había muerto aquella horrible noche en que Kay había intentado matarlos. La llamada urgente a todos los miembros de la familia junto a su lecho de muerte había sido el motivo por el cual Rachel no había encontrado a nadie en la casa. Su fallecimiento había ocurrido exactamente a las seis y cinco.

Al principio, obsesionada por el hecho de no haber estado con su padre al morir, en Rachel se fue fraguando una idea que le daba consuelo y que no la abandonaba.

El reloj había dado la hora sólo seis minutos antes de que aquella rama atravesara las ventanas y de que se moviera la silla de ruedas. De no haber sucedido aquello, lo más probable era que Kay hubiese matado a Johnny, y posiblemente también a Rachel y a Jeremy antes de que llegara la policía. En su fuero interno, Rachel estaba segura de que los había salvado el espíritu de su padre, que había dejado este mundo casi en el preciso momento que mayor necesidad tenía su hija. ¿Acaso se detuvo en el camino de su último viaje para salvarle la vida?

Rachel tenía la certeza de que, al final, su espíritu había estado en aquella habitación con ella.

Era un hermoso pensamiento, y Rachel lo atesoraba. Le ayudaba a despedirse de su padre con amor, más que con pesar, y a centrar su atención en lo que aún le quedaba por vivir.

—Podemos quedarnos un tiempo más en Tylerville, si quieres —dijo Johnny con suavidad.

Corría el mes de noviembre y el aire era frío. Johnny llevaba su chaqueta de cuero con la cremallera subida hasta la barbilla. El abrigo de Rachel era de lana gruesa y le rozaba los tobillos. El único recuerdo de la herida de Johnny era una cicatriz en un lado del cuello, donde la bala de Kay le había penetrado. La cicatriz quedaba oculta bajo la solapa de su chaqueta. En cuanto a la herida de Rachel, no era más que una rozadura en lo alto del hombro, cerca del sitio en que se apoyaba el tirante del sujetador. Le dolía un poco a causa del frío, y se preguntaba si ese dolor la acompañaría toda la vida, como recuerdo de lo que casi había perdido.

—No, estoy preparada para que nos marchemos. Sólo quería despedirme de papá.

—Ojalá hubiera podido conocerlo mejor.

—Ojalá que él te hubiese conocido y asistiera a nuestra boda.

Se casaron discretamente, en el salón de *El Nogueral*, el día anterior. Jeremy fue padrino de boda, y el resto de la familia Watkins, con Glenda en silla de ruedas, asistieron a ella. Después de abandonar el cementerio, irían derechos a Colorado, que Johnny siempre había querido conocer, en una mezcla de excursión en coche y luna de miel. La única condición que puso Rachel fue que el viaje se emprendiera en coche, no en moto. La única condición que puso Johnny fue que él conduciría.

—Johnny, ¿te parece posible que el espíritu de papá nos salvara?

Johnny se llevó la mano de Rachel a los labios. Ya habían hablado de eso, y él sabía que la idea la consolaba.

—Es posible, ¿por qué no? Es indudable que algo de nosotros sobrevive, y tu padre te quería mucho —dijo. Le sonrió y citó con voz pausada—: «Las generaciones pasan de largo cual hojas de otoño: sólo el amor es eterno, imperecedero».

—¡Qué hermoso! —suspiró Rachel, girándose en sus brazos, que se apretaron en torno de ella.

Recordó brevemente la obsesión de Kay Nelson y se estremeció.

—Henry Kemp —dijo Johnny satisfecho al nombrar al poeta—, al igual que Robert Burns, su poesía es de órdago.

—¡Qué cosas dices! —Rachel se apartó de él, pero reía. Las palabras de Johnny habían disipado su repentino escalofrío.

—Te amo —dijo él con un arranque de súbita vehemencia.

—Yo también te amo —repuso ella.

Johnny Harris inclinó la cabeza para besarla. Luego, con los dedos entrelazados, salieron juntos de debajo de los árboles que se mecían en el cementerio, rumbo al sol luminoso de una vida nueva.

FIN

entre Nosotras

KAREN ROBARDS

EL OJO DEL TIGRE

Una noche de 1814, en Inglaterra, un carruaje, recorre un camino solitario. El cochero, preocupado por el retraso, azota a los caballos. De pronto, un disparo, dos, unos encapuchados asaltan a los viajeros. Pero lo que parece un habitual asalto perpetrado por simples forajidos en busca de un suculento botín, se convierte en el secuestro de Isabella Saint Just, una joven aristócrata. Después, la petición de un rescate, su pago, y la libertad no llega. Horrorizada, Isabella descubre la verdad. No será liberada; alguien ha pagado para matarla. Sólo un hombre puede salvarla. EL TIGRE, *el rey de los bajos barrios londinenses, controla y gobierna con mano de hierro a todos los ladrones y truhanes de la cuidad. De este secuestro no sabe nada. Alguien lo ha traicionado. Pero al salvar a Isabella, descubrirá que hay una conspiración urdida contra él y que la muerte está cercana. Mientras lucha por mantenerse aprenderá lentamente una nueva forma de amar. Habituado a mujeres de una sola noche, descubrirá el valor de la pureza y convertirá la inocencia de Isabella en pasión irrefrenable.*